冯之浚　主　编
孙佑海　周长益　谭　颖　副主编

循环经济立法研究

——中国循环经济高端论坛

Circular Economy Summit Forum
of China

人民出版社

前　言

　　2006 年 7 月 8 日至 9 日,2006 年中国国际循环经济博览会暨循环经济立法与政策研讨会在美丽的苏州隆重开幕。在会议期间,来自海内外的近 700 家企业,通过苏州国际博览中心两个展场的 800 多个展位,充分展示了当今最先进的循环经济发展理念、技术及我国循环经济发展的最新成果,共同分享了交流与合作的巨大机会;与此同时,来自全国各地的 200 多位专家、学者聚焦循环经济发展的制度、政策,为我国循环经济立法献计献策。

　　本届循环经济博览会暨循环经济立法与政策研讨会由全国人大环境与资源保护委员会、国家发展和改革委员会、科技部、国家环保总局、江苏省人民政府共同主办,苏州市人民政府、苏州高新区承办,旨在落实《中共中央关于制定国民经济和社会发展第十一个五年规划的建议》中提出的发展循环经济的要求,进一步宣传循环经济理念,研究循环经济立法与政策,推广循环经济相关技术,促进我国循环经济更好更快地发展。博览会分为循环经济成就与技术展和循环经济理念与实例展两大部分,展览总规模超过 2.5 万平方米。作为我国举办的首届循环经济博览会,本届展会呈现出国内外业界参展踊跃、科技与成果紧密结合、涉及的行业领域众多等特点。全国共有 21 个省、自治区、直辖市纷纷派出了重点企业、科研院所与会;循环经济开展比较早、成效较好的德国、丹麦、日本、法国、瑞士、澳大利亚等 9 个国家也派出知名企业参展。参展企业涉及的行业包括钢铁、矿山、化工、建材、机械、电子、纺织、造纸、家电等,使本届会展成为名副其实的中外循环经济博览盛会。

　　全国人大常委会副委员长盛华仁,全国人大环境与资源委员会主任委员毛如柏,中华环保基金会会长曲格平,全国人大环境与资源委员会副主任委员叶如棠、冯之浚，国家环保总局副局长王玉庆，江苏省委常委、苏州市委书记王荣，江苏省人大常委会副主任叶坚，江苏省副省长仇和，苏州市委副书记、市长阎立，苏州市人大常委会主任周福元等出席了本届会展。盛华仁副委员长为本届会展揭幕并在循环经济立法与政策研讨会上作了重要报告，对发展循环经济和循环经济立法提出了更高的要求，他说，要深刻认识发展循环经济的理论意义与现实意义，准确把握发展循环经济的本质要求；循环经济立法要突出重点，着力解决主要矛盾，注重发挥市场、政府和企业等方面的综合作用，明确法律责任，强化法律监督，立意要新，在求精、适用、管用上下工夫；要通过大家的共同努力，起草出一部具有中国特色的循环经济法律，为建立能循环、可持续的国民经济体系，为建设资源节约型、环境友好型社会做出应有的贡献。

在会议开幕式上，毛如柏、王玉庆分别代表全国人大环境与资源委员会、国家环保总局致辞。他们对本届展会暨循环经济立法与政策研讨会的举行表示祝贺，对苏州市为本届会展所付出的努力表示衷心感谢。江苏省仇和副省长以及苏州市王荣书记在致辞中也代表江苏省委、省政府、苏州市市委、市政府对本届会展暨循环经济立法与政策研讨会的举行表示了热烈祝贺。会议由全国人大环境与资源委员会副主任委员冯之浚主持。

全国人大环资委从 2005 年下半年起，先后委托国家发展改革委员会以及国家环保总局提出立法建议，同时请清华大学、北京大学、中国政法大学、中国人民大学、重庆大学、中国科学院、国务院发展中心、上海大学、同济大学、武汉大学、华东政法学院等单位的法学、经济学专家对循环经济立法涉及的主要问题进行专题研究论证。在 7 月 8 日下午召开的循环经济立法与政策研讨会上，受全国人大环境与资源委员会立法起草小组委托，两位立法起草小组成员——全国人大环境与资源委员会法案室主任孙佑海、国家发改委环资司副司长周长益分别介绍了我国循环经济立法的背景、指导思想、进展，以及循环经济主要法律制度和措施构想，并与应邀与会的有关专家、学者展开了热烈深入的研讨。研讨会由冯之浚主持。

在循环经济立法与政策研讨会筹备过程中,我们向有关单位、专家征集论文和报告,编辑了会议论文集。为了使社会各界共享这些成果,我们特编辑出版本书,在对所收集论文进行分类整理的基础上,增补了领导讲话、会议致辞和专题发言等内容,并将参加 2006 年中国国际循环经济博览会的国际和国内企业的名录附录于后。

在论文集的编辑过程中,我们按照出版的要求,对论文进行了技术性的修改。此外,为充分尊重原文,原文中的注释和参考文献都予以保留,原文中没有参考文献的,我们未做添加,若有的资料被引用而未注明,请直接与作者联系。文章以收到时间先后排序。

此论文集的收集、整理工作由冯之浚同志负责,孙佑海、周长益、谭颖、凌鸣、曹俊、林丹、周荣等同志参与了这项工作。在此,向苏州市委、市政府以及本论文集的出版提供了大力帮助和热情支持的所有单位和个人一并表示衷心的感谢。向人民出版社长期支持循环经济在全国的推广和宣传做的工作表示感谢,并向陈亚明编审、夏青编辑表示感谢。

中国循环经济发展论坛组委会秘书处

2006 年 9 月

目 录

■ 会议论文

领 导 讲 话

关于循环经济立法的若干思考

全国人大常委会副委员长兼秘书长　盛华仁

很高兴来苏州参观中国国际循环经济博览会,同时出席循环经济立法与政策研讨会。借今天会议的机会,我就循环经济立法问题也谈几点想法,与大家共同探讨。

第一,深刻认识发展循环经济的理论意义与现实意义。循环经济在我国早有探索,起初叫做综合利用,但长期以来大家认识不深,重视不够。我们是在几十年经济社会发展的实践中逐步加深认识的。改革开放和现代化建设以来,我国经济社会发展取得了举世瞩目的成就。但与此同时,资源消耗急剧增加,环境压力越来越大。就资源而言,我国资源禀赋较差,总量虽然较大,但人均占有量少。据有关部门提供的资料,45 种主要矿产资源人均占有量不到世界平均水平的一半。一方面,国内资源供给不足,重要资源对外依存度不断上升,2005 年国内消耗的 56% 的铁矿石、42% 的原油依赖进口;另一方面,在生产、流通、消费过程中消耗过高、浪费严重。我国人均淡水资源量仅为世界人均占有量的 1/4,有 16 个省(区、市)人均水资源拥有量低于联合国确定的 1700 立方米的用水紧张线,其中有 10 个省(区、市)低于 500 立方米的严重缺水线。人均耕地只有 1.4 亩,不到世界平均水平的 40%。就环境而言,我国环境污染形势十分严峻。在七大水系中,有近六成的断面受到不同程度的污染,其中劣 V 类水质断面占 27%,而辽宁、山西劣 V 类的水质断面则占到 60% 以上,几乎到了有水皆污的地步;在 113 个城市饮用水中,按取水量计,有两成饮用水没有达标。2005 年在开展环境监测的 522 个城市中,有近四成的城市空气质量劣于国家二级标准。山西省甚至没有一个城市达到国家二级标准,多数城市长年笼罩在烟雾之中。在开展酸雨监测的 696 个市县中,有一半以上的市县出现酸雨,有的地区甚至到了逢雨必酸的程度。这些情况表明,资源和环境已经构成对我国经济社会可持续发展的双重约束,如果继续沿袭过去那种粗放型的经济增长方式和浪费型的资源利用模式,势必造成资源难以为继,环境不堪重负的局面,经济发展将因失去支撑而不可持续。因此,发展循环经济这个课题就摆到了我们面前。

2004 年 11 月,在上海召开了"中国循环经济发展论坛"首届年会,发表了《上海宣言》。我认为,那次会议的重要贡献在于科学总结了我国几十年经济增长方式和资源利用模式正反两方面的经验教训,借鉴国际经验,经过反复论证,初步奠定了中国特色循环经济的理论基础,统一了大家对我国发展循环经济重要性和紧迫性的认识。2005 年 11 月,在厦门召开的"中国循环经济发展论坛"第二届年会,以"循环经济在实践"为主题,围绕扩大试点和示范、增强自主创新能力、制定配套政策措施、加快立法步伐等,进行了深入的探讨。从理论研讨到实践探索,是这次会议的巨大进步。会后 8 个月来,各级政府、各企事业单位从各个方面进行了积极的实践,取得了一批重要的实践成果。今天,我们很高兴地看到,这些成果在博览会和研讨会上都已经体现和反映出来,我们对循环经济的认识也因此提升到一个新的高度。我认为,我们今天已经形成了这样一个共识,就是:发展循环经济,有利于提高经济增长质量、提升社会发展水平、加强环境保护和维护生态平衡,是实施节约资源和保护环境基本国策的重要手段,是建设资源节约型、环境友好型社会的重要途径,是树立和落实科学发展观、实现可持续发展的必然要求。更重要的是,我们从理论与实践的结合上已经认识到:发展循环经济这条路子,在我国完全可行,前景广阔。

本次研讨会要在全面总结经验、继续统一认识的基础上,着重探讨发展循环经济的立法问题。这既是促进循环经济健康发展的需要,又是贯彻依法治国基本方略的要求。循环经济是一种新的发展理念,是对传统的经济发展理念、资源利用模式和环境治理方式的重大变革。

因此,必须用科学的理论来指导,必须用强有力的法律手段来引导、规范和保障循环经济的发展。"十一五"规划纲要提出,要贯彻依法治国基本方略,形成中国特色社会主义法律体系,并把可持续发展方面的法律作为中国特色社会主义法律体系的重要组成部分,其中就包括制定和完善循环经济方面的法律法规。从理论与实践的结合上抓紧制定一部发展中国特色循环经济的法律,把循环经济的发展纳入科学化、法制化轨道,是我们面临的一项共同任务,也是我们的一项共同责任。

第二,准确把握发展循环经济的本质要求。根据党的十六届五中全会的精神,我理解,发展循环经济的本质要求,就是要在科学发展观的指导下,切实转变经济增长方式和资源利用模式,以资源的高效利用和循环利用为核心,以"减量化、再利用、资源化"为原则,形成低投入、高产出,低消耗、少排放,能循环、可持续的集约型经济增长方式;形成"资源—产品—废物—再生资源"的资源循环利用模式。要按照"三化"的原则,在资源开采、生产消耗、产品消费、废物产生等各个环节,逐步建立全社会的资源循环利用体系,节约使用和循环利用有限的资源,提高资源利用效率,减少废弃物的排放和污染带来的损害,以尽可能少的资源消耗和尽可能小的环境代价,取得最大的经济效益和社会效益,促进经济社会的可持续发展。

对于发展循环经济,我们既要从理论上提到科学发展、可持续发展的高度来认识它、理解它,又要在实践中实事求是地、恰如其分地去把握它、对待它。既不要不切实际地去拔高它,也不要牵强附会地往它身上靠,什么都往这个"大箩筐"里装。要通过"实践—认识—再实践—再认识",不断加深对其规律性的认识,增强发展循环经济的自觉性。要面向未来,立足当前,制定有步骤、分阶段的发展规划,一步一步前进。这样,才能把我国的循环经济引导好、发展好、保护好,从而使它扎实、健康、快速地向前发展。

第三,循环经济立法要突出重点,着力解决主要矛盾。我国循环经济的发展总体上尚处于初始阶段,实践经验还很不足。这一点从博览会上也可以看得出来,即循环经济在我国还不是系统的、完整的,很大程度上还是单项的、分散的。有的还只停留在理念上,没有落实到实践中。受历史条件和现实情况制约,当前立这部法不可能面面俱到,一定要突出重点,解决主要矛盾。这部法律的宗旨是要完整地、准确地把党中央关于大力发展循环经济的主张、决策转变为国家意志,成为全国各级政府、各企业事业单位和全国各族人民一体遵循的行为规范,充分体现经济发展、资源节约、环境友好、人与自然和谐这四者的相互协调和有机统一。当前和今后一段时期,发展循环经济的重点任务,一是要突出加强节能节水,健全节能、节水技术和监督管理体系,完善用能、用水标准,扩大节能、节水产品认证范围,实行能效标识制度,对高耗能、高耗水行业实行定额管理。二是要加快推行清洁生产,鼓励和支持企业使用清洁的能源和原料,采用先进的工艺技术与设备,加强和改善管理,从源头上削减污染,提高资源利用效率。三是要加强资源综合利用,提高矿产资源综合开发和回收利用水平,加强对冶金、石化、化工、建材等重点行业废弃物排放的监管,提高废渣、废水、废气、余热的综合利用率,并综合利用各种建筑废弃物和农业废弃物。四是要推进资源循环利用,鼓励科学的生产和消费方式,大力发展旧物调剂使用,可再生资源回收利用和产品的再制造,实行生产者责任延伸制度,推动钢铁、造纸、塑料、玻璃等行业的资源再生利用,促进废旧金属、废旧轮胎、废旧塑料和废旧电子产品回收利用。在制定循环经济法时,应当紧紧围绕上述发展循环经济的几个重点问题,认真研究相关政策措施,及时总结经验,制定出切实可行的法律规范。通过解决突出问题和主要矛盾,逐步健全发展循环经济的法律制度。在实施过程中,我们再去不断地总结经验,进一步修改、补充和完善。

第四,循环经济立法要注重发挥市场、政府和企业等方面的综合作用。在推进循环经济发展的过程中,要注重发挥市场在配置资源中的基础性作用、政府的主导作用、企业的主体作用,形成推进循环经济的整体合力,为建设资源节约型、环境友好型社会提供体制和机制保障。在法律框架中,要全面体现激励和约束这两个方面的机制和举措。在激励方面,要规定和实行有利于资源节约和循环利用、环境保护和污染治理的财税、价格、投资和金融政策,鼓励企业开发和应用发展循环经济的先进适用技术,增强企业发展循环经济的自觉性、积极性和主动性。在约束方面,要对消耗高、污染重、技术落后的工艺、设备和产品实施强制性的淘汰制度,规定它们退出生产和消费领域的期限,对达不到节约资源、环境保护要求的企业和项目,一律不允许生产,不允许建设,使法律对它们有硬的约束。总之,这部法律既要有激励政策,又要有约束政策,要具有很强的针对性和可操作性,而且两方面的政策都要过硬。我把这两个方面的机制,概括为依靠法律来激励的"自律"机制和依靠法律来约束的"他律"机制,也就是用法律手段鼓励循环、惩罚浪费。这部法律如果在约束机制方面没有硬性规定的话,将很难发挥作用。要通过这部法律,调整好经济效益与资源环境效益的关系,调整好企业效益与社会效益的关系,调整好局部与全局的关系。

第五,明确法律责任,强化法律监督。当前法律实施中的突出问题是"有法不依、执法不严、违法不究",尤其是在资源节约和环境保护方面更为突出,严重影响资源节约型、环境友好型社会的建设和依法治国基本方略的贯彻落实。我记得在研究制定循环经济法律时,起初想把它叫做"循环经济促进法"。吴邦国委员长曾经指出,不要把法律搞成一部宣言式的文件,而要搞成一部行动纲领,要能够付诸实施。这次制定循环经济法,意在通过这部法律的实施,能够遏制资源能源消费增长过快和环境污染加剧的势头。因此,这部法在确定过硬政策的同时,还要明确规定各种违法行为的责任,确保法律的有效贯彻实施。要按照权责明确、行为规范、监督有力、高效运转的要求,加大对违法行为处罚的力度,建立一套完备的评估检测体系和执法监督体系。各级政府要依法行政,带头守法,严格执法,严查违法。发现违法行为,不管涉及谁,都要一查到底,绝不允许违法行为得不到纠正,绝不允许严重危害群众利益的违法责任人逍遥法外。只有这样,才能使循环经济成为真正意义上的法治经济。

第六,循环经济法的立意要新,在求精、适用、管用上下工夫。我在前面讲过,我国循环经济的发展刚刚起步,许多制度还需要进一步探索。循环经济法要把实践中行之有效而又比较成熟的做法、措施和政策先用法律的形式固定下来,在实践中不断修改完善。因此,对这部法律来说,条文不求多,但求精;不求面面俱到,但求重点突出;不注重理论阐述,但重在内容过硬。一句话,就是要适用、管用,要有极强的针对性和可操作性。为此,在起草过程中要集思广益,充分听取各方面的意见,走民主立法、科学立法的路子,从实践中来,再到实践中去。全国人大环资委和国务院有关部门已经为制定这部法律做了大量有成效的准备工作。这次能拿出一个初步框架设想稿,实属不易。在会议上没有把稿子发给大家,是担心可能约束大家的思想。这次研讨会后,应当正式进入法律文本起草阶段,争取再用一年时间完成起草、论证,明年的这个时候提请全国人大常委会审议,力争在本届全国人大常委会任期内完成立法工作,拿出一部高质量的循环经济法来。而且要做到一部法律、若干制度相配套,并使这些配套制度具有法律的约束力。

我相信,通过大家的共同努力,我们一定能够起草出一部具有中国特色的循环经济法律,为建立能循环、可持续的国民经济体系,为建设资源节约型、环境友好型社会做出应有的贡献。

会 议 致 辞

以循环经济的实践推进
循环经济立法研究

全国人大环资委主任委员　毛如柏

　　在全国人大环资委、国家发改委、科技部、国家环保总局的共同努力和苏州市人民政府的精心安排下,"2006 中国国际循环经济博览会(苏州)暨循环经济立法与政策研讨会"顺利开幕。

　　2006 年是"十一五"的开局之年。循环经济事业蓬勃发展,稳步向前,已经成为国家发展的重要方向。2006 年 3 月十届人大三次会议通过了"十一五规划纲要",提出"要把节约资源作为基本国策,发展循环经济,保护生态环境,加快建设资源节约型、环境友好型社会,促进经济发展与人口、资源、环境相协调",并单独列出了"发展循环经济"一章。循环经济已经成为完成"十一五"经济社会发展主要指标、实现可持续发展的重要途径。"2006 中国国际循环经济博览会(苏州)暨循环经济立法与政策研讨会"就是在这样一个大的背景下举办的。而我们选择苏州来举办这次会议,不仅是因为全国第一批循环经济试点单位之一的苏州高新区在苏州,还因为苏州正处于由工业化中期向后期转化的阶段,苏州推动循环经济实践的努力,可以在全国都起到重要的参考作用。

　　此次会议由循环经济博览会和循环经济立法与政策研讨会两个大部分组成,集循环经济技术产品展示、交流、交易、现场参观和循环经济理论与政策研讨于一体。博览会部分吸收了代表国际发展水平的循环经济实践和技术成果参展,集中展示了我国推进循环经济中取得的成就,打造产品博览、贸易洽谈和行业对话的广阔平台,成为中国各地区各部门探讨实施可持续发展和建设资源节约型、环境友好型社会的实践探索和创新过程的重要平台,成为展示循环经济发展成果和美好发展前景的重要窗口。循环经济立法与政策研讨会则邀请了国家及省部级领导、中外专家学者和国内循环经济试点单位、国内外环保机构及企业参加,对循环经济立法进行探讨。

胡锦涛总书记明确提出:要大力宣传循环经济理念,加快制定循环经济促进法,加强循环经济试点工作,全方位、多层次推广适应资源节约型、环境友好型社会要求的生产生活方式。根据这一指示,循环经济法正式列入了十届全国人大常委会的立法规划,并委托全国人大环资委组织起草。目前,全国人大环资委已经成立了循环经济法起草小组。起草工作在有关国务院部门的配合下有条不紊地进行着,争取 2007 年 7 月能够将法律草案提交全国人大常委会审议。我们希望通过制定这部法律,能够确立若干有利于循环经济发展、切实可行的法律制度,以必要的行政强制、经济激励和自愿行动为手段,形成一个由政府调控、市场引导、公众参与等构成的比较完整的法律框架,为我国循环经济的发展提供有效的法律保障。本次循环经济立法与政策研讨会将是循环经济立法过程中所设想的主要制度和措施构想的第一次亮相。

实践、认识、再实践、再认识,这种形式,循环往复以至无穷,循环经济的实践和理论研究将不断深入下去。"十一五",是我国全面建设小康社会、加快推进现代化进程的重要历史时期,循环经济发展也进入了一个新的历史阶段。我期待着:通过 2006 年中国国际循环经济博览会(苏州)暨循环经济立法与政策研讨会,能够使越来越多的海内外朋友加入对循环经济发展的实践探索,能够使越来越多的朋友加入对循环经济的理论创新中来。

加快循环经济立法，推动循环经济发展

国家环保总局副局长　　王玉庆

　　过去的一年，国家环保总局与全国人大环资委、国家发改委、科技部及国务院其他有关部门密切协作，将发展循环经济作为建设资源节约型、环境友好型社会的重要途径，紧密结合环境保护工作，在深化生态工业园区示范、开展循环经济立法调研、制定标准规范等方面做了大量基础性的工作。

　　建设循环经济试点和生态工业示范园区，是我局多年来推进循环经济发展的主要手段之一。2006年我局在已有工作基础上，从企业、园区和区域三个层面上继续大力推进循环经济。目前通过我局组织开展的全国循环经济试点省和市已有 8 个，国家生态工业示范园区19 个。

　　为进一步加强对生态工业试点示范工作的指导，2006 年 6 月，我局发布了行业类、综合类和静脉产业类三个生态工业园区建设的评价标准。同时，正在组织有关科研单位和高校编制钢铁行业、铝行业、海洋化工行业、磷化工行业和综合类园区发展循环经济环境保护导则。

　　配合人大环资委循环经济立法工作，2006 年我局组织了循环经济立法的调研，从立法定位及关键环境管理制度设立等方面进行了深入地研究。

　　不久前召开的第六次全国环境保护大会上，温家宝总理提出了做好环保工作关键是要实现三个转变，即从重经济增长轻环境保护转变为保护环境与经济增长并重，从环境保护滞后于经济发展转变为环境保护和经济发展同步,从主要用行政办法保护环境转变为综合运用法律、经济、技术和必要的行政办法解决环境问题。三个转变为发展循环经济和环境保护提供了新的机遇。今后,我局将继续以科学发展观为指导,在循环经济法规政策体系方面开展以下工作:

一是参加《循环经济法》立法的前期工作,主要包括国内循环经济相关立法的调研和分析,国外循环经济立法的调研和比较,提出《循环经济法》草案框架。

二是从环境保护的角度提出《循环经济法》中重要制度建议。包括区域层面、产业层面、生产过程和工艺以及产品层面的环境准入制度;环境影响评价制度,尤其是规划环评和生态工业园区环评;产品的生态设计制度;静脉产业(资源回收利用产业)的环境监管制度;绿色采购制度及鼓励和引导公众的绿色消费制度等。

三是制定和完善促进循环经济发展的环境标准体系和环境技术政策。加快清洁生产标准的制定,尽快建立起比较完善的清洁生产标准体系,加强环境监管,促进环境污染的全过程管理和控制。

发展循环经济,实现可持续发展,需要全社会的共同努力。循环经济立法与政策研讨会的成功召开,必将促进《循环经济法》及相关政策制度的出台,开拓我国循环经济发展的新局面。

发展循环经济，打造绿色江苏

江苏省人民政府副省长　仇　和

江苏地处中国东部沿海长江三角洲地区，历史悠久，人文荟萃。总面积 10.26 万平方公里，人口 7474.5 万。改革开放以来，江苏经济持续快速发展，社会事业全面进步。2005 年，全省实现地区生产总值 18272 亿元，人均 GDP 超过 3000 美元；财政总收入 3124 亿元，地方一般预算收入 1323 亿元，进出口总额 2279 亿美元，累计外商直接投资 1100 多亿美元。江苏以占全国 1% 的国土面积、3.8% 的耕地面积、5.7% 的人口，创造了占全国 10% 的 GDP、6.1% 的第一产业、12% 的第二产业、8.9% 的第三产业和地方财政一般预算收入、9.9% 的全社会固定资产投资、12.1% 的规模以上工业增加值、8.5% 的社会消费品零售总额、16.1% 的出口额、21.9% 的实际外商直接投资和 7.4% 的城乡居民储蓄存款余额。省域国民经济可移动性强，人口出行频率高，生产要素交换量大，几乎是能源、原材料、劳动力、市场"四头在外"，经济社会发展高位运行，资源环境压力很大。对此我省高度重视，在全国率先提出了环保优先、节约优先的方针，切实加强生态环境保护与建设，努力打造绿色江苏，建设生态省份，在经济高速增长的情况下，全省环境质量基本稳定，部分城市和地区环境质量有所改善，涌现出一批国家生态市、国家环保模范城市和全国生态示范区。

发展循环经济，是转变经济增长方式的重要途径。对江苏这样一个经济、人口大省，资源、环境小省来说，在工业化转型、城市化加速、国际化提升、市场化完善的新的发展阶段，从省情实际出发，通过大力发展循环经济,缓解资源环境压力,提升发展质量和内涵,推动经济增长方式的根本性转变,显得尤为重要和紧迫。省委、省政府高度重视发展循环经济,先后出台了《关于落实科学发展观促进可持续发展的意见》、《关于加强生态环境保护和建设的意见》、《关于加快建设节约型社会的意见》等文件,制定实施了《江苏省循环经济发展规划》,被国家批准为全国首批循环经济试点省,2002年以来分三批确定了360多家单位开展试点,涉及农业、工业、服务业等不同产业和企业、园区、城市等不同层面,培育形成了一批循环经济典型,取得了明显的经济效益、环境效益和社会效益。

地球是一个村庄,你我都是老乡;国家是一个家园,你我都是成员。我们来自于大自然,共处于大环境,为了生存我们不断消耗地球上的自然资源,为了发展我们不断开发自然生态环境。为了人类能永久延续,为了发展能可持续,我们如何节约资源与地球共存? 如何保护自然与环境友好? 这是我们必须正视和解决的重大课题。"2006 中国国际循环经济博览会暨循环经济立法与政策研讨会"在苏州市隆重举行,这对江苏省循环经济发展是一个有力推动和促进,对于进一步宣传循环经济理念,研究循环经济立法和政策,推广循环经济相关技术,具有重要意义,也为我们提供了一次很好的学习机会。我们将以此为契机,认真学习借鉴国内外的好经验、好做法,以科学发展观为指导,围绕"两个率先"奋斗目标,坚持富民优先、科教优先、环保优先、节约优先的方针,从根本上转变经济增长方式,促进经济社会发展与环境保护相协调。以建设生态省为主要载体,以创新环保体制机制为主要动力,以积极的环境建设优化产业结构、优化建设布局、优化人居环境,实现由"环境换取增长"向"环境优化增长"的转变。坚持经济建设与生态建设一起抓、产业竞争力与环境竞争力一起提升、经济效益与环境效益一起考核、物质文明与生态文明一起发展,加快推进"两个率先",努力建设资源节约型、环境友好型社会。

落实科学发展观,建设全面协调
可持续发展的新苏州

中共江苏省委常委、苏州市委书记　王荣

　　苏州位于长江三角洲中部,东临上海,南接浙江,西抱太湖,北依长江,是我国重要的历史文化名城和著名的风景旅游城市。全市面积8488平方公里,人口607万,下辖5个县级市和7个区。苏州是吴文化的发祥地,自古人才辈出,经济发达,城市繁荣。新中国成立后,特别是改革开放以来,苏州凭借得天独厚的自然条件和丰富精深的文化积淀迎来了全新的发展机遇,实现了经济社会持续快速健康发展。2005年,全市完成地区生产总值4026.5亿元,工业总产值达到12123亿元,实际利用外资60亿美元,实现进出口总额1405.9亿美元,地方财政一般预算收入316.8亿元,城镇居民人均可支配收入16276元,农民人均纯收入8393元。经过多年的发展,苏州已由典型的消费型城市快速崛起为一座备受瞩目的现代制造业基地和新兴科技城市。

　　按照科学发展观要求,大力发展循环经济,是苏州经济社会又快又好发展的内在要求,也是争创新世纪发展新优势的历史选择。作为一个资源匮乏、环境敏感的城市,我们较早地认识到,必须以卓有成效的生态环境保护与建设,才能助推经济的持续发展。近年来,苏州紧紧抓住"最少的资源"和"最少的排放"两个环节,坚持"政府推动,企业互动,公众行动",积极探索,大胆尝试,推动循环经济实践不断出成果、上水平。制定实施了《苏州市循环经济发展规划》,在国内率先成立政府全资投入的市级循环经济推广中心,市财政每年安排1000万元资金,为循环经济发展提供高水平的技术和信息支撑平台。以科技创新为龙头,开展清洁生产、环境管理体系认证和环境标志认证,全市涌现出 31 家循环经济示范企业,有 253 家企业通过清洁生产审核验收,330 多家组织通过 ISO14001 环境管理体系认证。开展生态工业园建设,构建工业生态循环产业链,苏州高新技术开发区、张家港扬子江国际冶金工业园被确定为全国第一批循环经济试点单位。加强土地、山体、水体等资源的保护和利用,确保资源高效集约利用,全市开山采石企业由 1999 年的 115 家减少到目前的 5 家,整治、复绿矿山废弃地 240 万平方米,自然保护区覆盖率由 1999 年的 7.15% 扩大到去年的 9.95%。倡导绿色消费和生态文化,激励公众参与循环经济建设,全市建成 18 个国家级、省级"绿色社区",59 所国家级、省级"绿色学校"和 33 个"全国环境优美乡镇",初步形成了全面启动生态建设、全民崇尚生态文明的良好社会氛围。

在科学发展观的指引下,苏州在循环经济建设上作出积极的探索和实践。但是我们在工作中也存在很多不足,与先进地区相比还有一定差距,特别是在发展循环经济的立法、体制、政策等方面还有许多需要改进和完善的地方。这次"2006 中国国际循环经济博览会暨循环经济立法与政策研讨会"在苏州召开,体现了上级部门对苏州经济社会发展的鼎力支持和高度重视,对我市发展循环经济的工作是一次全面检阅和把脉,也为我们拓展循环经济的发展视野提供了良好契机。我们一定以这次会议为契机,认真学习借鉴国内外发展循环经济的先进理念和经验,明确苏州下一步循环经济发展的方向和重点任务,进一步完善措施,落实责任,推动全市经济加快步入科学发展的轨道,为建设一个以人为本、全面协调可持续发展的新苏州而不懈努力。

关于苏州市发展循环经济的几点思考

中共苏州市委副书记、苏州市人民政府市长　**阎　立**

苏州是一座具有 2500 年悠久历史的文化名城。改革开放以来,苏州经济持续快速健康发展,以占全国 0.09% 的国土面积和 0.46% 的人口,创造了约占中国大陆 2.5% 的 GDP、3.0% 的财政收入、8.9% 的外贸总额。苏州已由诗情画意的江南古城发展成一座快速崛起、备受瞩目的现代制造业基地和新兴科技城市。之所以如此,一个重要原因就是长期以来,苏州以卓有成效的生态环境保护与建设推进了苏州经济的跨越发展,产生了明显的乘数效应。生态环境对经济发展的支撑作用不断增大,生态环境与经济形成了一种彼此依存、相互促进的态势。如果说和谐是苏州持续发展的主题的话,那么苏州的和谐表现在历史文化上,是一种典雅精致的和谐;表现在人居环境上,是一种天人合一的和谐;表现在经济发展上,是一种兼容并蓄的和谐;表现在社会事业上,是一种协调发展的和谐。可以说,"苏州这座东方水城让世界读了 2500 年,她用古典园林的精巧,布局出现代经济的版图;她用双面刺绣的绝活,实现了东方与西方的对接。"

一、发展循环经济是苏州经济社会发展的必然选择

从苏州发展状况来看,当前正处在一个十分关键的阶段。无论是经济总量,还是发展水平均位居全国前列,尤其是制造业高加工度、高密集度的特征日益明显,处于由工业化中期向后期转化的阶段。2005

年,苏州已全面达到江苏省提出的小康目标。

但是,苏州作为一个资源匮乏的城市,也处于工业化进程中矛盾和问题比较集中的阶段。面临着多年来外延扩张型增长方式带来的种种问题:资源制约加剧;能源瓶颈凸显;环境负荷加重;人口压力加大。在现行的生产和消费模式下,静态地看,苏州的土地资源和生态环境已接近满负荷,某些方面甚至超负荷;而要提高人们的富裕程度,不断满足日益增长的物质需求,还将继续扩大劳动力使用规模。更多地消耗自然资源,进一步加大对生态环境的压力。毋庸置疑,苏州已经接近外延扩张型增长方式的极限。这些问题的解决已成为关系到苏州今后加快发展的关键,是我们无法回避的难题和必须解答的课题。必须及时从战略上、体制上、机制上,加快产业结构调整和经济增长方式转变。未雨绸缪,抢占先机,大力发展循环经济,突破制约,有效解决发展中的矛盾,实现经济社会更快、更好地发展。这不仅是苏州经济社会发展阶段的客观要求,也是苏州争创新世纪发展新优势的历史性选择。

二、苏州市发展循环经济的探索与实践

我市紧紧围绕调整优化产业结构和转变经济增长方式,抓住"最少的资源"和"最少的排放"两个关键环节,按照"统筹规划,分步实施,以点带面,整体推进"的原则,大力发展循环经济,主要做了以下几方面工作:

1. 坚持规划先行,编制《苏州市循环经济发展规划》

2003 年,我市委托上海同济大学着手编制《苏州市循环经济发展规划》,并于 2004 年 9 月通过专家评审。规划立足苏州市,依托长三角,将苏州市循环经济发展融入长三角更大的区域中,紧紧围绕苏州快速、优质、高效实现"两个率先"的目标,以科学发展观为指导,明确了苏州市循环经济发展的目标和方向,推动苏州走上以最有效利用资源和保护环境为基础的循环经济之路。各市(县)也积极开展循环经济发展规划编制工作。目前,苏州市及所辖五县市全部编制了循环经济发展规划,6 个省级以上开发区完成生态工业园建设规划编制。

2. 积极培育典型,全面开展循环经济建设试点工作

在企业、区域、社会三个层面全面开展循环经济试点工作。在企业层面上,以实施《清洁生产促进法》为抓手,积极实施企业生态化改造,建立了一批循环经济示范企业,努力实现资源利用的最大化。全市通过清洁生产审核的企业由 1999 年的 4 家增加到 280 多家,通过 ISO14000 认证的企业由 13 家增加到 330 多家,31 家企业被树立为省发展循环经济示范点,累计节水 3432 万吨,节电 3881 万度,节煤 20 万吨,增收节支超过 10 亿元。在区域层面上,在制造业高度集聚的开发区、产业园,构建循环产业链,努力将污染排放量控制在最低程度。大力推进苏州高新区、苏州工业园区两个国家生态工业示范园区建设,搞好苏州高新区、江苏扬子江国际冶金工业园两个全国首批循环经济试点单位的试点工作,并在国家级和有条件的省级开发区中推进生态工业园建设,使区内不同企业之间形成资源共享、副产品互换的产业共生组合,以实现资源循环利用、高效利用。在社会层面上,大力倡导绿色消费,深入推进环保"四进"活动(进学校、进社区、进企业、进村镇),积极开展绿色系列创建活动,着力构建节约型社会,建成 3 个国家级、15 个省级"绿色社区",5 所国家级、54 所省级"绿色学校",并在广大农村地区树立了常熟市蒋巷村、昆山市晟泰村等一批生态村的新典型,建成全国环境优美镇 33 个,张家港、常熟、昆山 3 市成为全国首批生态市。

3. 整合社会资源,注重四方面作用的发挥

一是发挥政府的主导作用。政府作为发展循环经济的主导者,在组织机构、规划编制、政策引导和树立典型等方面积极开展工作,促进循环经济稳步发展。市政府成立了苏州市循环经济推广中心,设立了循环经济及环保产业展厅和苏州国际环保技术交易中心,为循环经济发展提供技术和信息平台。市财政每年拨付专项资金,积极扶持企业推进生态化改造。二是强化企业的主体作用。在政府的政策引导与激励下,企业通过引进关键链接技术,使原料、能源、水在企业内部减量化和梯度利用、使中间产物和废物在生产工艺流程中从一个环节产生的废弃物成为另一个环节的原料,大大削减了污染物排放量,达到了经济效益和环境效益的双赢。三是彰显开发区的主力作用。凭借开发区的先发优势,形成区域内资源共享,努力建设生态工业园。通过建设工业补链项目、建立物质闭路循环、降低消耗性污染等措施,初步形成了"产品代谢"、"废物代谢"、"产品配套"和"集约利用"的生态工业链,使产业群落的构成更趋完整和合理,提高了开发区的综合竞争能力。四是激发公众的主人翁作用。以倡导绿色消费和生态文化为重点,积极开展创建"绿色社区"、"绿色学校"等系列活动,实施苏州市生态垃圾管理项目,大力提倡垃圾分类收集,形成公众参与循环经济工作的良好氛围。如工业园区湖西社区建立邻里互助广场,居民把自己家里的闲置衣物、家具、生活用品等拿到活动现场进行调剂,通过这个活动增进了居民的废物再利用的环保意识,让居民感到循环经济不仅是一种理念更是一种实实在在的行动。

三、苏州市发展循环经济存在的问题与对策

尽管我市循环经济工作取得了一定的成绩,积累了一些经验,但要在各领域全面、深入开展循环经济工作还有很大的困难,如没有完善的法律、法规支撑体系,缺乏配套的政策、制度保障措施,产业之间发展不平衡等。

在以后的工作中,我们将抓紧制定《苏州市循环经济发展规划》,研究出台发展循环经济的激励办法和监督办法,健全激励约束机制。加大财政倾斜力度,建立循环经济发展专项资金,不断拓宽资金投入渠道。开发建设资源信息系统和废弃物交换信息平台,促进资源在产业间、企业间优化配置,建立健全发展循环经济信息支撑体系。研究制定清洁能源和可再生能源利用、垃圾回收、废物综合利用等政策,逐步建立由补偿政策和激励措施组成的驱动机制,为循环经济发展提供政策支撑。

主题发言

循环经济立法的基本问题

全国人大环资委法案室主任　孙佑海

　　由全国人大环资委主办的"循环经济立法与政策研讨会"2006年在苏州市召开。受全国人大环资委循环经济法起草领导小组的委托，现将立法的有关情况向各位领导和专家、来宾作简要的汇报。

一、循环经济立法的背景与进展

　　改革开放以来,我国的经济建设取得了举世瞩目的巨大成就。但是,伴随着经济的快速发展,资源环境问题也日渐突出。如果继续沿用粗放型的经济增长方式,资源将难以为继,环境将不堪重负。而先污染、后治理或末端治理的模式,在中国是行不通的。严峻的形势迫使我们不得不走新的发展道路。这条道路,已经由《国民经济和社会发展第十一个五年规划纲要》(以下简称《规划纲要》)清晰指明。

　　《规划纲要》指出:"必须加快转变经济增长方式。要把节约资源作为基本国策,发展循环经济,保护生态环境,加快建设资源节约型、环境友好型社会,促进经济发展与人口、资源、环境相协调。"

　　发展循环经济急需法律的支持和保障。2005年3月,胡锦涛总书记在中央人口资源环境座谈会上明确提出,要大力宣传循环经济理念,加快制定循环经济法律。

　　全国人大常委会十分重视循环经济立法工作。大家知道,十届全国人大常委会立法规划中原没有循环经济法这个立法项目。根据新的形势,全国人大常委会决定将制定循环经济法增补进十届全国人大常委会的立法规划,并由全国人大环资委组织起草,要求在 2007 年将法律草案提请全国人大常委会审议。据此,全国人大环资委成立了以副主任委员冯之浚先生为组长,以王茂润、倪岳峰、姜悦楷、姜云宝等为成员的立法起草领导小组。在全国人大环资委毛如柏主任委员和冯之浚组长的领导下,委员会工作人员抓紧工作,积极做好立法的各项准备。全国人大环资委其他领导同志也十分关心循环经济法的制定工作,对循环经济法的起草提出了很好的建议。

立法起草领导小组成立后,全国人大环资委从 2005 年下半年起,先后委托国家发改委以及国家环保总局提出立法建议,同时请清华大学、北京大学、中国政法大学、中国人民大学、重庆大学、国务院发展中心、上海大学等单位的法学、经济学专家对循环经济立法涉及的主要问题进行专题研究论证。世界银行也专门设立项目,资助我国进行循环经济立法的技术研究。国家发改委、国家环保总局的领导同志都十分关心支持循环经济法的起草工作。

几个月来,全国人大环资委会同国家发改委等有关单位,多次进行立法调研,先后赴北京、上海、山西、四川、重庆、山东、福建等省市的循环经济试点企业调研循环经济的发展情况,并与当地人大、政府、企业进行座谈。在认真调研和征求意见的基础上,起草工作小组已几易其稿,并四次组织召开专家座谈会,反复研究论证,目前已形成循环经济法草案的初步框架设想稿。

二、循环经济法的立法目标和指导思想

1. 立法目标

大家认为,制定循环经济法应有三重目标:一是节约和高效利用资源;二是保护环境;三是促进经济发展。

过去我们开展环保工作,把大量精力用在末端治理上,用在对污染者的事后处罚上,这种工作方式不可能从根本上解决环境问题。而要从根本上解决环境问题,就必须更新发展观念,转变发展模式,大力发展循环经济。发展循环经济,提高了资源的利用效率,自然就大大抑制了废物的产生,这样既节约了资源,保护了环境,又促进了经济发展,因

而受到了社会各界的普遍欢迎。基于以上考虑,循环经济法草案的初步框架设想稿拟将本法的立法目的明确为:提高资源利用效率,保护和改善环境,促进资源节约型、环境友好型社会的建设,保障经济和社会的可持续发展。

2. 制定循环经济法的指导思想

立法首先要有正确的指导思想。制定循环经济法的指导思想应体现以下几个方面:一是要切实贯彻党中央提出的以人为本、全面、协调、可持续的发展观;二是要从我国的实际出发,实实在在地解决发展循环经济所面临的主要障碍和问题;三是要具有可操作性,真正为企业和社会发展循环经济提供便利条件。

三、贯穿循环经济立法的主线

这里所说的主线,是指贯穿于整个循环经济法的、具有普遍指导意义的基本准则。这条主线是:要在生产、流通、消费和废物处置等各个阶段,都贯彻"减量化、再利用、资源化"的原则。

所谓"减量化",是指要尽可能减少资源消耗和废物的产生,核心是提高资源利用效率;所谓"再利用",是指产品多次使用或者修复、翻新或者再制造后继续使用,尽量延长产品的使用周期,防止其过早地成为垃圾;所谓"资源化",是指将废物最大限度地转化为资源,既减少自然资源的消耗,又减少污染物的排放。

这里所称生产阶段,包括资源开发、产品制造和基本建设等活动。在这个阶段谈发展循环经济大家很容易理解,如过去我们在工业中就抓过资源的综合利用工作。需要强调的是,消费阶段的重要意义也应得到关注,当前国际上对发展可持续消费非常重视。现在大家越来越清醒地认识到,利用废旧资源制造的产品大多存在着成本高、售价高等问题,在正常的市场竞争中往往处于劣势。如果国家出台政策鼓励购买利用废旧资源生产的产品,这样就为企业资源再生利用开辟了生路,使其在市场竞争中能够生存下去,发展起来。也只有这样,循环经济才能够真正循环得起来。所以,倡导可持续消费对发展循环经济的作用是不可替代的。

在废物处置阶段,也要强调节约资源能源、降低能耗物耗,强调减轻环境污染,注意防止以一种污染代替另一种污染,并避免造成二次污染。

四、循环经济法的适用范围和循环经济的概念

1. 适用范围

制定一部法律需要明确适用范围。适用范围是指一部法律适用的主体、主体所从事的行为和适用的地域范围等。

循环经济法的适用范围,既不能过宽,也不能过窄。现在社会上把循环经济一词炒得很热。可以说循环经济是个筐,什么都可以往里装。但是,如果把循环经济概念定得过宽,这个法就失去了特定的调整对象,这个法就立不起来。但又不能把循环经济的概念定得过窄,仅仅理解为垃圾处理问题。这个问题的解决要从我国的国情出发。日本、德国因处于后工业化时代,资源利用效率已经很高,前端减量化的潜力相对比较小,因此,这些国家的循环经济法律规范侧重于资源再生利用,而我国现阶段总体上处于工业化初期,能耗物耗过高,资源浪费严重,前端减量化的潜力很大,因此不能不强调减量化。

基于上述考虑,我们对本法的适用范围拟做如下处理:

(1)适用的主体问题。有人提出,循环经济法的适用主体应仅仅限定于企业,对此多数人不赞成。我们认为,无论是企业、政府、公民个人和企业之外的其他社会组织,都应当受到循环经济法的调整,都应当按照循环经济法的要求,节约资源,保护环境。

(2)调整的行为问题。我们认为,循环经济法主要适用于以下三种行为:一是清洁生产行为;二是综合利用行为;三是可持续消费行为。

清洁生产行为。根据《清洁生产促进法》第二条的规定,所谓清洁生产,是指不断采取改进设计、使用清洁的能源和原料、采用先进的工艺技术与设备、改善管理、综合利用等措施,从源头削减污染,提高资源利用效率,减少或者避免生产、服务和产品使用过程中污染物的产生和排放,以减轻或者消除对人类健康和环境危害的活动。清洁生产的核心,就是提高资源利用效率,从源头削减污染物的产生。这体现了减量

化原则的要求。

综合利用行为。这里包括两方面的行为,第一是资源开发、产品制造、基本建设活动中的资源回收和合理利用行为,即企业在生产建设中,如何将所产生的"排泄物"(马克思语)或者废物进行回收和合理利用,使其成为资源。第二是产品生命周期结束报废后的资源化行为。产品报废后将其拆解变为资源,既能节约资源,又能防止因大量填埋废物所造成的占用土地、污染环境等问题。

可持续消费行为,这个问题前面已经讲过了。

至于本法适用的地域范围,与其他的法律基本相同。

2. 循环经济的法律概念

明确了循环经济法的适用范围,就比较容易概括循环经济的法律概念了。目前,专家学者对循环经济一词,有多种概括。但这些定义多是从经济的角度对其进行界定的,如将循环经济定义为一种发展模式或发展战略等。但从法律的角度讲,法律是调整社会关系的,但其又不能直接调整社会关系,它需要借助一定的中介来实现其调整,这种中介就是主体所从事的行为、活动。根据上述对本法适用范围的分析,循环经济法草案初步框架设想稿拟将循环经济定义为:在生产、流通、消费和废物处置等阶段,遵循生态规律和经济规律,以资源的高效利用为核心,以"减量化、再利用、资源化"为原则,以清洁生产、资源综合利用和可持续消费为主要内容的经济活动。

需要补充说明的是,所谓遵循生态规律,是指发展循环经济要以防止污染、保护环境为前提,而绝不能以发展循环经济为名变相地破坏生态、污染环境;而强调遵循经济规律,就是要解决"循环经济不经济"的问题,防止为了过分追求局部地区延长产业链而加大产品成本。

3. 循环经济法与其他法律之间的关系

由于发展循环经济将污染防治工作向前移了一大步,因此循环经济法就可以与现行的环境保护法律以及以末端治理和事后处罚为主要标志的传统管理方式区分开来。

由于发展循环经济是全社会共同参与的行为,循环经济法所适用的主体不应仅限定于企业,因此,循环经济法能够和清洁生产促进法区别开。

由于实施减量化原则强调的是在全社会范围内节约和高效利用资源,其覆盖的范围很广,因此,循环经济法与节约能源法也能很好地区分开。

这样,循环经济法与有关法律之间的关系,就可以得到妥善的处理和解决。循环经济法完全有自己独立的调整对象和完整的生存空间。

五、循环经济法的框架

循环经济法的框架如何构建,这是起草中争论最大的问题之一。对循环经济立法框架模式的选择,主要有如下几种意见:第一,按照政府、企业、个人等主体设计草案框架;第二,按第一产业、第二产业、第三产业设计草案框架;第三,按产品的生命周期来设计草案框架;第四,按"减量化、再利用、资源化"原则的基本顺序设计草案框架;第五,按立项、审批、设计、过程管理、验收、运营监管等循环经济行政管理的程序设计草案框架。我们认为,上述意见对于循环经济法的框架设计和法律制度的构建均具有重要的参考价值,但都不够理想。

我们认为,循环经济法的框架应当结构合理,逻辑清晰,能够准确体现出立法的指导思想和目标,能够涵括各项主要制度,能够便于操作和遵守。基于以上考虑,我们认为,循环经济法的基本框架似应包括如下七个部分:

第一章为总则。本章主要对事关发展循环经济全局的、重大的、原则性的事项进行规定,内容包括:立法目的、循环经济的法律定义、法律适用范围、基本原则、管理体制、循环经济宣传教育、循环经济发展示范、循环经济的公众参与、循环经济奖励等。

第二章为职责与管理。本章主要规定政府等主体在发展循环经济中的职责以及发展循环经济的基本法律制度。发展循环经济的基本法律制度应包括:循环经济规划制度,鼓励、限制、禁止的名录制度,循环利用产品的优先准入制度,生产者责任延伸制度,循环经济绩效评价与考核制度等。发展循环经济的主要法律制度和措施,稍后由周长益同志作专题介绍。

第三章为生产和建设中的循环经济。本章主要针对生产建设阶段存在的突出问题,重点规定生产建设中发展循环经济的一般要求、资源消耗和废物排放限额管理、矿产资源开采中的循环利用、工业生产中废物的循环利用、产品或包装物材料标识、产品包装物设计和生产、发展循环农业等方面的制度和措施。

第四章为流通和消费中的循环经济。本章主要规定了利用和处置废物的基本顺序、再生资源回收利用体系建设、包装押金、废旧物资的进口管理、再生资源回收利用企业资质认定、再生资源回收利用经营管理、废旧汽车及机电设备回收、废旧家用电器回收、生活垃圾及废旧物品回收、资源性产品定额、服务业消费品节约使用、可持续消费等内容。

第五章为鼓励与扶持措施。循环经济法要建立有利于循环经济发展的政策与经济扶持措施。这些措施主要包括税收优惠、国家投资倾斜、循环经济专项资金、财政贴息、政府绿色采购、合理定价等内容。

第六章为法律责任。对违反义务性和禁止性规定的,本章将规定严格的制裁措施。

第七章为附则。本章主要规定相关术语的定义、实施细则、循环经济法与我国参加的国际公约的关系、生效日期等内容。

按照在不同的阶段如何贯彻减量化、再利用、资源化的原则,这样来设计立法框架,层次比较清晰,重点比较突出,既明确了各类社会主体在发展循环经济中的权利和义务,又体现了不同阶段对发展循环经济的不同要求。这样的制度安排,使循环经济的发展有章可循,有法可依,解决了循环经济法的可操作性问题。

六、循环经济法的性质、定位以及相关法规建设

1. 循环经济法的性质

目前法学界对于循环经济法的性质问题认识不一,环境法学界许多学者主张它是一部环境法。我们认为,根据全国人大常委会目前关于法律部门的分类,将循环经济法归类为一部经济法,可能较为适当。这是因为,循环经济法体现了国家对经济活动的调控和指导,更具有经济法的特点。但需要说明的是,发展循环经济是解决环境问题的根本

途径之一,因此,循环经济法又不同于一般的经济法,其制定和实施与解决环境问题密切相关,因此,它又是一部与环境保护密切相关的经济法律。

2. 循环经济法在法律体系中的定位

法律的定位,是指一部法律在我国整个法律体系中的地位。鉴于发展循环经济在我国建设资源节约型、环境友好型社会中,在我国的可持续发展中居于十分重要的地位,因此,我们认为,可以将之定位为我国法律体系中一部具有支架性作用的法律。

3. 关于相关法律和配套法规的制定

我国地域辽阔,人口众多,各地发展水平差异较大。这种发展很不平衡的客观现实决定了我国的法律不可能规定得过于细致,需要各个地方和部门根据不同情况和需要制定配套的法规规章。因此,我国法律体系的基本特点是"一法多规",即各个地方和部门可以通过制定法规、规章的形式,结合本地的实际来落实法律规定的各项制度。因此,在制定循环经济法的同时,我们还应同时抓好有关法律和配套法规的制定和修改工作。根据全国人大常委会和国务院的有关工作安排,当前应抓紧的立法与修订工作包括:制定能源法;修改节约能源法、煤炭法、电力法;制定节约用水的法规、节约原材料的法规;促进废旧家电回收处理的法规、节约石油的法规、建筑节能的法规;促进墙体材料革新的法规、包装物和废旧轮胎回收等资源节约与综合利用的具体规定等。争取在循环经济法生效的同时使相当一批的配套法规也能够公布实施。

我们坚信,循环经济法的出台能够对节约和高效利用资源、保护环境和促进经济发展发挥重要作用。目前,我们正在组织专家对实施该部法律的投入和预期产生的经济效益进行初步测算,在循环经济法实施以后,我们还会组织力量对法律的实施效果进行评估,以根据形势的发展和实际需要,及时修订相关的法律制度和条文。

循环经济法是一部以战略的高度、全局的眼光制定的节约资源、保护环境、促进经济发展的重要法律,意义十分重大。此次"循环经济立法与政策研讨会"为我们如何更好地制定循环经济法提供了集思广益、完善改进的机会。我们希望通过这次研讨会，初步使循环经济法草案的框架很好地搭建起来，为 2006 年 11 月在武汉循环经济论坛上深入研讨循环经济法草案，为在 2007 年中期提请全国人大常委会审议，做好更加充实的准备。

循环经济法主要制度和措施的构想

国家发展改革委环资司副司长　　周长益

一、循环经济法的基本法律制度

一项法律,离不开若干重要的法律制度和措施作为支撑,循环经济立法也不例外。我们认为,循环经济法的制度设计必须突出法律制度的可操作性,贯彻"减量化、再利用、资源化"原则,注重制度的实际效果。按照盛华仁副委员长提出的"突出调整重点问题,着力解决主要矛盾"的要求,初步考虑,主要法律制度包括:

其一,循环经济规划制度。国务院综合经济管理部门会同有关部门,依据国民经济和社会发展规划,编制全国循环经济发展规划,报国务院批准后公布实施,循环经济发展规划确定的约束性指标应当分解到各级人民政府和相关的部门,建立责任制。

其二,鼓励、限制、禁止名录规定。综合经济管理部门要根据经济社会发展情况,不定期制定和公布国家鼓励、限制和禁止的工艺、产品目录,对消耗高、污染重、效率低的落后工艺、设备实行强制淘汰制度。现行产业政策对淘汰落后有目标和要求,但没有措施和具体办法,没有法律依据,主要依靠行政手段,因此实施的效果不好。在该法中明确该项制度,为淘汰落后提供了法律依据和保障。省、自治区、直辖市综合经济管理部门,根据自愿申请,对符合循环经济发展产业政策、采用国家鼓励发展的生产工艺或生产符合目录中鼓励发展工艺、产品的单位、项目进行认定。经认定的企业、项目依法适用国家规定的各项扶持措施。

其三,资源节约及循环利用产品的优先准入制度。凡是利用各种废物生产的再生产品,市场优先准入。对企业利用余热、余压、生物质能、垃圾热能、沼气等所发的电力,电网必须无条件收购,并给予一定时期的幅度不同的价格优惠;国家对利用生产、建设和生活中产生的废物生产循环利用产品的项目,给予优先立项、财政补贴、投资倾斜等优惠政策。

其四,生产者责任延伸制度。鼓励生产企业实施绿色设计,降低回收处理成本。生产或进口者应当对列入强制回收目录的产品和包装物承担回收利用的责任,产品销售者应当按照产销合同承担回收废旧物品和包装物的连带责任。行业协会可以组织建立本行业的废弃产品及其包装物回收、处置服务体系。

其五,循环经济绩效评价与考核制度。国家有关部门确定资源生产率、资源循环利用率等循环经济绩效评价和考核指标。县级以上人民政府有关行业行政主管部门应当依据循环经济绩效评价和考核指标,对企业发展循环经济进行考核,并将考核结果定期向社会公布。

二、生产建设、流通消费中资源节约与
循环利用的法律制度

1. 生产和建设中的资源节约与循环利用

贯彻节约优先的方针,针对在生产建设环节突出的资源浪费问题,应重点规定生产建设中资源节约与循环利用的一般要求、资源消耗限额管理、矿产资源开采中的循环利用、工业生产中废物的循环利用、产品或包装物材料标识、产品包装物设计和生产、循环农业等方面的法律制度。

(1)资源消耗限额管理。在生产建设环节,应突出减量化的要求。建设项目要优先考虑节源、节水、节约土地、综合利用等消耗定额指标;对重点行业、重点产品的资源消耗实行限额管理。这是实现资源生产率这一循环经济重要指标的基础。要制定一整套审核制度,如能源消耗的审核制度。对超过资源消耗限额的生产者,应当限期达标。在规

定期限内仍超过资源消耗限额的生产者,应当停产或者转产。

(2)矿产资源开采中的资源循环利用。地质勘察部门在地质勘探报告中应有资源循环利用篇章;矿产开发利用设计部门在确定开采方案的同时,应当提出切实可行的共生、伴生矿回收利用方案、矿井水循环利用方案、尾矿循环利用和安全处置方案。

(3)工业生产中废物的资源循环利用。生产过程中产生的废渣、废水(液)、废气、余热、余压及边角余料或者残次产品,生产者应当尽可能进行再利用或者再生利用。对生产经营过程中产生的废物,本单位不具备综合利用条件的,应当支持其他具备条件的单位和个人进行综合利用。生产者对其生产过程中产生的废物,经加工处理后达到国家标准、行业标准的,可以提供给废物利用企业有偿使用;未经加工的废物提供给废物利用企业,产生废物的单位不得收取费用。

(4)产品或者包装物的材料标识及包装物的生产、设计要求。企业应当在产品或者包装物的显著位置标明产品或者包装物的名称、重量、成分、特性、被最终使用后进行再利用或者处置的方法及其他必要信息。为抑制过度包装,规定:一是包装物不能大于被包装物体积的10%;二是包装物总成本应当低于被包装物价值的20%;三是要求包装物使用再生、循环利用的材料。

(5)循环农业。县级以上人民政府应当结合农业经济结构调整和生态环境建设,推进农村土地集约利用,采用节水、节能、节肥、节种的先进种植和养殖技术,优先发展生态农业,并建设农业无公害农产品、绿色食品和有机食品生产基地。推广资源循环利用的生态种植和养殖模式,开展农副产品深加工和农业废物的综合利用,延长农业产业链和产品链;推广沼气、秸秆利用、秸秆还田等资源循环利用技术,建立农业废物循环利用体系和农村清洁能源保障体系。

2. 流通和消费中的资源循环利用

从利用处置废物的基本顺序、再生资源回收利用体系建设、包装押金、废旧物资的进口管理、再生资源回收利用企业资质认定、再生资源回收利用经营管理、废旧汽车及机电设备回收、废旧家用电器回收、生活垃圾及废旧物品回收、可持续消费、资源性产品定额、服务业消费品节约使用等几个方面规定发展循环经济的具体制度。

(1)利用处置废物的基本顺序。产品生产过程中应当尽可能地减少废物的产生,延长产品的使用寿命,并将废物回收或者维修后重复使用;不可回收利用或者修理再用的产品,应当进行再生利用;不可再生利用的物质应当通过焚烧回收其热能;对无法利用的废物,应当进行安全清洁处置,防止造成二次污染。

(2)押金制度。对重点产品,如废电池和包装物可实行回收押金制度。销售者可按产品价格的一定比例对重点产品和包装物收取回收押金。消费者交回废旧产品和包装物后,销售者必须全额退回押金。

(3)废旧物资的进口管理。对可以用作原料的废旧物资实行进口许可或者备案制度。禁止进口列入禁止进口目录的废旧物资。进口列入限制进口目录的废旧物资,应当经有关部门审查许可。进口列入备案进口目录的废旧物资,应当依法办理备案手续。

(4)再生资源回收利用企业的资质及经营管理。对从事废旧物资回收利用和进口的单位实行资质认证制度,如报废汽车、废旧家电的回收、拆解。未取得再生资源回收利用资质认证的单位和个人,不得从事废旧物资回收利用和进口业务。从事再生资源回收利用的单位和个人,不得收购各类偷盗物品及国家禁止流通的物品。

(5)废旧机电设备、家用电器及生活垃圾的回收。报废汽车、船舶及铁路机车等涉及公共安全的产品必须拆解回收,严禁重新拼装或翻新投入营运。对家用电器以及危害环境的电池类产品实行收旧售新制度。生活垃圾和废旧物品的产生者应当对可回收的生活垃圾和废旧物品进行收集分类,交给回收利用网点,集中进行回收再利用。

(6)资源性产品的消费定额管理。提倡勤俭节约、适度消费,鼓励购买或使用再生产品、可重复利用产品。对水、电、天然气(煤气)等资源性产品实行消费定额制度。超出消费定额的部分,按消费越多价格递增的原则实行累进制收费。餐馆消费逐步实行累进税制。

任何单位和个人都有节约资源、保护环境的义务;任何人都没有浪费资源的权利。要像惩治贪污腐败一样,惩治浪费资源的行为。如何操作,请大家出主意。

三、促进循环经济发展的鼓励与扶持措施

循环经济法要建立有利于循环经济发展的鼓励与经济扶持措施,同时也为现有的资源综合利用税收优惠政策提供法律依据。鼓励和扶持政策主要包括税收优惠、投资倾斜、循环经济专项资金、财政贴息、政府绿色采购制度、合理定价等方面的内容。

税收政策。总的调整方向是由控制好事情向控制坏事情转移,实行鼓励节约与惩罚浪费相结合的税收政策。国家对于符合循环经济发展的产业政策的单位、项目给予抵扣增值进项税、减免企业所得税等税收优惠。为了减少原生材料的消耗和废物的排放,国家可以适时开征资源消费税、原生材料(土地、水、木材等)税等新税种。

投资倾斜与专项资金。有关部门应当将有利于循环经济发展的项目列为重点领域,优先立项,加大投资支持力度。国家及各级财政部门要设立循环经济发展专项资金,用于鼓励和支持重点领域的循环经济发展的重大项目。

财政贴息及合理定价。符合循环经济发展的产业政策和信贷条件的,金融机构可以提供有财政贴息的优惠贷款。逐步建立能够反映资源稀缺性、资源性产品供求关系和资源开采成本的价格形成机制。对资源循环利用产品,在一定时期内要有价格优惠。

政府绿色采购。使用国家财政拨款资金的单位进行政府采购的,在同等条件下应当优先选购再生资源产品;在公务活动和公共活动中,应当优先使用符合标准的再生资源产品,形成全社会可持续消费的良好氛围。

以上是我们对循环经济立法法律制度和措施的初步构想,有待于进一步征求地方、部门、专家、企业和公众的意见。希望大家在本次研讨会上和以后的立法过程中提出宝贵意见和建议。

会 议 论 文

循环经济立法的法理研究

冯 之 浚

　　中国根据自身发展所面临的形势,提出要转变发展观念,创新发展模式,提高发展质量,以科学发展观统领经济社会发展全局,把科学发展理念落实到"十一五"规划的各个方面和全过程,建设资源节约、环境友好、经济优质、社会和谐的社会。发展循环经济是落实科学发展观、实现经济增长方式根本性转变的重要途径,如果不大力发展循环经济,转变经济增长方式,我国的资源能源将难以支撑,生态环境将难以承受,国家竞争力将难以持续,国家安全也将难以保证。

　　人类社会在经济发展过程中经历了三种模式,代表了三个不同的层次。第一种是传统经济模式。它对人类与环境关系的处理模式是,人类从自然中获取资源,又不加任何处理地向环境排放废弃物,是一种"资源—产品—污染排放"的单向线性开放式经济过程。在早期阶段,由于人类对自然的开发能力有限以及环境本身的自净能力还较强,所以人类活动对环境的影响并不凸显。但是,后来随着工业的发展、生产规模的扩大和人口的增长,环境的自净能力削弱乃至丧失,这种发展模式导致的环境问题日益严重,资源短缺的危机愈发突出。这是不考虑环境的代价的必然结果。第二种是"生产过程末端治理"模式。它开始注意环境问题,但其具体做法是"先污染,后治理",强调在生产过程的末端采取措施治理污染。这种办法在遏制污染过程中起到了一定的作用,但是随着经济规模的不断扩大,治理的技术难度也增大,不但是治理成本畸高,而且生态恶化难以遏制,经济效益、社会效益和生态效益都很难达到预期目的。第三种是循环经济模式,也称为全过程治理模式。它要求遵循生态学规律,合理利用自然资源和环境容量,在物质不断循环利用的基础上发展经济,使经济系统和谐地纳入到自然生态系统的物质循环过程中,实现经济活动的生态化。其本质上是一种生态经济,倡导的一种与环境和谐的经济发展模式,遵循"减量化、再利用、资源化"原则,采用全过程处理模式,以达到减少进入生产流程的物质量、以不同方式多次反复使用某种物品和废弃物的资源化目的,是一个"资源—产品—再生资源"的闭环反馈式循环过程,实现从"排除废物"到"净化废物"再到"利用废物"的过程,达到"最佳生产,最适消费,最少废弃"。

在生产过程末端治理阶段,人们采取各种手段遏制污染,前期主要是庇古的"外部效应内部化"理论,提出通过征收"庇古税"来达到减少污染排放的目的;后期主要是"科斯定理",指出只要产权明晰,就可以通过谈判的方式解决环境污染问题,并且可以达到帕累托最优。再后来,又兴起了"环境库兹涅茨曲线理论",认为环境污染与人均国民收入之间存在着倒"U"关系,随着人均 GDP 达到某个程度,环境问题会迎刃而解;还有环境资源交易系统的"最大最小"理论,等等。这些理论为环境经济学研究提供了理论分析的基础,确立了"污染者付费原则"。这一范式曾经对于遏制环境污染的迅速扩展发挥了历史性作用。但是,环境恶化、资源枯竭无法从根本上得到遏制,所以,面对人们赖以生存的各种可用资源逐渐从稀缺走向枯竭的现状,人们不得不进行反思,在理论上探索能够解决目前困境的途径已经十分迫切,走出末端治理范式危机的时机已经成熟。

为此,许多学者从不同的认识角度提出了解决困境的对策。戴利(H. Daly)等经济学家提出了"稳态经济"理论,他们把传统的不考虑生态影响的经济模式称为"增长经济",而把根据生态和社会相结合观念而形成的经济称为"稳态经济",主张在必要时应该不惜放弃短期经济增长和资源消耗以维持整个社会的长期生存和稳定,能够为全社会提供一个无限期保持下去的较高的生活水平,并且能够有成效地使全社会成员公平合理地享受这一较高的生活水平。英国经济学家史密斯

（G. Smith）及一些自然科学家提出了"生态的蓝图"理论,他们指出高度发达的工业化带来的不是社会的进步而是无穷的灾难,世界的前途面临着走向危机和摆脱危机的道路选择,必须控制人口、保护资源、压缩生产,提倡一种新的生活哲学,在不破坏生态环境的前提下制定准则以进入一种新的生态平衡社会。20 世纪 60 年代,美国经济学家鲍尔丁（Boulding K.）提出了"宇宙飞船理论",指出,地球就像一艘在太空中飞行的宇宙飞船,要靠不断消耗和再生自身有限的资源而生存,如果不合理开发资源,肆意破坏环境,就会走向毁灭。这些理论都是循环经济思想的早期萌芽。随着环境问题在全球范围内的日益突出,人类赖以生存的各种资源从稀缺走向枯竭,以资源稀缺为前提所构建的末端治理范式逐渐为循环经济范式所替代。

当前,我国循环经济还处于起步阶段,发展循环经济仍面临一些严重障碍。这些障碍需要运用行政、经济、法律等手段方可克服。而法律手段具有规范性、稳定性、强制性、公开性和极大的权威性,是国家调控政治、经济和社会发展的最高形式,其作用和力度是其他手段无法达到和替代的。因此,发展循环经济必须加快制定循环经济法。

循环经济法应该是一部以战略的高度、全局的眼光制定的带有基本法性质的法律,应当完整准确地体现经济社会与资源环境的协调发展。我国具有一定的循环经济法的立法基础,现在的任务是,如何将它们统一纳入循环经济法律框架内综合考虑。在循环经济立法过程中,有以下四个法理原则值得注意:

一、重估自然资源的价值

循环经济范式强调,任何一种经济都需要四种类型的资源来维持其运转:即以劳动、智力、文化和组织形式出现的人力资源;由现金、投资和货币手段构成的金融资源;包括基础设施、机器、工具和工厂在内的加工资源;由资源、生命系统和生态系统构成的自然资源。在末端治理范式中,是用前三种资源来开发自然资源,自然资源始终处于被动的、从属的地位。而循环经济范式中将自然资源列为最重要的资源形式,认为自然资源是人类社会最大的资源储备,提高资源生产率是解决环境问题的关键。

自然资源可以理解为自然界中具有一定的时间空间格局、对人类生存和生活直接间接地产生影响的所有自然因素的总和。自然资源包括一切具有现实价值和潜在价值的自然因素,不以是否已经被人类所认识、是否被人类开发利用为前提。自然资源对于人类的生存与发展、满足人类多方面的需求,有着其极其重要的功用价值,除了具有显而易见的经济价值外,其功能和用途的多样性还决定了具有生态价值和社会价值,主要体现在:①自然生态为人类提供最基本的生活与生存需要的"维生价值";②自然资源作为人类利用自然、改造自然的对象物,为人类提供"经济价值";③自然资源为人类提供"经济"作用的同时,还提供"生态价值",虽不能直接在市场上进行交换,体现的是潜在价值、间接使用价值,如森林所提供的防护、救灾、净化、涵养水源等生态价值;④自然为人类满足精神及文化上的享受而提供"精神价值",体现的是存在价值或文化价值,如自然景观、珍稀物种、自然遗产等所体现的精神性价值;⑤自然为满足人类探索未知而提供"科学研究价值"等。

自然资源的经济价值、生态价值、社会价值等是统一的和不可分割的整体,经济价值如果不顾及其他不断地开发,那么必然会引起生态价值和社会价值的流失和缺损,比如森林的无制约采伐在获得巨大经济效益的同时,也会导致森林生态效益和社会效益的损失甚至毁灭,进而引发难以恢复的生态和环境问题,也反过来约束着经济效益的获取。自然资源的价值是其经济价值和"服务价值"(生态价值、社会价值等)的总和;自然资源的服务价值是其经济价值的基础,对经济价值起着制约作用;人类对于自然资源的利用是对其各种价值利用的叠加,当人类经历对自然资源的经济价值的着重利用阶段之后,将会进入更加偏重于对自然资源的服务价值利用的发展阶段。随着人类发展水平的提高,人类对自然资源的服务价值的需求会越来越高,自然资源的生态价值和人文价值因此会显得越来越重要。(王庆礼等,2001)

有不少的学者对"自然资源"的"服务价值"进行了实证性的评估(岸根卓郎,1999),评估方法和结果未必很可靠,但至少反映了"自然"

服务价值与经济价值的一种直观对比,至少说明了在现代社会经济生活中"自然"的服务价值是不可忽视的。克斯坦兹(R. Costanza)等人的研究(1997 年)表明:全球森林每年所产生的"服务价值"为 33 万亿美元,而全球每年的 CNP 仅为 18 万亿美元;日本林业厅的研究(1972 年)表明:日本森林每年所产生的生态价值为 12.8 万亿日元,与该国当年的经济预算持平;侯元凯等人的研究(1996 年)表明:中国长江流域森林资源每年所产生的生态服务价值为 2.1 万亿元,而同期森林资源的直接利用价值仅为 0.197 万亿元。

在末端治理范式中,往往认为自然资源是无价值的,这种理论观念及其在实践活动中的作用,导致了资源的无偿占用、掠夺性耗竭性开发,以至造成资源的浪费、资源的损毁、生态环境的破坏和恶化,成为可持续发展的关键性制约因素。具体体现为:

(1)导致自然资源处于低效率的配置和使用之中。由于自然资源不计价值,可以无偿、无序地使用,使得自然资源使用者总是力图多占多用,缺乏节约资源、提高资源利用效率的主动性、积极性和约束机制,因而造成自然资源无效益、无效率的破坏与浪费。

(2)导致财富分配的不公平及经济竞争的不平等。由于自然资源不计价值和价格,它的所有权和使用权的取得都不是通过市场竞争得到的,而是通过权力、关系等因素得到的,得到丰裕资源的群体和个人就获得较多的财富,获得了经济竞争的优越地位,这种资源分配不公平和竞争的不平等往往会掩盖资源利用的低效率问题。

(3)导致环境问题的恶化。自然资源的使用往往伴随着环境问题的产生,如生态环境的破坏、废物的排放等,既然自然资源的使用是无价的,那么其伴生的问题也是无价的,这必然加剧由于资源使用不当而导致的环境问题。

(4)导致自然资源的价值随着被使用而下降。由于理论上认为自然资源是无价值的,那么对自然资源、生态环境应有的补偿就无从谈起,反而往往会认为保护自然资源、补偿自然资源是非生产性的投资、是额外的负担、是无法回收及得到报偿的。

(5)导致国民财富的失真。如果自然本没有价值,那么就不会计入国民财富之中,如此一来,经济活动中的各主体(国家、群体、企业、个人)在追求财富增加的过程中,都不会去关注自然资源的保护和补偿,反而不惜损害自然资源的内在价值,去增加其他方面的财富。

(6)导致公共收入的流失。自然资源多数是公共所有品,其所产生的价值理应成为公共收入的重要来源。但如果自然资源没有价值、使用者无须支付,那么公共所有者就得不到任何报偿,反而需要支付有关保护维护自然资源的各种费用,这个过程是资源不公平配置、财富不公平分配的过程。(钟茂初,2004)

长期以来,资源的过度消耗和浪费随处可见,据说浪费的资源比实际使用的要多 10 倍以上。有研究表明,我们所购买和消耗的物资中有93% 根本没有物尽其用,80% 的产品经一次使用后就被弃置了,现在美国商品生产或包含在商品中的原材料的 99% 在销售的 6 周内就变成了废物。每年全世界对资源的浪费竟有 10 万亿美元! 在过去,发展仅仅是劳动生产率的增加,而在知识经济时代,资源生产率的提高被赋予同等重要的地位,作为最优先考虑的追求目标,并被认为是解决环境问题的关键。通过技术进步和知识创新,提高生产效率,以一半的资源消耗创造双倍的财富,实现四倍跃进。这并不是痴人说梦,厄恩斯特·冯·魏茨察克等三位国际著名专家在《四倍跃进——一半的资源消耗创造双倍的财富》中,列举了 50 个令人鼓舞的四倍跃进的效率革命的例子。

我国作为一个发展中国家,虽然劳动力资源廉价、丰富,但资源和能源相对缺乏、生态环境较为突出,在这种情况下必须吸取发达国家的经验教训,重视资源生产率革命,一方面依托现有最佳实用技术,淘汰落后技术、推动产业升级,实现技术进步与效率改善;另一方面在绿色化学技术开发、减物质化设计、(有毒化学品)就地制造、精益制造、闭环制造等领域,寻求技术突破,以更大限度提高资源生产率。只有将资源生产率置于技术发展的中心地位,最大限度地利用人力来减少资源消耗,才有可能减少中国与发达国家的差距,真正实现科学发展。

此外,要充分发挥自然资源的作用,一是通过向自然资源投资来恢复和扩大自然资源存量;二是运用生态学模式重新设计工业;三是开展服务和流通经济,改变原来的生产和消费方式。

二、关注不同生态伦理的整合与提升

生态伦理,是关于人与自然关系的伦理。由末端治理范式发展到循环经济范式,在生态伦理基础上,经历了从"人类中心主义"向"生命中心主义"、"生态中心主义"的转变,并实现了三种生态伦理观的整合与提升。

人类中心主义生态伦理观认为,人类是世界存在最高目标,人类的价值是最崇高的且是唯一的,其他物种的价值只有在人类使用它们的时候才表现出来,也就是它们自身并没有价值。因而一切从人类的利益出发,维护人的价值和权利就成为人类活动的最根本的出发点或最终价值依据,按照这样的出发点和价值标准来衡量人的行为,只是看它能否给人类带来好处,至于是否伤害了其他物种均可不予理睬。人类经过多年的努力,将伦理的范围逐渐自人类扩展至非人类,即所谓对自然界的生物体给予道德考虑,此类学说通称为生命中心主义,认为,所有生命特别是动物,都有价值,判别善恶是以是否伤害生命为标准的,导致生物痛苦的行为是不道德的。后来,生态伦理又有了新的发展,产生了生态中心伦理的主张,认为,天下万物,包括无生命的岩石等,都是有价值的,生态系统是一个整体,休戚与共,对局部或个体的破坏就是对整体的伤害,不能够为了局部的利益伤害整体。

人类中心主义的伦理观产生了传统的生产—消费模式,这就是:大量使用地球资源—无节制地大量生产、不计环境代价与成本—无限制地满足消费欲望、大量消费和奢侈消费—生产和生活废弃物大量排放。这一传统模式的最终结果导致了地球资源的严重枯竭、环境恶化和生态灾难频繁发生。在人们意识到了问题的严重性后,开始着手治理环境问题,采取生产末端治理的方式,行政、法律和经济等多种手段并用,对环境污染问题大开杀戒。结果,环境污染问题在一定程度上得到了遏制,短期内取得了较好的治理效果。但是,从长期看,生产末端治理的方式不能从根本上缓和与遏止资源日趋枯竭的进程,人与自然的矛盾仍然日益突出。为了使地球上现有为人类所认识的资源能够被使用

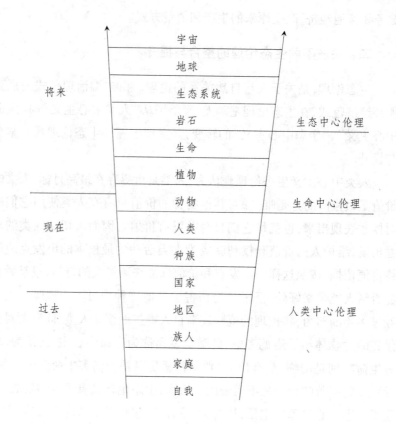

图 1　人类生态伦理三种描述

资料来源:《生态工业理论与实践》,第 149 页。

更长的时间,将地球资源的有限性和人类繁衍、文明进步的无限性协调统一起来,实现人类社会的可持续发展,循环经济作为一种新的经济社会发展范式应运而生。

循环经济有自己的生态伦理基础,但这个基础不简单地等于生态中心主义的生态伦理,它兼容平衡与发展两种取向,既符合人类利益,又符合生态规律的要求。也就是说,人类行为既有益于维护生态平衡,维护地球基本生态过程,保护生物多样性;又有益于维护人类利益,益于人类生存,改善人类生活质量。

生态伦理的不同理论,从不同的视角思考生态伦理问题,既有合理的因素,又有不足的方面。现代人类中心主义的生态伦理,以人类利益为标准,但利益平等的原则要延伸到子孙后代,对保护自然承担责任,因为保护自然符合人的利益;污染环境是损害他人的利益。人类中心主义,高扬对人类包括子孙后代利益的关心,高扬人类理性和智慧,信仰人类的伟大潜力,发挥人类的主动性和创造积极性,这是完全正确的。但是,它大多只承认人类价值,否认自然价值,在伦理理论上有不完善之处。

生命中心主义的生态伦理,善还是恶以是否伤害生物为标准,如辛格认为,苦乐的能力是获得平等权利的根本特征,是判别善恶的标准,因而导致生物痛苦的行为是不道德的。生命中心主义,推崇尊重生命,信奉生物平等主义。这是一种高尚的道德境界。这种道德理想或信仰,对于人类的道德完善是必要的。但是,这种生命中心主义世界观缺乏可操作性。

生态中心主义的生态伦理,以生物共同体的健全为标准,"一件事情,它有助于保护生物共同体的和谐、稳定和美丽时,它是正确的;否则,就是错误的。"生态中心主义,基于生态系统整体性观点,对人类道德提供了一种科学的整体论思维;但是,它的物种和生态系统优先的道德原则,同样带有太多信仰成分。

发展循环经济,要求不同伦理从分立走向整合,建立以人与人、人与自然和谐发展为道德目标的伦理,这应该是一种开放的、统一的伦理,它需要一种伦理整合与提升。上述三大生态伦理存在整合的基础,那就是,它们一致认为,人类道德扩展是必要的,道德对象的范围从人和社会的领域扩展到生命和自然界,这是人类道德的完善;它们一致认为,生态伦理的道德目标是维护生物多样性、保护环境,这是符合人类包括子孙后代的利益的;它们的理论具有各自的合理成分。因而在这样的基础上,发挥不同伦理的理论优势,综合它们的合理的思想,建立一种同时包含人类中心主义、生命中心主义和生态中心主义的合理成分,补充其不完善的方面的,既开放又统一的生态伦理学,这是必要和可能的。

这种整合与提升的要求,既关注环境道德中的人与自然的生态关系,又关注其中人与社会的社会关系,由此经过综合和创新,扬弃和整合,形成了循环经济的生态伦理基础。它强调"生态价值"的全面回归,主张在生产领域和消费领域向生态化转向,承认"生态位"的存在和尊重自然权利。在这个范式里,人类不应该是自然的征服者和主宰者,而应是自然的一部分,既要维护人类的利益,又要维护整个生态系统的平衡。维护和管理好自然是人类的神圣使命,人类必须在道德规范、政府管理、社会生活等方面转变原有的观念、做法和组织方式,倡导人类福利的代内公平和代际公正,实施减量化、再利用和资源化生产,开展无害环境管理和环境友好消费。

三、深化对生态阈值的研究

循环经济范式的基本前提之一是认为生态阈值是客观存在的。环境的净化能力和承载力是有限的,一旦社会经济发展超越了生态阈值,就可能发生波及整个人类的灾难性后果,并且这个后果是不可逆的。

传统工业社会的增长方式呈指数规律,工业革命后 100 年间,人类所创造的财富比有史以来此前创造的全部财富之和还多,但与此同时,环境污染与破坏也是登峰造极的,自然财富的负增长也呈指数规律,例如不可再生资源的消耗、生物物种的减少、大气中温室气体积累和臭氧层破坏等。这种增长方式若用曲线表示,形状类似字母 J,可称之为 J 增长。J 增长是生态学上种群在无限环境(没有环境条件制约)中的增长方式。人类似乎忘记了地球的边界,以为地球真的是"取之不尽,用之不竭"。但地球是有限的,她所提供的资源、所能容纳的污染都是有限的,在一个有限的环境中趋向无限的指数增长必然导致增长的陡减,以至系统的崩溃。生态学上种群在有限环境中的增长方式,用曲线表示,形似字母 S,可称之为 S 增长。客观上,人类作为地球生态系统中的一个种群,也必然遵循这一规律,理应呈现 S 增长。

图 2 描述了财富增长的"镜像",随着人类财富的 J 增长,自然财富的减少也呈现 J 增长,此消彼长形成一组"镜像"。图中的虚线代表着"生态界限",是一个死亡界限,是不可逾越的,即生态阈值。很显然,如若人类财富增长曲线与自然财富减少曲线相交于这条死亡界限,则

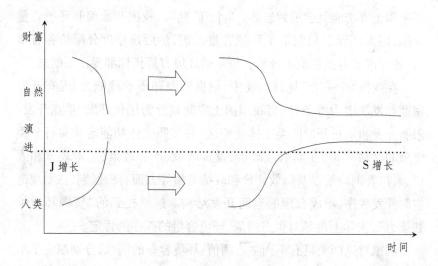

图 2　财富增长的"镜像"

资料来源:《生态工业理论与实践》,第 147 页。

意味着人类财富增长系统的崩溃。J 增长就类似于癌症,细胞增殖失控,即某些局部的细胞组织疯狂地、无休止地增殖、分化,无度地"发展",J 增长就是无"度"的工业化发展。因此,人类财富的 J 增长是不可持续的,理性的人类不应让这种 J 增长继续下去。

J 增长并不是长久之计,实际上它只是 S 增长的一个阶段而已,必然回归于 S 增长规律。人类当前正处在 J 增长向 S 增长的转变的"拐点"上,已经造成的生态破坏不可逃避,但人类应及时转向,如图 2 所示,实现人类与自然协同演进的另一组"镜像"。

生存与发展的辩证关系表明,在一定限度内,发展是对生存的完善和促进,但超过这一限度,发展就反过来构成了对生存的威胁。发展有度,有临界点,越出度,接近或超过临界点,就会危及人类自身的生存。这个"度",既包括发展规模也包括发展速度,映射在自然界,就是地球生态系统吐故纳新、自我修复的能力范围,也就是生态阈值。

生态阈值,即环境容量,是指某一环境区域内对人类活动造成的影响的最大容纳量。大气、土地、动植物等都有承受污染物的最高限制,就环境污染而言,污染物存在的数量超过最大容纳量,这一环境的生态平衡和正常功能就会遭到破坏。"十五"期间,我国开始编制环境容量指标,国家环保总局制定了环境容量总额,然后按年度分配给各省市区,各省市区再往各地市分解。每年的环境容量指标都要往下削减。

在我国"十一五"规划纲要中,根据资源环境承载能力、现有开发密度和发展潜力等条件,将我国国土空间划分为优化开发、重点开发、限制开发和禁止开发四类主体功能区,并按照主体功能定位实行分类管理的区域政策,在其财政政策、投资政策、产业政策、土地政策和人口、人口管理政策以及绩效评价和政绩考核等方面有所区别,从而规范空间开发秩序,形成合理的空间开发结构。这里提到的"资源环境承载能力",实际上就是对生态阈值、环境容量的存在的肯定。

国家对这四类具有不同生态阈值、环境容量的区域,分别制定了不同的发展方向:优化开发区域是指国土开发密度已经较高、资源环境承载能力开始减弱的区域。要改变依靠大量占用土地、大量消耗资源和大量排放污染实现经济较快增长的模式,把提高增长质量和效益放在首位,提升参与全球分工与竞争的层次,继续成为带动全国经济社会发展的龙头和我国参与经济全球化的主体区域;重点开发区域是指资源环境承载能力较强、经济和人口集聚条件较好的区域。要充实基础设施,改善投资创业环境,促进产业集群发展,壮大经济规模,加快工业化和城镇化,承接优化开发区域的产业转移,承接限制开发区域和禁止开发区域的人口转移,逐步成为支撑全国经济发展和人口集聚的重要载体;限制开发区域是指资源环境承载能力较弱、大规模集聚经济和人口条件不够好并关系到全国或较大区域范围生态安全的区域。要坚持保护优先、适度开发、点状发展,因地制宜发展资源环境可承载的特色产业,加强生态修复和环境保护,引导超载人口逐步有序转移,逐步成为全国或区域性的重要生态功能区;禁止开发区域是指依法设立的各类自然保护区域。要依据法律法规规定和相关规划实行强制性保护,控制人为因素对自然生态的干扰,严禁不符合主体功能定位的开发活动。

规划纲要中还提出要保护修复自然生态,生态保护和建设的重点要从事后治理向事前保护转变,这也包含了生态系统存在边界、阈值的观念。按照生态存在阈值的观点,我国相当一部分的国土属于生态环境脆弱区域,其自然状况将难以支撑现有的且不断增长的人口过上人均3000美元的小康生活。对这类区域来讲,实现第一个翻番、达到人均1000美元,生态环境已经不堪重负;若仍按原有模式实现第二个翻番,达到人均3000美元,则势必大大超出其生态环境承载能力,带来生态环境的更大破坏。

循环经济范式强调在生态阈值的范围内,合理利用自然资源,从原来的仅对人力生产率的重视转向在根本上提高资源生产率,使"财富翻一番,资源使用减少一半",在尊重自然的基础上切实有力地保护生态系统的自组织能力,达到经济发展的环境保护的"双赢"目的。

四、深层生态学的研究与追问

浅层生态学关注环境问题,但只是就环境论环境,过分地依赖技术,认为技术万能。可是,一旦技术不能解救生态阈值,则束手束脚,拿不出解决的办法,甚至产生反对经济增长的消极想法。而循环经济模式是一种深层生态学,它不仅强调技术进步,而是将制度、体制、管理、文化等因素通盘考虑,注重观念创新和生产、消费方式的变革。它防微杜渐,标本兼治,从源头上防止破坏环境因素的出现。

"深层生态学"的概念是由挪威学者阿奈·伦斯提出来的,是指对生态问题的"深层追问"。当人类逐步认识到自身生存环境的重要性时,人们对于人类与自然的关系必然进行更加深层的思考。如,以人类的生存与发展为目的进行"人类—社会—自然"相互作用的生态学思考,对人与生态环境及社会环境之间的关系、人类活动对自然界的作用、环境对人和社会的反作用、人类对环境的适应与选择等问题进行生态学思考。这样的思考,使得生态学思想向哲学领域扩展,发展了生态系统整体性观点和生态价值概念,摒弃了人类统治自然的价值观,而树立了人与自然和谐发展的价值,从而出现了"生态哲学"或"生态学世界观"。

浅层生态学与深层生态学的区别主要体现在以下五个方面:

(1)在自然观方面。浅层生态学认为:人与自然是分离和对立的;人类能够支配自然使它为自身的利益服务;人类能够也应该用自然

（科学）规律来开发利用自然。而深层生态学则认为：人是自然的一部分，人与自然不是对立的；人类必须尊重和保护自然，自然有自身价值，而不只是它对人有价值，人要与自然和谐相处；人类利用自然必须服从自然规律，比如要遵从生态阈值。

（2）在价值观方面。浅层生态学认为：自然界的多样性是一种资源，对人类来说是有价值的；离开人类，自然界无所谓价值可言；物种有遗传资源的价值，因而应当受到保护；人类天生具有侵略性和竞争性，人类社会天生就是也必须是等级社会；人类社会的进步主要体现在人们拥有更多的财富和更复杂的技术，可用物质财富衡量个人的社会地位；逻辑与理性比情感和直觉更有效、更可靠，只能相信事实和科学证据。而深层生态学认为：自然界的多样性具有自身的内在价值；把价值等同于人类的价值是极大的偏见；物种是由于具有内在价值（而不是对人类有用）应受到保护；人天生具有合作精神，社会等级是反自然的、可避免的；生活中精神质量和爱的关系比物质财富更重要；情感和直觉至少与其他知识同等重要和有效，无论如何都不可能有客观的"事实"。

（3）在经济观方面。浅层生态学认为："资源"是人类的资源；如果"污染"影响到经济增长，就应当减少；生产与服务的目的是使资本被投向更高产出的生产和服务中，最终使每个人受益；降低产品和服务成本是提高生产过程的经济效益，经济增长永远是好的，它未必影响环境；为了增长的最大化，必须对物质循环和控制污染的程度加以限制；经济计划是短期的，投资者要看到合理的回报，否则经济就是非竞争性的；国家和地区间通过贸易而发展进步；机械化、自动化、大规模生产是更好更有效的生产方式；充分就业是一种理想。而深层生态学认为："资源"是所有生物的资源；减少污染应优先于经济增长；应为社会需要而生产和服务，而不是基于有利与否；效益应当以提供充分的环境、良好的工作，用尽可能少的资源满足人类适度的物质需求为标准；不加区别的经济增长是不好的，会因耗尽有限资源和产生污染而不能持续；所有生产都应当是物质最小的消耗和循环利用，从长远来说这是最有效的；经济计划的时间跨度应该是几百年；国家间和地区间的贸易应当减少,全球应当是自给自足的共同体;小规模的、局部控制的、手工的生产是更好的生产方式;每个人都应该有活干,但这不必是常规的工作。

(4)在技术观方面。浅层生态学认为:科学技术能够解决环境问题,需要不断完善科技;正是技术进步在很大程度上决定了社会和经济的变革;大规模的高技术是进步的标志;通过分析把问题分解为若干部分就可以把问题解决。深层生态学则认为:不能依赖科学技术,而必须寻求解决环境问题的其他途径;应该按人类的要求来改变社会和经济,而不是随着技术的变革而变革;中间的、适宜的、民主的技术(如可再生资源技术)是进步的标志;通过综合,把所有部分看做一个整体的解决问题观念和方法,人对自然和社会的认识是整体观。

(5)在社会观方面。浅层生态学认为:人们不能忍受生活标准的大幅度下降;消费主义生活方式是必然的;发展中国家威胁到生态平衡。而深层生态学认为:人们不应当忍受生活质量的大幅度下降,但可忍受高度发达国家生活标准的大幅度下降;应采取适度消费和再生利用的生活方式;世界人口增长到目前水平威胁到生态系统,工业化国家的人口与行为更具威胁。(雷毅,2001)

综合起来,深层生态学在生态环境方面的认识由浅层向深层的发展主要体现在以下方面:①由关注小范围的污染问题在小范围及短期内可能的危险性,发展到以解决环境问题为契机、以推动人类社会经济的变革;②由关注废弃物的净化处理发展到关注废弃物的减少及控制;③由"污染后治理"的"经济发展规律",转变为采取"可持续发展"途径,在发展的同时达到环境保护;④由环境资源对人类有价值的认识,发展到自然界具有自身价值的认识;⑤由有限度地利用自然、反对掠夺自然,发展到通过价值观的改变、改变人类生产和生活方式;⑥由分析性、线性思维发展到整体性、非线性和循环思维。

中华文化的合理内核为我们理解和诠释生态问题的深层追问,提供了有效营养。诺贝尔化学奖得主、日本理化学研究所理事长、教授野依良治说:"快速的现代化进程使中国面临着诸如环境破坏、能源供应不稳定等一系列难题——这些问题也是全人类所共同面对的。与西方的还原主义不同,中国崇尚'天人合一'的自然观,用统一的方式去理解人和自然。"天人调谐,是我国自古以来研究天人之学的一条主线,是中国天人之学的精华,也是中国传统文化的精华。中国古代大多数思想家在人与自然的关系问题上都主张一种整体观的理论,把人与自然看做一个不可分割的整体。认为:人是自然的一部分,要尊重自然界的内在价值和客观规律,并要发挥人的主观能动性,强调人与自然的协调统一,既改造自然,又顺应自然;既不屈从自然,又不破坏自然。人既不是大自然的主宰,也不是大自然的奴隶,而是自然的朋友,要参与大自然造化养育万物的活动。在提出"天地与我并生,万物与我为一"的朴素整体观的同时,也明确承认人在世界中具有重要的和谐地位。人类和万物一样,是天地自然而然的产物,人类社会是自然发展的结果,人是自然的一部分。同时,人具有重要的地位,"盈天地之间者唯万物",这万物之中,只有人,才可与天地相提并论,合称"三才"。天、地、人作为各自独立的形态虽或有别,但作为一个宇宙生命的整体,合德并进,圆融无间,才是天人调谐的最高境界。中国古代典籍指出,天有天之道,地有地之道,人有人之道。天地之道,即指自然界阴阳刚柔的变化法则、规律。人道指的是道德准则和治国原则。人道应当效法天道,也就是说,人要服从普遍规律,通过认识和效法天道,就可以从中汲取教益,引申出人事所遵循的原则。发展循环经济作为一种全新的经济运行模式,符合天人调谐的理念。

目前,运用法律手段推进循环经济发展,已成为中央的既定方针决策。2005 年 7 月,全国人大常委会决定启动立法程序,责成全国人大环资委组织起草循环经济法草案。现全国人大环资委已经成立了立法起草领导小组,在政府有关部门的共同参与下,正在抓紧起草工作,争取在 2007 年将法律草案提请人大常委会审议。"十一五"规划建议中也提出大力发展循环经济,健全相应的法律法规。

起草中的《循环经济法》将包括政府发展规划的制定及有关主体的义务和责任、必要的行政强制措施、经济激励手段和措施、激发公众参与的手段和措施等。

制定循环经济法应将发展循环经济确立为国民经济和社会发展的基本战略目标之一,进行全面周到的规划。将其与环境保护规划相协调后,纳入中央和地方国民经济和社会发展计划,并运用财政预算等手段予以支持。

制定循环经济法应规定中央政府和地方政府的各项责任。各级政府及有关部门除了制定和实施有关的规划外,还要明确在发展循环经济中的其他职责,以各负其责,把促进和保障循环经济发展的任务落到实处。

制定循环经济法应要求重点污染企业必须实施循环经济。要制定强制实施循环经济的企业名录,将一些大量消耗资源、严重污染环境的重点企业列入名录之中,要求其必须实施循环经济,并制定有关的处罚、奖励措施。

制定循环经济法应鼓励依靠科技进步采用降低原材料和能源消耗的无害或低害的新工艺、新技术,鼓励产业界的积极创新和开发。要求各级政府部门加大相关的科技投入和政策扶持力度。

制定循环经济法应要求建立完善循环经济多元化的投资机制;实行资源回收奖励制度;鼓励废旧物资回收和再生利用的产业发展;调整相关的税收、信贷、财政等政策。

制定循环经济法应明确规范对产品的回收利用、奖励及相关责任制度。企业在设计、生产产品的过程中,应把产品的再商品化率作为一项重要指标,纳入到企业经济考核指标中来。

制定循环经济法应规范相关的中介组织服务制度。通过一些具有媒介性质的组织机构,将有回收产品和包装废物意愿的企业连成网络,并发布废品回收信息,使个人、企业、政府联结为一体。

制定循环经济法应规定消费者应为回收利用消费过的物资承担一定的义务,促使公众通过树立与环境保护相协调的价值观和消费观,实行资源的综合利用,从而把危害环境的废物减少到最低限度。

制定循环经济法应规定公众参与建立循环型社会的内容、渠道、方式,鼓励和支持公众的创造精神,逐步建立起公众参与、公众受益、公众监督下的生态文明。

循环经济立法研究

主要参考文献

[1]《中华人民共和国国民经济和社会发展第十一个五年规划纲要》,人民出版社 2006 年版。

[2] 钟茂初:《可持续发展的理论阐释》,教育科学出版社 2004 年版。

[3] 刘文:《资源价格》,商务印书馆 1996 年版。

[4] 雷毅:《深层生态学研究》,清华大学出版社 2001 年版。

[5] 解振华主编:《生态工业理论与实践》,中国环境科学出版社 2002 年版。

[6] 钱易:《环境保护与可持续发展》,高等教育出版社 2001 年版。

[7] 冯之浚:《循环经济导论》,人民出版社 2004 年版。

（冯之浚:全国人大常委、全国人大环资委副主任委员、
中国循环经济论坛组委会副主任兼秘书长、循环经济
立法起草小组组长,教授、博士生导师）

发展循环经济的正确途径

钱 易

近年来,我国领导人多次、反复强调实施全面、协调、可持续的科学发展观的重要性,并指出应大力发展循环经济,建立资源节约型、环境友好型社会,走新兴工业化的道路,以实现全面建设小康社会的宏伟理想。2006 年 3 月,温总理在政府工作报告中特别强调,要"加大产业结构调整、资源节约和环境保护力度,大力发展循环经济"。这种战略符合我国人口多、资源少的国情,适应我国和平崛起的现实需要,代表了我国人民最高利益。我国政府领导机构和很多省市已经行动起来,开始进行发展循环经济的实践,掀起了发展循环经济的热潮,形势十分令人振奋。

但也有人认为,循环经济是一个十分广泛的理念,具体实施很困难;还有人提出,发展循环经济必须确保经济效益,如果为了回收废弃物、减少环境污染而需要大量投资,就很难实施;有些地方和人员则在观望和等待,希望有人能指出具体操作办法,拿出发展循环经济的计划,甚至有发展循环经济的成功样板。在这里,我想就这些问题对我国发展循环经济的正确途径发表一些看法,供批评指正。

一、循环经济的意义和实质

传统的经济遵循的是"资源—生产—消费—废弃物排放"单向流动的线性经济,在这种开环型的线性经济中,人们从地球上提取大量的资源和能源,然后又以污染物和废弃物的形式大量排向大气、水体和土壤,把地球当做"阴沟洞"或"垃圾箱"。经济增长是以自然资源消耗和环境质量下降的沉重代价换取得来的,最终的结果必然是地球上的资源越来越少,生态环境受到越来越严重的破坏,显然是不符合可持续发展战略的。

与此不同,循环经济倡导的是一种与地球和谐共存的经济发展模式,它的要旨是将经济活动组织成"资源—生产—消费—二次资源"的闭环过程,所有的物质和能量要在不断进行的经济循环中得到合理和持续的利用,从而把经济活动对自然环境的不利影响降低到尽可能小的程度。

循环经济的基本原则是:减少资源利用量及废物排放量(Reduce),大力实施物料的循环利用系统(Recycle),以及努力回收利用废弃物(Reuse),这就是著名的3R原则。显然,循环经济的实施将使资源和能源得到最合理和持久的利用,并使经济活动对环境的不良影响降低到尽可能小的程度。循环经济完全符合可持续发展战略的思想,对环境和资源的保护有益,对子孙后代有益。

美国科学家和企业界人士形象地把这种新型的经济发展模式描写为"从摇篮到摇篮",就是指要把废弃物当成资源来充分利用,而且应该覆盖资源的开采、生产、运输、消费、废弃后再利用等生命全周期的各个环节。因此发展循环经济必然会涉及各行各业,综合性十分强。

二、我国发展循环经济的正确途径

我国发展循环经济的正确途径,必须立足于我国的国情,针对我国当前的形势和面临的挑战,促进我国可持续发展,同时又必须符合循环经济的基本原理。

因为我国人口众多,人均土地、水、矿产资源、能源的占有量均在世界平均水平以下,而同时我国利用资源的效率却很低,我国发展循环经济的第一要务就是要提高资源利用效率。早在20世纪80年代后期,欧洲一些学者就提出人类必须提高资源生产率,或称为生态效率,以减少GDP对资源的需求和环境的影响。我国实施效率倍增战略的目标应该是,到2010年,在GDP翻一番的情况下,不使生态、环境质量更为恶化并争取有所改善;到 2020 年,在 GDP 翻两番的情况下,使生态和环境的质量有全面的改善,以实现经济发展与生态、环境的协调。初步的计算表明,到 2010 年和 2020 年,我国各项资源的利用效率平均应分别提高至当前的 4 至 8 倍。

是否能够实现这样的目标呢?回答是肯定的。国内外的经验已经证明,通过加快产业结构调整,减少并逐步淘汰高物耗、高能耗、高污染产业;在企业内部推行清洁生产技术,提高资源利用效率,减少污染物排放,并建立实现资源、能源合理利用的工业生态园;加强对工业和城市废弃物的回收利用,把废物变成资源,上述目标是完全可以实现的。而这些途径正是在生产领域推行循环经济的必要步骤。

由于消费领域处在社会经济系统的最下游,而在下游减少一个单位的消耗,就往往可以在上游减少 10 个单位的投入。因此,在提高生产领域的资源利用效率的同时,也不能忽略消费领域对资源、能源的消耗。虽然我国人均的资源、能源消耗水平还不及世界工业发达国家,但基于我国的国情,我们决不能在提高资源、能源消费水平上与其他国家攀比,更何况目前还存在着严重的浪费现象,我们更应该提倡节约、反对浪费,实施减物质化的消费新模式。如炎夏即将到来,合理调节建筑物特别是公共建筑中空调系统的温度,将产生显著的节电效果,对人体健康也有好处。

总之,迅速改变生产模式和消费模式,将重点放在节约资源、保护环境两个方面,是发展循环经济的主要途径。具体来说,以下工作是当前最关键的:

(1)在工厂大力推行清洁生产,特别要注意提高中小企业的生产工艺和管理水平,把单位产品的能耗、物耗暨污染物排放量降低下来。

(2)尽可能把各类高新技术开发区和工业园区生态化,把仅仅是地域上的工业园区改造为能源、资源高效率利用的、不同产业间用生态链连接起来的生态工业园区。

(3)大力改造建筑行业的设计、施工和运营,在我国快速城市化进程中使建筑行业的能耗、物耗和污染物排放量尽快降低下来。

(4)尽快实现城市垃圾的分类收集和各类不同废物的回收利用,

研究开发废弃物资源化的新技术,使各项废弃物变成再生资源。

(5)在建设社会主义新农村的过程中特别注意农村废弃物的利用,发展生物质能。

(6)提倡节约光荣,浪费可耻的社会新风尚。

三、我国发展循环经济过程中应该注意的几个问题

一是如何入手的问题。我国先行的一些省、市,对发展循环经济高度重视,已经制定了发展循环经济的规划,他们的经验值得学习效仿。但另一方面,还应该看到发展循环经济涉及各行各业,关系到大、中、小不同层次,与每个机关、企业、家庭,甚至个人都密切相关,因此在从上到下发展循环经济的同时,千万不要忽略了从下而上的全民行动的重要意义。如果每个人、每个家庭、每个工厂、每个学校、每个单位都在努力节约资源、保护环境,其效果一定更快、更好。我们应该提倡从我做起,从小事做起,从现在做起的精神,把发展循环经济和人民的日常工作和生活紧密结合起来。如城市垃圾的分类收集、回收利用和无害化处理、处置,就是需要城市居民、企业、政府共同努力的极有意义的一件事。只有将不同行业、不同岗位的涓涓溪流汇集起来,才能形成全社会发展循环经济的奔腾江河。

二是如何提高循环经济效益的问题。从理论上分析,不论在生产领域还是消费领域,节约资源、减少污染的新模式是可以同时获得经济效益和环境效益的,但不能否认还存在一些项目和做法,虽然可以减少资源消耗和污染排放,其经济效益却较差,甚至需要较大的投资和运行费用。我们应该正视现实,区别对待不同的情况。对于可以获得双赢的项目,应该尽快大力推广应用;对于资源、环境效益显著,经济效益上不显著的项目,应该利用教育、法制和政策的手段加以推动,同时支持科技开发,改进其技术,提高其效益;对于虽有环境、资源效益而经济效益极差甚至需要很大费用的项目,则主要应大力进行科技开发和技术革新,使该方案的可行性得以提高。

三是发展循环经济的保障措施。应该从加强宣传教育、制定法规政策和支持科技开发三方面采取有效措施保障循环经济的发展。发展

循环经济是一项艰巨、长期的任务,需要以提高全民的觉悟为前提,也需要各个部门的配合协调。

胡锦涛主席指出,要大力推进循环经济,建立资源节约型、环境友好型社会,并明确要求要大力宣传循环经济理念,加快制定循环经济促进法,加强循环经济试点工作,全方位、多层次推广适应资源节约型、环境友好型社会要求的生产生活方式。目前,全国人大环资委已着手开展循环经济立法研究,并会同有关部门,积极推进循环经济发展,组建了循环经济发展论坛,为社会各方建立高层的政策对话和经验交流平台。

2004 年"中国循环经济论坛上海宣言"发出呼吁:"各级政府领导要树立人与自然和谐的可持续发展观和正确的政绩观,企业家要主动、积极地承担保护资源和环境的社会责任,社会各界要弘扬中华民族天人和谐的传统美德,在全社会树立节约资源、保护环境的可持续消费观念和文化,共同努力推进中国循环经济的发展。"只要政府、企业和公众这三支重要力量都能团结一心,为发展循环经济努力奋斗,建成资源节约型、环境友好型社会,实施可持续发展的美好理想就一定能够实现。

(钱易:全国人大环资委副主任委员、中国工程院院士、
清华大学教授)

我国循环经济法的立法定位
及关键环境管理制度

赵 英 民

我国人口众多,资源相对短缺,单位 GDP 的能耗、物耗和水耗远远高于发达国家和世界平均水平。同时中国的环境问题呈现出结构型、复合型和压缩型的特点,治理任务十分艰巨。伴随中国经济的高速增长,资源能源消耗、生态环境恶化已经成为经济社会可持续发展的瓶颈因素和最大障碍。

生产和消费是关系经济增长的重要领域,也是影响生态环境的重要方面。发展不足和发展不当都是造成环境问题的根本原因。摆脱贫困,改善生活,必须依靠经济增长。建立在不可持续的生产和消费方式上的经济快速增长,虽然在短时期内能带来一定的经济繁荣,但必将付出沉痛的资源和环境代价,长此以往,将牺牲我们赖以生存的环境。改变传统的生产和消费方式,大力推动循环经济发展,建设资源节约型和环境友好型社会,是实现可持续发展的重要体现。

近年来,我国政府加强了循环经济的推动工作,力图使我国的发展以尽可能少的资源消耗和尽可能小的环境代价,取得最大的经济产出和最小的废物排放,逐步实现环境保护模式向污染预防和生产全过程控制的根本转变,解决区域性与结构性环境污染问题。

目前在政府部门的大力引导下,循环经济的实践在我国开展十分活跃,循环经济的试点和示范从国家环保总局的推动到国务院各部门、全国各地区的全面铺开。几年来,在企业、工业企业集中区和省市区域等三个层面上开展了循环经济试点工作。同时国家环保总局紧密结合日常环境管理措施,大力推动循环经济发展。

虽然现有的一些政策对循环经济实践提供了比较好的制度保障,但是总体上看,我国的循环经济发展还缺乏权威的法律手段作为支撑、保障和引导。因此,迫切需要在总结已有的立法经验的基础上,整合已有的法律措施,制定具有基本法性质的循环经济法。

一、循环经济法的立法定位

循环经济法的立法定位是由循环经济法的立法目标、指导原则、法律地位、调节范围、调节主体等要素组成的。而我国的循环经济法的立法定位是由我国的循环经济内涵和基本特征决定的。

尽管循环经济是我们学习国外的先进经验提出来的,但是在我国目前特定的发展阶段和国情下,循环经济的内涵不断丰富和完善,成为我国现阶段发展的重要战略选择。深入分析,可以看出,我国循环经济内涵至少反映了 5 个要素:一是循环经济的定位,或者说提出循环经济概念的目的;二是外延,明确界定循环经济概念的边界和所涉及的领域;三是区别于传统经济发展模式的表征;四是区别于经典经济学理论及传统经济发展模式的根本特征;五是实现循环经济的原则、方法和核心标准。这 5 个要素构成了循环经济概念的基本特征。

从所依赖的历史过程和背景看,循环经济概念产生的最主要的目的是解决生态系统与经济社会系统的矛盾。这一矛盾,一方面是资源环境对经济和社会发展的瓶颈约束,另一方面是传统经济发展模式对生态环境的破坏性影响。这就决定了循环经济的二维定位,即解决资源环境和经济发展之间的矛盾。上述定位决定了循环经济的外延是"经济","循环"是这一新的经济发展模式区别于传统经济模式的特征。在这里,"经济"既指经济活动,也指经济发展模式,涵盖了生产和消费两个重要领域,包括资源开采、生产、建设、消费等各个环节。

循环经济发展模式区别于传统经济发展模式的表征是"两高一低"(高资源能源投入、低经济产出、高污染排放)与"两低一高"(低资源能源投入、高经济产出、低污染排放)的区别。目的是通过物质流分析与管理、生命周期分析等管理手段,调控经济发展过程中的物质流动方式和通量,提高经济活动的生态效率,实现经济活动与资源消耗和环境退化的"脱钩",其原则是"减量化、再利用、资源化和无害化"。

根据对循环经济五大基本特征的上述界定,可以将我国循环经济的内涵概括为:循环经济是对社会生产和再生产活动中的资源流动方式实施了"减量化、再利用、再循环和无害化"管理调控的,具有较高生态效率的新的经济发展模式。具体讲,就是根据"减量化、再利用、再循环和无害化"原则,以物质流管理和生命周期分析方法为基础,依靠科学技术、政策手段和市场机制调控生产和消费活动过程中的资源能源流动方式和效率,将"资源—产品—废物"这一传统的线性物质流动方式改造为"资源—产品—再生资源"的物质循环模式,充分提高生产和再生产活动的生态效率,以最少的资源能源消耗,取得最大的经济产出和最低的污染排放,实现经济、环境和社会效益的统一,形成可持续的生产和消费模式,建成资源节约型和环境友好型社会。

循环经济的上述内涵和基本特征决定了循环经济法的基本定位。首先循环经济法的立法目标是三重的,一是节约资源,二是保护环境,三是促进经济发展。循环经济法能够引导循环经济的发展方向,促进循环经济的顺利发展,保障建设发展循环经济决策的有效实施。

循环经济立法的指导思想主要有三点:一是坚持科学发展观的重要理论和思想;二是坚持从实际出发,立足我国国情,解决我国在发展过程中出现的资源和环境的现实矛盾;三是坚持法律的宣示性、引导性与强制性、可操作性相结合的指导思想。以优化资源利用方式、提高资源生产率和降低废弃物排放为核心,形成"政府主导、市场推进、公众参与"的机制,通过各种调整机制的综合作用,建立一套发展循环经济的法律保障体系,以逐步形成中国特色的循环经济发展模式,加快建设资源节约型和环境友好型的生态社会。

关于循环经济法的调节主体,从循环经济的基本特征来看,发展循环经济是全民全社会的事,因此,政府、企业和公众都成为循环经济法的调节主体。关于循环经济法的调节范围,以上主体所从事的与发展循环经济有关的生产、服务、消费活动以及政府部门从事的相关管理活动,都应当适用本法。因此,循环经济法调节的活动贯穿经济活动的全过程,包括资源开发、生产、城乡建设、流通与消费等各个环节。

从上述法律定位来看,循环经济法应是成为我国环境资源法中的基本法、牵头法。也就是说,应该将循环经济法设计为循环经济法律子体系中的核心法律,循环经济领域的基本法律,该法应反映当代新型循环经济在我国经济、社会和环境建设中的重要地位和作用,以及对整个循环经济发展的总体调整、全面调整和综合调整的作用。

二、循环经济法应确立的关键环境管理制度

循环经济立法的重要目的是提高资源利用效率,降低环境污染负荷,建设资源节约型和环境友好型社会。因此,循环经济立法应确立的重要管理制度也应围绕这两个目标展开。节约资源、提高资源效率、降低环境污染负荷,都需要有有力的环境管理制度来保障。

2006年4月召开的第六次全国环境保护大会,提出了要加快实现三个历史性转变的战略思想:一是从重经济增长轻环境保护转变为保护环境与经济增长并重,把加强环境保护作为调整经济结构、转变经济增长方式的重要手段,在保护环境中求发展;二是从环境保护滞后于经济发展转变为环境保护和经济发展同步;三是从主要用行政办法保护环境转变为综合运用法律、经济、技术和必要的行政办法解决环境问题。三个历史性转变实际上体现了一个核心转变,就是从传统的以环境换取增长转变为以环境优化增长,"三个转变"反映了国家环保执政理念的重大调整,把环境与经济之间的"主次"、"先后"、"单向"关系,转变为"并重"、"同步"与"综合"的关系。而发展循环经济实际上就成为以环境优化增长的重要手段。发展循环经济,要求各地区、各部门、各行业根据环境容量和资源承载力来制定经济发展的总体规划、专项规划,切实转变经济增长方式,真正做到节约发展、安全发展、清洁发展。在经济发展过程中,把环境准则作为经济活动的准入条件,把环境保护的要求纳入生产、流通、分配、消费全过程。

三个历史性转变为大力发展循环经济、加强环境保护提供了难得的历史机遇,而循环经济立法则成为加快推进历史性转变的重要保障

和手段。因此,在循环经济立法中,为达到建设环境友好型社会的目的,环境管理制度就成为其中重要的法律制度。其中环境准入制度、资源回收利用产业的环境安全制度、绿色消费与政府绿色采购制度以及循环经济绩效评价与审核制度成为新的循环经济法应确立的关键环境管理制度。

在循环经济法中,应建立环境准入制度,首先,对生产过程管理实行环境准入,对资源消耗大、环境负荷高的重点行业实行环境准入制度,通过建立环境污染强度指标和资源消耗指标限制,通过环境影响评价和产业指导政策等制度限制这些产业的发展;第二,对产品实施环境准入管理,实行重点耗能、耗水产品准入制度,对达不到国家最低能效标准、节水标准的产品,禁止在市场上生产和销售。

资源回收利用产业的环境安全制度是另一项重点环境管理制度。循环经济发展中,资源回收利用产业(静脉产业)是其中的一个重点发展产业,但是,在大力发展资源回收利用产业时,必须采取措施,建立标准,加强监管,防止废旧资源回收利用中产生对环境的二次污染和对公众人体健康的损害,因此,通过制定有关废旧资源回收利用的管理办法,提出对环境保护的具体标准和要求。废弃物的最终处理处置必须遵循无害化原则,确保环境安全。

鼓励绿色消费的措施:国家鼓励单位和个人使用节能、节水和其他有利于节约资源和环境保护的设备和用品。通过政府绿色采购制度,规范政府行为,树立绿色消费表率。环境保护部门联合财政部共同制定政府绿色采购产品的名录。

采取措施引导公众绿色消费:规范消费行为,倡导资源节约、环境友好的健康文明消费方式。国务院有关部门应当严格限制浪费资源、破坏生态环境的消费活动,定期公布浪费资源、破坏生态环境严重的产品,并提高这些产品的消费税税率。

循环经济绩效评价与审核制度是衡量循环经济发展效果的重要制度。要通过建立循环经济评价的指标体系,确定循环经济发展的重要资源和环境绩效指标;采用科学方法(如物质流分析与管理)加强循环经济主要指标的分析核算;根据指标体系和评价方法,环保部门对试点和示范地区发展循环经济的绩效进行评价和发布。

建立重点污染企业(或者园区)的循环经济绩效强制审核和评价制度,由相关部门负责制定标准和导则,并制定有关的处罚和奖励措施。对区域循环经济发展进行绩效进行评价,并纳入政府政绩考核体系。

三、循环经济法应确立的其他重要制度

除了上述关键的环境管理制度,循环经济法还应确立其他一些重要的法律制度,如循环经济规划制度、循环经济发展的产业指导制度、产品综合管理制度、循环经济标识制度、经济激励制度、科技支撑与示范制度、公众参与与信息公开制度以及法律责任制度。

1. 循环经济规划制度

为了明确循环经济发展的目标,指导各地循环经济发展的活动,在循环经济法中应确立循环经济发展的规划制度,国家应制定循环经济发展的中长期规划,并纳入国民经济与社会发展总体规划中;地区、园区和企业等不同层次应根据相应的要求制定循环经济发展规划。

2. 循环经济发展的产业指导制度

国务院有关部门可以依据本法制定符合资源节约、环境保护要求,促进循环经济发展的产业政策,规定鼓励、限制、禁止发展的产业目录;国家应制定相关产业政策鼓励废旧资源回收利用和安全处理处置产业的发展(静脉产业),定期发布关于符合国家要求的废旧资源回收利用及合理处理处置的技术、工艺、设备名录。

3. 科技支撑与示范制度

该项制度要求鼓励依靠科技进步,采用降低原材料和能源消耗的无害或低害的新工艺、新技术,鼓励产业界的积极创新和开发。要求政府部门加大科技投入,组织力量研制开发清洁生产技术,推广无害或者低害的新工艺、新技术,大力降低原材料和能源的消耗。在循环经济发展示范试点地区加大对循环经济科学技术研发的支持力度。依据法律,实行循环经济最佳实用技术推荐制度。

4. 产品综合管理制度

目前欧盟正在大力推行的产品综合管理制度是建设可持续生产与消费体系的重要制度,主要是采取税收、政府补贴、产品环保回收、生产者责任、环境标签、产品环保设计、产品环境标准等一系列措施,促进环境友好产品的生产与消费,最大限度地减少产品在其生命周期内对环境的影响。该项制度要求从设计、生产到回收利用和处理处置等各个环节都要考虑资源节约和环境保护的要求,限制有毒有害物质的使用,因此,该项制度应成为我国循环经济立法中重点考虑的法律制度之一。其中产品生态设计制度和生产者责任延伸制度是其中的重要制度之一,包括制定生产者强制回收的产品名录,并在各相关主体间合理分摊费用;制定相关技术导则,倡导产品的生态设计。

5. 循环经济发展的经济激励制度

该制度主要通过采用经济激励手段,构建有利于循环经济发展的成本—价格体系。这些经济手段主要包括税收优惠制度,对废旧资源回收利用产业(静脉产业)明确税收优惠的额度;对高污染产品和有毒有害产品征收消费税等措施;建立循环经济发展专项支持资金,明确支持循环经济技术研发项目;国家应通过金融贷款与投资项目倾斜等经济激励措施支持循环经济项目。

6. 循环经济的信息公开制度

各级人民政府应当采取有利于循环经济活动的经济、技术政策和措施,并将循环经济相关的公共信息通过法定渠道及时发布。对高污染企业以及不符合循环经济发展的园区强制信息公开。

7. 循环经济的公众参与与宣传教育制度

该项制度应当明确规定公众参与循环经济发展的内容、渠道、方式。公众参与的层次很多,例如参与立法,参与法律的实施,参与有关经济政策和环境政策的制定,参与法律实施的社会监督等。国家相关政府部门(包括环保部门)依法开展循环经济的宣传和教育培训等。国家鼓励社会团体和公众参与循环经济的宣传、教育、推广、实施及监督。

8. 循环经济发展的法律责任制度

该项制度要求加强对循环经济法律实施情况的监督力度,明确相关法律主体的法律责任和义务,对各类违反法律的行为进行有力的制裁。

（赵英民:国家环境保护总局科技标准司司长）

有关可持续发展的若干理论见解及
对循环经济立法的若干思考

钟茂初

　　"可持续发展"问题的提出,起源于人们对人类社会经济活动中资源是否可永续性地取得、财富是否可无限地增长等问题的讨论以及人们对日益严重的环境破坏问题的忧虑。人们逐渐认识到产生这些问题的根源在于过往人类对于维系自身生存发展的自然生态系统的忽视,逐渐意识到人类赖以生存的基础并不是无条件地存在的。人们也正是在面对着一系列日益严重的"生存危机"现象的出现,才逐步认识到人类是否能够"可持续"地存在下去问题的迫切性。人类社会经济活动不可超越生态系统所规定的"界限"(包括自然资源使用的界限、环境影响的界限、生态影响的界限),这是"可持续发展"的本质。当人类面对日益严重的资源短缺、环境恶化、生态破坏的状况下,不得不在其社会经济的运行和发展之中引入"可持续发展"理念。我国目前推行的"科学发展观"就充分地体现了"可持续发展"理念在国家发展中的指导性。

　　"可持续发展",既要求建立起相应的生态伦理(即人类对自然所秉持的理念和行为原则),也要求建立起相应的生态法律(即符合人类可持续发展需要的制度),要以可持续发展观念建立人与社会、人与自然的法律关系,不仅规范调整人与人之间、人与社会之间的各种活动关系,也调整当代人与后代人、人与自然生态环境之间的各种活动关系。使法律朝着"生态化"方向发展和创新。

发达国家在"可持续发展"的立法方面,已有所探索(尽管法律的名称各不相同)。如,日本自 20 世纪 90 年代以来,建立了一系列法律、法规,以促进和保障循环型社会的建立和发展,构筑了日本循环型社会的基本法和相关法律、辅助类法律政策。日本推进循环型社会基本法的主要内容有:明确提出循环型经济社会蓝图,规定了国家、地方政府、企业和国民等各方面在保护生态环境方面的责任和义务,规定政府负责制定《推进形成循环型社会基本计划》并作为全社会综合的计划予以推行,明确国家为建立循环型社会采取的主要措施。这些"可持续发展"立法的先例是值得我国参考和借鉴的。

中国有关循环经济的立法,就是在"科学发展观"的指导下建立起适应中国现实发展的可持续发展法律体系,以使"科学发展观"在国家的经济社会发展中得到切实的落实,促使维持世代永续发展的资源、环境、生态得以保障。以下是笔者对可持续发展的若干见解及其对制定循环经济法的若干主张。

一、放弃"绿色 GDP"幻想,强化宏微观层面的资源、 生态、环境影响评估

在现代工业社会,GDP 等经济增长指标早已成为人类行为的指向,经济增长数据甚至成为了各级政府官员追求的目标。在这样一个背景下,所谓的"发展"就成为了经济总量水平、经济增长速度的代名词。对经济总量达到的水平和经济的高速度给予极高的评价,而对于如何达到这一水平及经济结构本身并不深究,也不讨论这样的发展对整体的发展、对环境、对未来有什么样的影响。显然,GDP 并不是一个很好的经济社会发展指标。首先,它在引导经济活动最大化的同时,也相当于促使资源占用和生态破坏达到最大化;其次,GDP 核算很大程度上影响到其至主导着各个层面经济主体的经济行为。

在传统理论认识和传统业绩观的指导下,以经济活动总量为对象(不考虑人类经济生产生活活动损耗自然资源环境而给人类利益带来的负面影响)而形成的"国民经济核算"受到了质疑,因而提出了核算"绿色 GDP"的动议。笔者认为:在传统经济增长理念依然占据主流地

位的今天,要想彻底推翻原有的经济核算体系是非常困难的,退一步说,即使对经济核算体系作出了修正就一定能够解决问题吗? 笔者的看法是"不可能",一个理由是目前研究者所提出的任何一种核算方法都依然主张经济量"越大越好",尽管要扣除对资源环境的负影响,如果不改变"越大越好"的业绩评价理念,那么对经济活动、对资源消耗、对环境破坏不会有明显的抑制作用,只会助长经济主体把对资源环境的负影响转移到其他地区、他人或后代人身上;另一个理由是,任何的核算指标只要被确定为度量业绩的关键指标,那么就必然会使经济运行偏离经济发展的真正目标,即便确立了"绿色 GDP"之类的指标,也无法避免偏离真实目标的命运。H. Daly(1996)有一个形象的比喻:对纺织产品进行核算时,用长度来衡量织物就变窄、用面积来衡量织物就变薄、用重量来衡量织物就变厚。这就说明:无论采用什么样的指标,最终都会偏离最初所设计的评价尺度。

对此,笔者的实践主张是:在维持现有经济指标的情况下,对任何经济活动(包括微观的生产活动及消费活动、中观的结构变化及贸易活动、宏观的经济总量及经济增长速度等)都进行社会发展及生态环境的影响评估,把多数人心目中存有正面评价的经济指标、负面评价的生态环境影响都同时罗列出来,以潜移默化的方式去影响各个经济主体的发展决策及其行为方式(因为每个人面对着这样一组相互矛盾的指标时,无可避免地要对经济、社会、环境的目标进行权衡,以此方式去逐步达到一个普遍认可的均衡点)。现实中只对具体的投资项目进行环境影响评估,这只是经济活动影响自然资源、生态环境的冰山一角。笔者主张对宏观经济指标、产业发展和地区发展战略、微观的每一种产品和每一消费行为都要进行资源、生态、环境影响的评价并公之于众。

(1)要评估宏观的每一政策目标的资源、生态、环境影响。笔者主张对各级政府的经济目标都应要求列出其对生态环境的预期影响。比如,政府提出某一百分数的年增长速度、某一水平的投资额,那么就应当在同一个政府工作报告中列出这一速度、这一投资水平将消耗的资源水平、将产生的污染水平、将产生的废弃物水平;在政府统计部门公布 GDP 达到多少多少万亿元时,也必须在同一报告中列出累积的资源耗费量、累积的污染总量、累积的废弃物总量;在统计公布人均 GDP 数据、人均收入水平的同时,也应该在同一报告中公布人均水资源、人均森林面积、人均污染生产量;在统计公布吸引外资总额、外贸出口总额之类的指标时,也必须同时公布这一水平的外资、这一水平的外贸产品所耗费的资源、所产生的污染。

比如,改革开放后,特别是 1992 年以来,中国宏观经济形势事实上出现这样的态势:持续的高速经济增长、海外直接投资迅猛发展、逐步形成国际制造业中心,保持年均 8% 左右的增长率、不遗余力地促进外来投资、大力发展制造业等也事实上成为了中国政府的宏观经济政策,并且这一态势极有可能长久地持续下去。但是,这样的发展政策和发展趋势会对中国的生态环境造成什么样的负面影响,每年 8% 左右的 GDP 增长目标,其对资源、生态、环境的影响有多大呢?采用投入产出分析是讨论这些影响的主要方法。中国的投入产出表数据表明:①单位 GDP 耗煤量约为 4.8 万吨/亿元;单位 GDP 耗油量约为 0.55 万吨/亿元;单位 GDP 废水产生量约为 200 万吨/亿元,而废水治理量与产生量的比率平均约为 40%;单位 GDP 废气产生量约为 6 万立方米/亿元,废气治理量与产生量的比率平均约为 42%;单位 GDP 废弃物产生量约为 0.8 万吨/亿元,废弃物治理量与产生量的比率平均约为 25%;单位 GDP 造成无法治理的水资源损耗约为 800 万元/亿元;单位 GDP 造成无法治理的土地损耗约为 50 万元/亿元。

照此推算,以目前每年 15 万亿元 GDP 的基数来估计,年均 8% 的增长率将对全国的生态环境带来的影响为:①每年消耗煤炭约 75 亿吨,每年还要增加消耗 6 亿吨;②每年消耗石油约 8.5 亿吨,每年还要增加消耗 0.7 亿吨;③每年废水产生量为 3000 亿吨,未加处理的 1800 亿吨,每年还要增加废水产生量 240 亿吨、增加未治理的废水累积 150 亿吨;④每年废气产生量为 90 亿立方米,未加处理的 40 亿立方米,每年还要增加废气产生量 7.5 亿立方米、增加未治理的废气累积 4.5 亿

---

① 这是目前可得到的中国投入产出表的数据。来源:根据雷明《绿色投入产出核算》(北京大学出版社 2000 年版)所提供的资料整理计算得出。

立方米;⑤每年废弃物产生量为 12 亿吨,未加处理的 9 亿吨,每年还要增加废弃物产生量 1 亿吨、增加未治理的废弃物累积 0.6 亿吨;⑥每年造成无法治理的水资源损耗相当于 12000 亿元,且每年还要增加损耗 1000 亿元;⑦每年造成无法治理的土地资源损耗相当于 800 亿元,且每年还要增加损耗 60 亿元。

这样一来的话,不必由谁作出价值评判,任何一个人(无论是决策者、还是普通百姓)都会对每一个经济数据有一个较为现实客观的自我评价,而不会盲目地为经济繁荣而沾沾自喜,GDP 增长就不会像现在这样被人们作为"膜拜"的对象。

(2)对国家产业发展战略和地区发展战略进行宏观的资源、生态、环境影响评估。要想使经济增长和生态维护的双重利益同时得到改进是难以实现的。所以,只能在两个目标之间作出权衡。笔者认为:不仅应当对于具体的投资项目进行经济利益和环境损害的评估与权衡,而且更应当在宏观的经济发展目标及经济发展规划方面进行发展利益和生态损害的评估与权衡。比如,对于国家产业政策、地区发展战略等,就应当明确地进行以下方面的评估和权衡:①该经济发展战略,预期能够在多大程度上改进社会成员的"物质利益",预期在土地资源占用、自然资源能源消耗、环境污染等方面会带来哪些及多大程度的生态影响。这样,对于该经济发展战略,就可以对"是否推行"、"推行规模"、"推进速度"等问题作出评价。②一个经济发展战略,必然会对周边地区、对全球的生态环境造成一定的影响。该战略的制定者应当向周边地区政府及相关的国际组织通告,至少让他们对可能形成的影响进行必要的评估。

例如,随着中国工业产业的迅速发展,世界上主要的制造业跨国企业纷纷进入中国投资生产,中国制造的产品也以低廉的价格占有着相当份额的世界市场,由此而把中国形容为"世界工厂"。这一经济发展趋势对中国的生态环境会带来什么样的影响呢? 这需要讨论构成"世界工厂"的各主要产业对生态环境的影响程度。中国投入产出表所反映的各产业污染完全产生系数(单位产值的直接污染产生量加间接产生量)、能源完全动用系数(单位产值的能源直接消耗量加间接消耗量)、自然资产环境损耗系数(单位产值造成无法治理的自然资产的损失额)(雷明,2000),体现这样的事实:对生态环境影响较大的产业恰恰也是中国目前主要的制造产业和原材料产业。如果中国一如既往地维持这一产业发展特点的话,那就意味着中国走的是一条以生态环境的破坏来换取经济增长的发展道路。换言之,如果中国继续维持并强化化学工业、金属冶炼业、食品制造业、纺织业、造纸业、建材业、机电制造业等成为世界工厂的趋势的话,那么就意味着这些产业的生态影响将有相当部分在中国大地上产生,中国不得不承受由此而伴生的资源消耗、废水废气废弃物等污染、自然资产损耗。中国承受生态影响的比例将远大于中国经济在世界经济中所占的份额。二十多年来,中国长期维持高投资增长率,并且不遗余力地鼓励外来投资。由于这些投资主要集中在工业产业,所以高投资在形成巨大的工业生产能力的同时,也形成了同样巨大的污染生产源,上述分析已经充分反映了这一影响的程度。同时,在投资的形成过程中也会对生态环境带来重大的影响。按照投入产出影响分析,投资形成过程中,对各产业(特别是建筑业、设备制造业等投资关联产业)有着重要的带动作用,也就是在带动这些产业的增长过程中,推动了相关产业生态影响的产生。再者,建筑业、机械制造业等投资关联产业的污染产生系数、能源动用系数都是较高的,这就说明投资活动本身也是形成生态影响的重要原因。如果长期维持高投资的政策,必然对中国的生态环境带来严重的影响。

再比如,某地拟把发展汽车产业作为地区发展战略。就短期的经济利益而言,汽车工业的发展是有巨大作用的,但对土地资源及能源的损耗、对生态环境造成的污染所引起的长期影响也是极其严重的。所以,在汽车工业的发展战略的制定过程中,必须把正面和负面的利益和影响都进行评估,进而由短期利益和长期利益的关系对汽车工业的发展速度、发展规模等作出权衡。

(3)对于微观产品的生产和消费,核算其单位产品的资源、环境影响。企业作为产品或服务的提供者,应当对其在产品或服务的提供过程中是否节约资源、高效利用资源、减少环境影响作出评估。笔者主张:任何产品及服务都必须在其标识物上注明该产品(服务)在生产和废弃过程中所耗费的资源、所产生的污染。这样一种行动如果能够持续坚持下去,那么必然会使消费者在消费过程中对消费行为产生一定的价值约束,那样会对消费偏好、消费行为选择起到一定的引导作用,进而对生产过程中的资源耗费和污染产生起到一定的抑制作用。

作为文明的消费方式应当推行"环境友好"消费:使用对大气、土壤、水资源等自然资源及生态环境保护有益的产品(如无氟利昂制冷设备、无磷洗涤剂、无铅汽油等产品),抵制和排斥"环境不友好"消费品(如过度包装的产品、寿命过短而造成不必要资源消耗的产品、以珍稀动植物资源制造的产品、在制造和使用过程中对资源及环境造成较大影响的产品、在制造和使用过程中对他人造成较大负面影响的产品等),抵制和排斥与消费相关的一些活动的"环境不友好"行为(如一次性资源产品的使用和处理、过度包装产品的使用与处理、产品消费后的任意处置等行为)。笔者建议:在所有产品和服务的标识上都应当明确标明该产品的"环境不友好"程度(如同在烟草制品上标明"吸烟有害健康"一样)。

消费者应当坚持以自己的消费偏好来确定自己的消费。传统的消费模式中往往会出现导致效用减少的情形(如超过承受能力的奢侈性消费、陋习性的消费、盲目性的追随潮流消费、不顾生命健康生命安全的消费)。笔者建议:在可能导致奢侈性消费和盲目性消费的产品及服务的标识上应强制性地从消费能力、消费取向、消费风险等方面标明"慎重消费"的警示告知。

二、充分认识环境库茨涅兹曲线的局限性,探索协调发达
与欠发达地区之间生态—经济利益的创新性制度

环境库茨涅兹曲线之类的实证研究"证实":发达国家在经历森林面积减少、污染增加的发展过程之后,逐渐转向森林面积增加、污染物减少的过程,似乎表明:随着经济水平的不断提高、环境问题自然会得到有效的改善。笔者认为,这种"实证"的研究存在极大的局限性,如果以此为政策依据将导致不可逆的后果。因为,这种"先开发、先污染,后治理、后改善"的"事实"之所以成立,有一个不容忽视的重要前

提:那就是发达国家(地区)的环境改善是在发展中国家(地区)的环境恶化过程中实现的。也就是说,如果没有这样一个前提,发达国家环境库茨涅兹曲线是根本不可能出现的。从某种意义上来说,发达国家和地区的环境改善,是凭借其经济和技术的优势、在环境领域"损人利己"的结果。如果这种"实证"扩大到全球范围来研究的话,根本就不可能存在"环境从恶化到改善"的过程。

在一个国家(或一个区域)内存在着发达地区与贫困地区的贫富差异是极其普遍的现象,也是各个发展过程普遍难以避免的现象。发展程度的不均衡是必然出现的,问题是应当如何来看待和解决。在某种意义上来说,发达地区之所以能够发达起来、能够长久地维持领先发达的地位,是由于贫困落后地区的存在。换言之,发达地区将多种发展的"成本"外部化而由落后地区承担是发达地区发展起来的根本原因。比如,发达地区利用其资本优势、技术优势、甚至包括不平等的政策优势,廉价地使用落后贫困地区的自然资源、自然环境、劳动力等,"损人利己"地吸引贫困落后地区的资本、技术人才等,而不承担自然资源和生态环境的耗损成本(由落后地区承担)、不承担生产及消费所带来的生态风险成本(遗留给全社会承担)。这些因素必然导致发达地区越来越发达、发达地区与落后地区的差距越来越大。反过来也可以说,落后地区之所以落后很大程度上是由于发达地区维持发达而造成的,即:发达地区对于落后地区的落后是负有很大责任的。因此,不难得出这样一个结论:发达地区帮助贫困落后地区发展是责无旁贷的。

另一方面,对于发达地区与欠发达地区共有的生态功能区的生态维护职责、生态破坏及其恢复的责任,追本溯源地追究是非常困难的,让真正的责任者来承担责任也是极难在实践中做到的。比如,爱斯基摩人认为,捕鲸是他们世世代代的生活方式,并没有造成鲸的减少和灭绝的危险,反而是"现代人"大量捕鲸才造成了鲸灭绝的危险,而那些"现代人"现在却反过来要求爱斯基摩人停止捕鲸或者让他们承担责任,这实在很不合理。爱斯基摩人的责任认定也许是正确的,但要"现代人"来承担责任却很难做到。如何来处理这类问题呢?笔者认为:身处生态功能区的贫困落后者为获得必要的物质需求满足和必要的发展,以损害一定的生态环境为代价是其必然的一种博弈策略（这是一种本能的选择,并不包含任何"威胁性"的含义,但对享受生态功能的发达者来说,不妨把这看做是一种"威胁"手段,如果不帮助生态功能区进行发展,那么必然要承受生态严重破坏的后果）,因此,发达国家/发达地区/富裕者责无旁贷地应当通过转移支付去实现最佳的生态保护规模、主动地承担起生态功能区的生态恢复责任、长期地帮助生态功能区当地进行发展以阻止他们对生态功能更严重的破坏。这样的处理方式,不必去讨论谁有责任、谁有义务之类的问题,既有承认现实的意味,某种意义上也包含着对发达地区经济发展过程中生态破坏历史责任的认定与处置。某些国家、某些国际组织以减免债务等方式来换取一些不发达国家对其境内的生态功能区进行保护,可以看做是这样一种思路下的对策。应当说,这是比较务实而有效的生态保护政策。相比而言,那种认为必须对生态功能区进行强制性保护的对策是很难有效权衡各种利益关系的,也就很难取得实际的成效。

那么应当采用怎样的方式来实现这种"帮助"呢？笔者主张:

（1）在我国的可持续发展实践及其政策的制定过程中,既要防范发达国家的污染型产业和企业向我国（特别是向中西部较不发达地区和农村地区）的转移,也要防范随着我国经济社会的发展而将污染型产业和企业转移到其他欠发达国家或地区。作为一个负责任的大国,应当在资源、生态、环境方面承担起她的全球性责任。

（2）在区域发展实践及其产业政策的制定过程中,要防范发达地区的污染型产业和企业向中西部较不发达地区的转移,要防范大中城市的污染型产业和企业向小城镇或农村的转移。

（3）在涉及发达地区与欠发达地区共有的生态功能区（水源涵养地等）的保护问题时,要注意以下几方面:①即使是通过强制性政策达成的,也必须进行相应的补偿,补偿的程度至少应达到弥补生态保护区及其住民利益损失的水平,这样才能有效实施生态功能的保护政策;②在发达地区与不发达地区面对生态功能区的环境治理问题时,发达地区也不得不独力承担这一环境治理责任;③面对欠发达地区急需解决贫困时,发达地区应主动地承担起生态功能区发展过程中的环境治理,或者通过转移支付的方式或其他合作方式来换取欠发达地区的不开发,但这种转移支付或合作必须是长期的、而不能是一次性的。

(4)发达地区与欠发达地区之间应基于循环经济准则整合区域内产业、建立低污染循环利用的产业链。如,整合区域内产业以实现"循环经济"的效益来源:资源的集约化、排污成本的规模效益、治理环境的聚集效应;适应"循环经济"目标形成区域内的产业联系、产业链、产业集群;适应"循环经济"对区域内的产业、产业技术进行合理选择和合理布局。

(5)发达地区与欠发达地区之间应进行有关生态环境的制度创新和机制创新。如,推动在区域内实现水资源使用权交易、污染排放权交易、有关资源环境外部性问题的解决机制;为区域内生态保护和生态建设进行组织创新(如形成超越行政区划的一体化生态规划管理机构、建立生态共同发展基金等)。

以京津贫困带为例,京津贫困带的重要成因是:生态联系与经济联系的分割、生态受益者的责任缺位、生态保护政策与贫困治理政策脱钩。所以,北京、天津等发达地区对该贫困带的发展与生态保护应承担起更大的责任。如,基于共同利益形成生态受益区—生态功能区的长期合约:京津地区应通过经济协作、资金技术支持、公共物品供给等财富转移方式换取贫困带提供的生态利益。

三、充分认识传统经济范式以"无限的物质投入"满足 "无限的物质需求"的后果,应从发展理念和制度上 予以纠正

传统认识中,自觉不自觉地主张以无限的"物质投入"去满足无限增长的"物质需求",这样必然导致资源危机和增长极限问题的出现。这里面存在诸多导致问题的因素,可以从"无限的物质投入"和"无限的物质需求"两个方面来认识:①认为"物质投入"是"劳动"、"资本"、"技术"创造的,因而是可以不断地创造得到的,而没有认识到"物质投入"的可得性是依存于生态系统的可持续性的;②"物质投入"的获得是从大自然中无偿地取得的,因而毫不吝惜地使用;③技术的迅速发展

促使"物质投入"的取得及消耗越来越容易,技术的迅速发展和消费的范式,使得"物质需求"不断更新换代、不断把一般性的"物质需求品"催化成"生存必需品";④生产技术的范式促使某些"物质投入"的开采使用呈无限的规模化。人类由来已久的这种认识以及由此引导的经济活动已经造成了众多不可逆转的影响,更为严重的是人类由来已久形成的这种生产方式和生活方式也已经是不可逆转的,所以那样的不可逆转影响还会不断深入地发展下去,也就是说资源危机和增长极限问题的出现是不可避免的。人类目前所能够做的只是缓解和延长这一问题极端状态的出现。

关于资源危机和增长极限问题,从现实经济的角度来看,单纯从"资源存量"与"使用量"的关系方面去考虑是无从有效地解决的,不得不从"需求"、"技术"、"认识"等角度去寻求有效的解决方法。对此问题,笔者提出以下实践主张:

(1)人类对于"生存需求"之外"物质需求"(也包括以物质财富占有方式体现的"精神需求")的增长应当是有节制、有节奏的,不应继续持有增长越快越好的认识和追求。资源消耗和经济增长至少应当遵循这样的原则:随着"生存需求"的逐步解决和人口规模的逐步稳定、"物质需求"所占的比例应当基本稳定并逐步下降(也就意味着物质资源的消耗基本稳定并逐步下降)。

(2)需求结构的变化也应是有节制、有节奏的。工业化以来,导致人类物质需求频繁地更替、导致人类对自然资源广泛地深度地使用。某一工业品一经问世,迅速地推广、普及,而后又迅速更新换代,再而后又是另一产品的问世、普及、换代,这样不断地循环下去,这种现象导致自然资源极大的消耗、而消费者真正得到的效用改进是极其有限的(比如录像机、VCD、DVD、EVD,在很短的时期内先后推广和普及,很多家庭同时拥有四代产品,也就意味着为了获得一种效用而消耗了4倍的资源、同时产生4倍的废弃物!)所以,在现阶段政府部门有必要对需求结构变化加以有序的管制,从生产者和消费者角度予以制约。

(3)"技术"的发展也应是有节制、有节奏的,即便是没有明显"技术风险"的"技术"发展也不是越快越好。"技术"发展不应导致人类物质需求频繁地更替,也不应导致人类对自然资源可以轻而易举地掠夺性使用。对某一技术进行评估时,必须明确在多大程度上对人类需求和社会发展有正面的"加速"作用,而在多大程度上对生态环境及资源消耗方面有负面的"加速"作用。

四、要分析生态保护与环境治理政策的有效性

在现实生活中,经济活动的非环保行为(诸如生产损害消费者健康及安全的产品、生产过程中超标排放污水废气、生产过程损害整体生态环境、生产过程损害他人及后代人利益等违反环境保护法规的行为)已经成为损害社会利益、损害可持续经济运行和发展的重要因素。所以,环境治理政策是保障经济可持续发展的基本条件,也是政府政策的重要组成部分。环境保护治理政策的目标就是:维护经济可持续发展的运行秩序,保障社会和个人福利的极大化且不受损害(或受到损害后可追偿其损失),最大可能地防范非环保行为的发生,使损害社会利益的非环保行为者受到应有的惩罚。换言之,环境保护治理的政策手段,要起到防范和威慑非环保行为、惩罚非环保行为者、追偿社会及个人福利损失等作用。环境保护治理政策是否行之有效,就要分析该政策是否能够实现上述目标。

首先,我们从防范非环保行为的角度来讨论对非环保行为的处罚力度问题。即,对非环保行为的处罚力度达到什么水平才会对非环保行为的企图有威慑和制约作用。这一问题必须从非环保行为者的动因角度来思考,毫无疑问,非环保行为者是在经济利益的驱使下作出行为的,只有其行为的风险收益大于其风险损失时才会作出这样的行为。如果某一行为的风险损失大于该行为的风险收益,那么这一行为也就失去了它的动因,在通常情况下这一行为也就会较少发生。防范非环保行为所要达到的政策效果就是要使各种非环保行为尽可能少地发生,所以,其实施条件就是必须使非环保行为者的风险损失大于其风险收益。

一般来说,非环保行为的风险损失来自于该行为被环保执法机关

查获后对其的处罚。但是,在现实生活中,如果对非环保者处以小于或略大于非法经营额的处罚,对非环保者并没有多大的震慑作用。这并不是非环保者不考虑风险收益和风险损失的大小,而是有一个非法经营后被查获的概率问题,只有被查获才有风险损失,没有被查获就没有风险损失。所以,从多次行为或集体行为的角度来看,其总的风险损失等于其被查获的那一次或集体中某一人被查获的那一宗的风险损失,其总损失远比其总收益小得多。所以,查获后小于或略大于非法经营额的处罚不会对非环保行为有威慑和制约作用。

真正要生态环境治理政策达到"防范非环保行为"的目的,就必须把"处罚额度"(A)与"查获概率"(p)联系起来。从非环保行为者的角度来看,其风险损失(F)为"处罚额度"与"查获概率"的乘积,即

$$F = Ap$$

所以,要使非环保行为者的风险损失大于风险收益(非法经营可能获得的收益 R),查获后的处罚额 A 应为:

$$A > R/p$$

举一个例子,假设某环境执法机关查获一个违法制售非环保产品的案件,案值(即该非法经营者可能获得的收益)为 100 万元,假设该类案件的平均查获率为 20%,那么对该案件的处罚额应大于 500 万元(10%/20%),否则,对该类行为起不到威慑和制约作用。按照这一处罚力度对环境保护问题进行治理,非环保行为必将受到相当程度的遏制。

从经济学的博弈分析可以得出结论:为达到防范和制约非环保行为目的的有效政策手段是"对查获的非环保行为实施重力度的处罚"。比较而言,"较轻的处罚力度"和"加大查获率"都不能起到有效的作用。所以,政府部门在制定相应政策时,应充分考虑上述分析结论。而对于某些案值较大的环保事件来说,"提高查获率"更能有效遏制其非环保行为的发生。所以,我们在制定环境治理政策时必须区分两种不同的情况:①对于案值相对较小的环保案件应以"提高查获后的处罚力度"为主要对策;②而对于案值巨大的环保案件则应以"提高查处率"为主要对策。

五、小结:对循环经济立法的几点具体主张

基于前文的理论认识,笔者对于我国循环经济立法问题有以下建议:

(1)明确规定,各级政府在制定国民经济和社会发展中长期规划、"五年规划"、年度计划时,提出年度经济增长率、投资额等经济发展指标时,应在同一规划中列出达成这些经济指标将消耗的资源水平、将产生的污染水平、将产生的废弃物水平。中央政府和地方政府统计公报,应定期向社会公众公布全国(地方)每年的能源耗费总量、主要资源的耗费总量、废弃物累积总量、污染物排放总量;定期公布全国(地方)森林覆盖率、人均森林面积、人均水资源、人均废弃物生产量等及其与国际平均水平的对比;定期公布标志性区域(主要城市、主要河流湖泊、重要生态功能区)的环境质量变化。

(2)明确规定,应对经济发展指标、国家产业发展规划、地区发展战略进行宏观的资源、生态、环境影响评估。

(3)明确规定,任何产品及服务都应在其标识物上注明该产品(服务)在生产和废弃过程中所耗费的资源水平、所产生的污染水平。对于"环境不友好"产品或服务(如过度包装的产品、寿命过短而造成不必要资源消耗的产品、以珍稀动植物资源制造的产品、在制造和使用过程中对资源及环境造成较大影响的产品或服务),在所有产品和服务的标识上都应当明确标明"该产品为环境不友好产品"。

(4)国家对于涉及保护跨地区的生态功能区(河流、湖泊、森林等)的生态利益关系予以协调,明确规定,发达地区对生态功能区的保护承担着生态利益补偿、环境治理支付、贫困治理支付的长期性责任。

(5)在强化政府审批和监管的同时,应积极探索协调以市场经济手段来协调发达地区与欠发达地区生态—经济利益的制度创新。如,地区间的"清洁发展机制"(指发达地区的政府或企业,以资金和技术投入的方式,帮助其他地区实施具有资源循环利用、减少污染排放、减少废弃物累积等循环经济效果的合作,发达地区或企业可以通过此方式抵偿自己在国家计划中的资源循环利用、减少污染排放、减少废弃物

累积等配额）和"排放贸易机制"（允许那些已经超额完成国家计划中的资源循环利用，减少污染排放、减少废弃物累积等配额的地区或企业将自己超额的部分转让给那些达不到国家计划配额的地区或企业），地区间的水资源使用权交易、污染排放权交易等。

（6）要把全社会消费中物质消费比重逐步下降、非物质消费的比重逐步上升作为社会发展目标之一。要对物质产品频繁更新换代、迅速普及作出限制。对"技术"的发展和推广，应对中长期的"技术风险"（可能带来的资源、生态、环境影响）进行评估。

（7）对循环经济的违法行为的处罚应满足有效性条件。处罚额应达到"风险损失大于风险收益"的有效治理额度。对于案值相对较小的违法行为应以"提高查获后的处罚力度"为主要手段。对于案值巨大的违法行为则应以"提高查处率"为主要手段。

主要参考文献

[1] 陈泉生：《可持续发展与法律变革》，法律出版社 2000 年版。

[2] 蓝庆新：《日本发展循环经济的法律体系借鉴》，《经济导刊》2005 年第 10 期。

[3] 谭玲：《我国可持续发展法律制度之构建》，《现代法学》2003 年第 2 期。

[4] 陈静生等：《人类——环境系统及其可持续性》，商务印书馆 2001 年版。

[5] 厉以宁：《经济学的伦理问题》，生活·读书·新知三联书店 1995 年版。

[6] 蒋殿春：《高级微观经济学》，经济管理出版社 2000 年版。

[7] 钟茂初：《「持続可能な発展」に関する経済学の諸問題の帰納——人間需要の分類に基づく視点からの検討》，日本国際交流基金関西国際センター「論文発表集」2003 年 7 月号。

[8] 钟茂初：《可持续发展的理论阐释——物质需求、人文需求、生态需求相协调的经济学》，教育科学出版社 2004 年版。

[9] 钟茂初：《环境库茨涅兹曲线的虚幻性及其对可持续发展的现实影响》，《中国人口资源与环境》2005 年第 5 期。

[10] 钟茂初:《可持续消费——从物质需求、人文需求、生态需求视角的阐释》,《消费经济》2004 年第 5 期。

[11] 钟茂初:《微观经济学解析》,经济管理出版社 2000 年版。

(作者:钟茂初,经济学博士,南开大学经济研究所教授)

循环经济:三个方面的深化研究①

诸大建　朱远

一、学术挑战:从 1.0 版到 2.0 版的深化研究

1.1998 年以来我国循环经济的理论与实践(1.0 版)

众所周知,美国经济学家鲍尔丁在 20 世纪 60 年代提出的"宇宙飞船经济理论",被视为循环经济的思想萌芽。由于当时正处于环境保护思潮的兴起阶段,所以鲍尔丁的思想被看做一种超前性理念而没有在实践中展开。直到 20 世纪 90 年代,随着可持续发展战略在世界各国达成共识,循环经济模式才开始在国际上真正形成。一些国家如德国于 1996 年、日本于 2000 年等开始在国家层面上推行自己有特色的循环经济实践。

1998 年 9 月,笔者之一在《科技导报》上发表《可持续发展呼唤循环经济》一文,在总结国外生态效率、生态产业园区、静脉产业等思想的基础上引进和评价了循环经济思想对于可持续发展的意义。② 2000 年,笔者在《世界环境》杂志上发表《从可持续发展到循环经济》的文章,进一步论述了现在被广泛运用的循环经济的一些理

---

① 教育部哲学社会科学重大课题攻关项目(批准号 05JZD00018)和国家"985 工程"同济大学创新基地资助项目。

② 诸大建:《可持续发展呼唤循环经济》,《科技导报》1998(9):39—42。

089

念和原则。① 2001 年,国家环保总局运用循环经济概念推动环保工作,促进了生态产业园区等在中国的广泛实践。2002 年,江泽民在全球环境基金第二届成员国大会上,发表题为"只有走以最有效利用资源和保护环境为基础的循环经济之路,可持续发展才能得以实现"的讲话。自此,循环经济的发展开始在高层得到重视。直到 2005 年,循环经济纳入我国经济社会发展"十一五"发展规划建议,成为引导未来发展的一个国家战略。

张思锋和张颖(2002)②、李兆前和齐建国(2004)③、王长安(2004)④和吴玉萍(2005)⑤等学者对 1998 年以来我国循环经济的理论与实践做了不同角度和深度的综述。这些综述讨论了循环经济思想产生的背景,循环经济概念的界定及内涵,发展循环经济涉及的技术领域,发展循环经济的经济意义与政策要点等内容。其中,对循环经济理论内容的概括主要包括下列三个方面:①从经济意义上看,人类社会的经济发展可以划分为三个阶段,即从线性经济模式(linear economy)经垃圾经济模式(recycling economy)到循环经济模式(circular economy)。循环经济是人类社会环境与发展关系的第三阶段,它不同于传统的线性经济发展模式(污染末端治理模式)和垃圾经济模式,是经济、环境和社会三赢的发展模式。②从一般原理上看,确立了 3R 即减量化(Reducing)、再利用(Reusing)、资源化(Recycling)为循环经济的操作原则,强调循环经济是要在物质流动的全过程中控制资源消耗和污染产生。③从具体形式上看,循环经济体现为三个层次的循环,分别是小循环——单个企业的清洁生产(clean production)、中循环——生态工

① 诸大建:《从可持续发展到循环型经济》,《世界环境》2000(3):6—12。

② 张思锋、张颖:《对我国循环经济研究若干观点的评述》,《西安交通大学学报(社会科学版)》2002,22(3):25—29。

③ 李兆前、齐建国:《循环经济理论与实践综述》,《数量经济技术经济研究》2004(9):145—154。

④ 王长安:《循环经济问题讨论综述》,《经济理论与经济管理》2004(12):73—77。

⑤ 吴玉萍:《循环经济若干理论讨论》,《中国发展观察》2005(6):30—32。

业园区（Eco-industrial park）和大循环——消费后的静脉产业（德国和日本的循环经济），是对企业内部、生产之间和社会整体三个层面的循环进行整合。对于上述我国循环经济原理和实践三方面的共识，笔者称之为是 1.0 版本或 1998 年版本的循环经济。

2. 需要进一步探讨和厘定的问题

以上 1.0 版的循环经济思想已成为指导当前循环经济理论和实践的重要工具。然而，要推进我国循环经济理论和实践的向前发展，还存在着不少需要深化研究的问题。同时，当前我国对循环经济的理解和实践也存在着一些需要厘定的误区。

概括起来，我国循环经济理论与实践的深化研究，需要回答以下十个方面的重要问题：①意义：循环经济到底是一种简单的环境管理模式呢，还是一种具有新内容的经济发展模式；②途径：循环经济的研究到底是基于新古典经济学（忽视经济系统与自然系统的关系）的环境经济途径呢，还是基于把自然资本看做是经济增长限制因素的生态经济途径；③理论：循环经济如何看待经济发展的物质规模问题以及增长与发展的区别；④模式：循环经济主要涉及固体废弃物的资源化呢，还是涉及对水、土地、能源、材料在内的稀缺资源的全过程管理；⑤方法：循环经济应该用传统的货币化指标和物质流量指标来评价呢，还是需要引入新的特征性指标；⑥类型：发展循环经济如何注意工业化阶段与后工业阶段的区别，以便体现生态公平；⑦战略：中国发展循环经济可以沿用美国学者莱斯特·R. 布朗提出的大幅度减物质化的 B 模式吗；⑧领域：循环经济是否只要关注生产领域，而可以不考虑消费领域与区域发展呢；⑨科技：可以仅仅从技术改进而不是从结构创新上关注循环经济吗；⑩体制：能够把循环经济单纯归结为政府行动，而可以没有政府、企业、社会整合的治理行动吗？ 所有这些问题，都需要我们从新的角度上进行深化研究，提出升级版的循环经济。

3. 循环经济深化研究的一个框架（2.0 版）

针对当前我国循环经济理论与实践方面存在的上述问题，笔者认为需要构筑一个循环经济理论与实践研究的升级版的研究框架，以适应新形势下发展循环经济的要求。基于循环经济的定位、理论和战略三个视角,本文提出了一个涵盖十个模块的研究框架。为了与之前提到的循环经济1.0版本区分开来,把这个关于循环经济理论与实践的研究框架称之为2.0版本的循环经济。其具体包括的内容如下:①作为可持续经济模式的循环经济;②循环经济的研究途径;③循环经济的拓展模式;④循环经济的经济依据;⑤循环经济的评价指标;⑥循环经济的不同阶段;⑦中国循环经济的战略选择;⑧中国循环经济的主要领域;⑨中国循环经济的科技支撑;⑩中国循环经济的政策保障。

其中,①和②两个模块是循环经济定位研究的具体表现形式;③—⑥四个模块则是指出了深化循环经济理论研究的可能方向,该部分的研究将直接为循环经济提供有力的经济理论支持;而⑦—⑩四个模块主要是对循环经济发展战略的具体贯彻,将为循环经济付之于实践提供有效的政策工具和技术手段。所以,要实现从1.0版本的循环经济升级到2.0版本的循环经济,就需要在研究定位、模式研究和战略研究三大方面的全面升级(如图1所示)。本文的以下三个部分将对此作一一论述。

二、定位研究:循环经济的意义和研究途径

1. 循环经济是可持续发展的经济模式

关于循环经济的定位,可以有两种不同的观点和实践——作为环境管理模式的循环经济和经济发展模式的循环经济。以德国和日本为例,这两个国家主要是把循环经济作为环境管理模式来定位的。德国从1996年开始大力推行,主要是由垃圾处理部门来统筹,重点强调物质闭路循环与废弃物处理(Closed substance cycle and waste management)。日本则是由环境保护部门来统筹,并且在2000年提出循环型社会(Recycling-oriented society)的做法。不过,这两个国家涉及的对象主要是固体废弃物,尽管仍然实行3R原则但是突出Recycle的环节。而中国提出循环经济,一开始就是把它作为经济发展模式来看待的,即把它理解为在物质流动的全过程通过3R原则来提高资源生产率的生命周期经济(Life-cycle Economy)。在体制安排上,国务院出台《国务院关于加快发展循环经济的若干意见》(国发〔2005〕22号),由

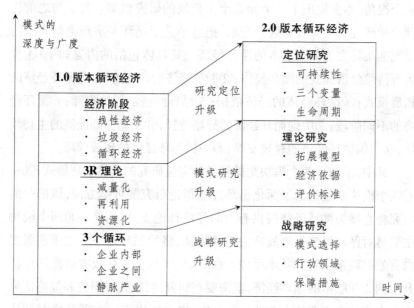

图1　循环经济:从1.0版到2.0版的深化研究

国家发展与改革委员会来统筹推动循环经济发展。所以,循环经济在我国表现出明显的经济发展模式的特点。

从可持续发展的角度看,发展模式的合理性需要用三个维度进行衡量,即实现经济、社会与生态的三维整合。作为一种经济模式,循环经济本质上是一种符合可持续发展要求的"三赢"经济,其重要特征便是表现在与生态及与社会的关系上。循环经济与生态的关系表现为资源节约和环境友好,而它与社会的关系表现为福利增加和社会友好。所以,应该把经济发展、环境保护、社会就业统一起来,这就要求从三维分裂的发展走向三维整合的发展。如图2所示,循环经济在发展的每一个方面,都意味着根本性的变革。在解决生态环境问题方面,它要求实现从开环的末端性治理到闭环的全过程控制的变革;在促进经济发展方面,它要求实现从数量型的物质增长到质量型的服务增长的变革;在推进社会就业方面,它要求实现从就业减少性的社会到就业增加性的社会的变革。

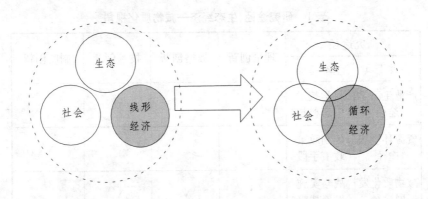

图 2　循环经济:从分裂到整合的思考

2. 加强生态经济与减物质化的研究途径

把循环经济定位为经济发展方式,还需要进一步探讨循环经济的研究途径。国内外对循环经济的研究,可以按照四种途径进行识别。①产业生态学途径。环境科技方面的研究者主要采取这样的研究途径,他们吸收了产业生态学方面的研究成果,借助生态科技的手段来实现技术创新,从而实现对发展循环经济的科技支撑。②环境经济学途径。从事法律以及经济方面研究的学者主要采取这样的研究途径,他们采用环境经济学方面的研究成果,运用外部性和产权等理论和政策工具,来实现有利于循环经济发展的制度创新。③减物质化途径。这是德国伍帕塔尔(Wuppertal)研究所倡导的通过提高资源生产率来发展循环经济的做法,研究者要求通过减物质化的宏观战略管理,来实现规模和效率结合意义上的战略创新和技术创新。④生态经济学途径。这是以美国马里兰大学 Daly 教授等学者倡导的生态经济学领域的理论与方法,①通过考虑生态系统与经济系统的关系,基于发展模式的转变来实现有利于循环经济的理论创新和制度创新。

---

① 　[美]赫尔曼·E. 戴利著,诸大建等译:《超越增长——可持续发展的经济学》,上海译文出版社 2001 年版。

表1　研究途径:生态经济—减物质化视角

研究途径		理论创新	战略创新	技术创新	制度创新
主要工具	基本特征				
产业生态学途径	科学技术（生态科技）			√	
资源环境法途径	规制政策（政策手段）				√
减物质化发展途径	战略实施（发展战略）		√	√	
生态经济学途径	理论依据（发展机理）	√			√

　　通过对以上不同途径及其特点的分析,笔者认为当前和未来需要加强从生态经济理论和减物质化战略角度的循环经济研究,如表1所示。这两种研究途径的结合,既能发挥出生态经济学在理论创新和制度创新方面的优势,又能有效结合减物质化在战略创新和技术创新方面的长处,从而实现四个领域的综合创新,为循环经济理论与实践构建一个较为完整的框架体系。

三、理论研究:循环经济的理论、模型与评价

　　为了正确理解循环经济的理论体系,本文从循环经济的本体论、方法论和价值论三个维度出发,构建了一个循环经济理论研究模型。由图3可以看出,从本体论的角度上看,以生态规模、效率与公平为主旨的生态经济学为循环经济提供了经济依据;其次,从方法论的角度审视,基于过程—对象—主体的实施模型构成了循环经济理论的重要拓展模型;最后,立足于价值论的维度加以思考,基于生态效率的战略研究则成为衡量循环经济发展水平的重要评价方法。与以往的循环经济研究不同的是,该理论模型是一次全面的变革。在理论基础上,并不是基于人造资本的环境经济学,而是基于自然资本的生态经济学;在研究模型上,在以往固体物质的3R基础上,提出了过程—对象—主体的拓

展模型；在研究方法上，不再是基于三个支柱的层次分析法，而是基于生态效率的全新研究方法。下面，着重就该模型的具体内涵展开分析。

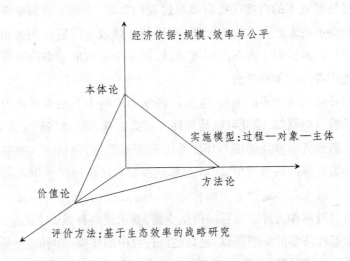

图3　理论研究：循环经济的理论、方法与评价

1. 生态经济学是循环经济的理论依据

目前还没有人对循环经济的经济学理论基础加以完整的论证，这是循环经济理论研究和实践发展的一个致命缺陷。如果没有一个坚实的、系统的、自成体系的经济学理论作为循环经济的支撑，势必导致循环经济研究更多地停留在对现状的描述和对未来空泛的政策分析与预测研究上。更为严重的是，这将使得循环经济的理论研究找不到相应的经济学落脚点、立足点和出发点，导致循环经济只是一种理念，最终无法实现经济、社会与生态的三维整合。

为了探索循环经济的经济理论基础，需要把环境经济学与生态经济学做一个比较。目前有一些学者企图从环境经济学角度为循环经济提供经济学的解释，但笔者认为，这样的解释也许是不成功的。环境经济学运用外部性理论说明污染问题产生的原因，并提出通过污染收费或者明确产权的方法使环境污染成本内部化的政策建议。环境经济学不能对循环经济提供解释的理由，主要在三个方面，一是环境经济学主要涉及经济过程的污染输出端，而没有涉及物质在整个经济过程的流动;二是环境经济学仍然没有把自然资本看做为经济过程的内生变量,因此从研究范畴上仍然归属于新古典经济学;三是环境经济学虽然可以通过外部成本的内部化提高微观过程的效率,但却不能解决多个微观过程叠加的宏观污染规模问题(即所谓反弹效应问题),例如虽然污染收费可以减少单个汽车的尾气排放,但单个过程的效率改进可能被汽车使用者的增加所抵消。

与环境经济学不同的是,生态经济学力求将生态因素系统地纳入经济学的分析框架,因此可以给循环经济提供有力的经济学理论支撑。一是生态经济学涉及经济与环境系统的完整关系,包括输入端的资源消耗和输出端的污染产生,它对资源经济学和环境经济学以及传统经济学和传统生态学进行了全面考虑和再造;二是生态经济学要求将稀缺的自然资本作为经济过程的内生变量,要求提高自然资本的生产率;三是生态经济学的鲜明特点,是对经济过程中的规模、效率与公平问题同时给予关注,特别是要在经济过程的物质规模得到控制的前提下考虑效率和公平问题,而不像传统经济学把研究重点集中在效率问题之上(如表2所示)。

表2　主流经济学与生态经济学的主要观点比较

	规模	效率	公平
主流经济学	主张物质规模可以无限扩张	强调提高劳动生产率和资本生产率等传统要素	不考虑自然资本的社会分布状况
生态经济学	经济增长的物质规模是有极限的,好的发展应该是物质规模为一定情况下的社会福利的持续增加	强调要特别注意提高土地、能源、水、稀缺自然资源等的资源生产率	强调在物质规模一定的情况下,物质分布需要从占有过多的部分流向占有不足的部分,才能增加社会总的福利水平

2. 基于对象—过程—主体的循环经济实施模型

基于生态经济学理论,从方法论的维度上,笔者进一步提出了基于对象—过程—主体的循环经济拓展模型。如图4所示,在过程维度上,主要考虑了输入端、循环和输出端三个主要环节(区别于仅仅涉及废弃物循环);在对象维度上,主要考虑了水、土地、能源和材料(区别于仅仅涉及固体材料);而在主体维度上,则是基于经济过程的政府、市场、企业行动(区别于基于末端过程的合作)。

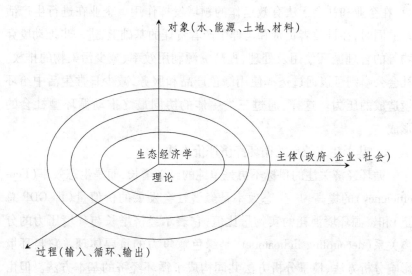

图4 循环经济的对象—过程—主体拓展模型

循环经济的拓展模型所涉及的对象主要是指水、能源、土地和重要材料这四种最为重要的资源。以水资源的管理为例,首先,从水的供给(Input)环节上,尽量减少不必要的损失,其次,通过水的初步利用和循环使用(循环),来提高水的初步利用率和循环利用程度,最后,在水的排放(Output)环节上,要提高污水处理能力,推广处理水和污泥的资源化利用,减少对外界的污染,最终实现高效的水资源运行模式。

该模型所涉及的过程是指在输入端通过物质减量化或减物质化(Reduce),在生产和服务过程中,尽可能地提高资源利用效率、减少资源消耗和废弃物的产生;在过程中通过再利用或反复利用(Reuse),使产品多次使用或修复、翻新或再制造后继续使用,尽可能地延长产品的使用周期,防止产品过早地成为垃圾;在输出端通过资源化或再生利用

(Recycle),使废弃物最大限度地转化为资源,变废为宝、化害为利,减少自然资源的消耗,减少污染物的排放。

该模型所涉及的主体指政府、企业和社会公众,主要是指这三类主体在循环经济发展中所扮演的角色。政府主要进行政策支持和制度约束,在企业和社会无法有效运作的领域发挥作用。企业在进行生产活动的同时,在排放者负责和延伸生产者责任的基础上,进一步推动废弃物等的合理循环使用及处理,提高资源利用效率、减少污染物的排放。社会公众则可以通过选择使用绿色产品和服务,减少日常生活中给环境造成的压力。这样,通过三类主体的协同最终推动循环型社会的形成。

3. 基于生态效率的循环经济评价方法

循环经济关注的目标不再是单纯的经济增长,而是生态效率(Eco-efficiency)的提高。[①] 生态效率是经济社会发展的价值量(即 GDP 总量)和资源环境消耗的实物量比值,它表示经济增长与环境压力的分离关系(decoupling indicators),是绿色竞争力的重要体现。它与环境影响分析方法、情景分析方法共同构成了循环经济的基本方法。但由于环境影响分析仅仅是提供了环境压力的影响因素,而情景分析方法也仅仅是对环境与发展的三种情景展开比较,均没有生态效率方法借助倍数理论加以量化计算来得直观与科学,所以笔者认为,应该把生态效率方法确立为循环经济的评价方法。

基于这样的认识之后,还需要把握生态效率的内涵和具体衡量指标。通过生态效率的计算公式可得,生态效率的指标和资源生产率(或资源效率)的指标以及环境生产率(环境效率)的指标密切相关。与资源生产率相关的指标主要包括:单位能耗的 GDP(能源生产力)、单位土地的 GDP(土地生产力)、单位水耗的 GDP(水生产力)和单位物耗的 GDP(物质生产力);而与环境生产率相关的指标主要包括:单位废水的 GDP(废水排放生产力)、单位废气的 GDP(废气排放生产力)和

---

① Christian Azar, John Holmberg, Sten Karlsson, Decoupling-past trends and prospects for the future[R], Ministry of the Environment of Sweden, 2002.

单位固废的 GDP(固废排放生产力)。①

　　在明确了生态效率的具体指标之后,就可以借助该方法展开情景分析。理想状态下的生态效率的提高可以通过双增双减来实现(增加经济增长和人类福利;减少资源消耗和污染排放)。但同时应该看到,通过生态效率方法可以区别出四种不同的情景(如图 5 所示)。

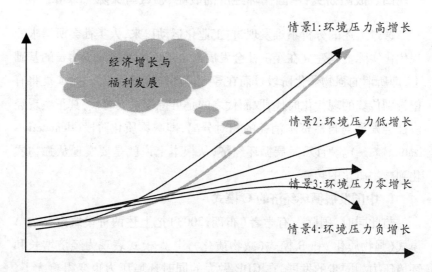

图 5　生态效率的四种情景

　　由图 5 可见,当环境压力增加的速度小于经济增长的速度时,二者分离的情景才会出现,基于这样的一种判断标准,我们对二者可能存在的四种不同的组合关系逐一展开分析:①情景 1:经济和环境压力同步增长,这即是传统的经济增长模式;②情景 2:经济增长和环境压力出现了不同步的增长趋势,环境压力相对低的增长,这种情景相对情景 1而言要好,二者开始出现相对脱钩(relatively de-linking)的情景。发展中的经济主要表现这种状况;③情景 3:经济仍在增长,而环境压力呈零增长趋势,二者开始出现绝对脱钩(absolutely de-linking)的情景,发达经济需要达到这种状况;④情景 4:经济仍在增长,而环境压力出现

　　①　诸大建、朱远:《生态效率与循环经济》,复旦学报(社会科学版),2005(2):60—66。

拐点并呈下降趋势,这是发展循环经济的最高目标。对照我国的经济增长和环境压力现状可以判定,我们目前属于情景1,而循环经济的最终目标就是达到绝对脱钩的情景。由此可见,我国的循环经济模式仍需要经历很长的一段发展历程。

四、战略研究:中国循环经济的战略、领域与保障

透过上述的分析不难发现,自工业化运动以来,人类社会所追求的现代化实际上是建立在经济社会发展与自然资本消耗同步增长的基础上,即所谓的强物质化阶段。而在导入循环经济发展模式后,人类将有望告别传统的现代化时代,取而代之的是可持续发展时代,真正实现经济社会发展与自然资本消耗的相对分离,即减物质化阶段(dematerialization stage)。所以,发展循环经济,从根本上说就是要实现从强物质化到减物质化的转变。

1. 中国发展循环经济的 C 模式

与此同时,国际上有学者(布朗,2003)把上述两种模式定义为 A 模式(强物质化)和 B 模式(减物质化)。① A 模式表现为经济增长和环境压力相同步的发展,在 GDP 做大的同时环境压力也变得更大了,这就是传统的经济增长模式:GDP 的增长依赖资源投入总量的增加;GDP 的增长伴随污染排放总量的增加;如果继续保持现有的经济发展模式,所需的资源投入与污染排放将随经济同步增加。如果我国继续按照现有资源利用方式和污染产生水平,未来经济社会发展对环境的影响将是现在的 4 倍至 5 倍。显然,这种模式属于危险的发展道路,意味着可能带来社会的不稳定和环境退化。

所谓 B 模式,也就是当前发达国家所沿用的发展模式,它属于绿色的发展道路,这种发展对环境所带来的影响将通过一系列革命性的改革计划得到解决。就中国而言,如果到 2020 年在经济增长翻两番的同时,希望环境压力有明显的减轻(例如比现在减少一半),那么资源

① [美]莱斯特·R. 布朗:《B 模式:拯救地球 延续文明》,林自新等译,东方出版社 2004 年版。

生产率就必须提高 8 倍至 10 倍。然而从我国当前的技术能力和管理水平来看,要推行这个高方案的模式难度很大。

既然不能继续遵循传统的发展 A 模式,也不能立即沿用西方发达国家的 B 模式,那么,是否存在一种"中间路线"的模式适合我国? 为此,笔者提出适合我国国情的循环经济发展模式,简称 C(China) 模式。C 模式也称 1.5 倍至 2 倍数发展战略,因为只有保证我国 GDP 的持续快速增长,才能解决我国社会经济发展中的一系列矛盾。所以该模式将给予我国的 GDP 增长一个 20 年左右缓冲的阶段,并希望经过 20 年的经济增长方式调整,最终达到一种相对的减物质化阶段。① 当然,作为对中国发展模式的一种探索,C 模式绝不是一个停留在纸面上的空泛概念,而是由一系列的具体领域和政策保障来支撑(如图 6 所示)。

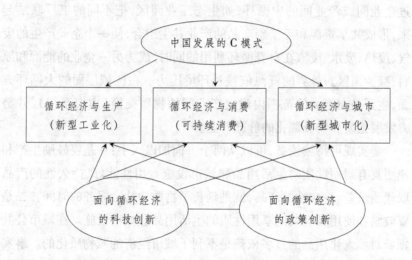

图 6　中国循环经济的模式、领域与保障

2. 在三大领域中系统地实施循环经济

由图 6 可知,要推行 C 模式,需要从生产、消费和空间三大领域以及科技和体制两大层面加以支撑。具体而言,要通过新型产业化,从产

---

① 诸大建、臧漫丹、朱远:《C 模式:中国发展循环经济的战略选择》,《中国人口、资源与环境》2005,15(6):8—12。

业结构中挖掘提高资源生产率的宏观潜力;通过新型现代化或者可持续消费,从产品功能上挖掘提高资源生产率的微观潜力;通过新型城市化,从城乡空间中挖掘提高资源生产率的中观潜力。除此之外,在科技层面,需要技术性改进和结构性改进同时并举来提高资源生产率;在制度层面,需要行政性推进与体系性推进同时并举来提高资源生产率。

进一步展开分析,笔者认为要实现新型产业化,这就需要从小循环、中循环和大循环三个层面入手。生产个体的企业作为推行小循环的主要力量,并实现单个对象的小循环,就必须在生产领域通过厂内推行清洁生产制度,设计各工艺之间的物料循环,减少物料的使用,达到少排放甚至"零排放"的目标。在共生组合的中循环方面,主要是企业之间的废弃物利用与生态产业园区建设,具体而言,就是在生产领域通过企业间或产业间的中循环,如生态工业园区,把不同的工厂联结起来,形成共享资源和互换副产品的产业共生组合,使一个企业产生的废气、废热、废水、废渣在自身循环利用的同时,成为另一企业的能源和原料,减少园区对外界的资源依赖和环境压力。在区域层面的大循环方面,主要是在更大的范围内建立产业间的物质交换(虚拟系统),并努力发展把废弃物资源化的静脉产业。

要实现可持续消费,可以从两个方面加以入手:一是要鼓励生产和使用具有耐用性质的生活用品和城市设施。用性能好、持久性的产品取代质量差、一次性的产品,就是延长了物质为社会服务的时间。二是要鼓励和使用具有共同享用性质的生活用品和城市设施。在城市公共领域对私人化用品的过多依赖是不利于城市经济的减物质化的。事实上,新型现代化意味着消费方式与生活方式的变革,它要求社会从关注物质的占有转移到更多地关注物质的功能,从根本上改变传统社会以高生产、高消费、高开采和高排放来实现现代化的模式。

对于新型城市化,一方面,我国的城市化要立足于走节地、节能、节水、节材以及在空间上紧凑扩展的发展道路。另一方面,在城市建设中要注意发展两类具有减物质化意义的生态聚集空间。一是要发展以企业与企业之间的物质流能够闭路循环的生态型产业园区,发展具有集中提供能源、水、材料以及污染处理能力的产业集群;二是要发展以最大程度地减少物质消耗和废物排放为特征的生态型居住园区。

3. 支持循环经济的科技创新与体制创新

当然,C模式的实现也离不开科技和政策的支持。在科技层面,提高资源生产率的科技创新一般有四个阶段或四种方式:第一阶段是"过程创新",即更合理地生产同一种产品;第二阶段是"产品创新",即用更少的投入生产同样的或同价值的产品;第三阶段是"产品替代",这一个阶段是产品概念的变革和功能开发,即向社会提供用途相同但种类不同的产品或服务;第四阶段是"系统创新",这一个阶段是革新社会系统,追求结构和组织的变革。

在制度层面,需要从以往的政府单一主体方式,转变到依靠政府、企业和公众的联动机制上来。具体地说,按照世界银行推荐的政策矩阵,在推进循环经济和建设资源节约型社会的过程中,既需要通过制定标准、严格法规来强化和改善政府对资源和环境的管制型管理;也需要通过创造市场、利用市场来实现以市场为基础的资源管理和环境管理;更需要通过信息公布、公众参与来激励资源管理和环境管理过程中的公众参与。把这三类政策与经济过程中的输入、处理和输出三个物质流环节结合起来,就可以系统地提高中国经济发展的资源生产率,实现C模式下的经济社会目标和资源环境目标。

(诸大建:同济大学经济与管理学院教授、博导,
管理科学与工程系主任
朱远:同济大学经济与管理学院博士研究生)

循环经济法的原则和制度

蔡守秋

2005年3月12日,胡锦涛总书记在中央人口资源环境工作座谈会上明确提出:要大力推进循环经济,建立资源节约型、环境友好型社会,大力宣传循环经济理念,加快制定循环经济促进法,加强循环经济试点工作,全方位、多层次推广适应资源节约型、环境友好型社会要求的生产活动方式。温家宝总理在2005年6月有关加快建设节约型社会的讲话中也明确指出:大力发展循环经济。按照"减量化、再利用、资源化"的原则,促进资源循环式利用,鼓励企业循环式生产,推动产业循环式组合,倡导社会循环式消费。因此,大力发展循环经济已经成为我国解决环境问题,促进资源节约型社会、环境友好型社会与和谐社会建设的重大措施。

循环经济法是指有关调整因循环经济活动所形成的社会关系的各种法律法规、法律规范和法律渊源的总称,是环境资源法律体系中一个重要子系统,是运用经济手段和经济机制解决环境问题、保护环境资源的一个法律领域,是经济建设和环境建设一体化的产物。其中循环经济法或循环经济促进法在整个循环经济法律子体系中具有核心作用、处于基础地位,被称为循环经济法律体系中的基干法律。"有法可依"是推动循环经济发展的前提,通过制定循环经济法,可以确定循环经济活动的指导思想、基本原则、主要措施和基本制度,为循环经济发展提供法律依据和法律保障机制。因此,制定循环经济法,对于加强循环经济法制建设,促进我国循环经济的健康、有序发展,具有重要的意义和作用。

一、循环经济法指导思想和基本原则

笔者主张将循环经济法设计为循环经济政策法,以指导、引导我国循环经济的健康、有序发展。当代法律的调整范围和作用越来越扩大,法律不仅具有强制作用,也具有指导作用、引导作用,不仅有强制性很强的、重在制裁的"硬法",也有指导性很强的、重在引导的"政策法"。诸如美国的《1969 年国家环境政策法》和《1990 年污染预防法》,日本的《推进形成循环型社会基本法》和《促进资源有效利用法》,我国的《清洁生产促进法》等,就是典型的重在引导的"政策法"。这种"政策法",并没有否定法律的强制性、可诉讼性的作用,只不过其包含的强制性和制裁性条款较少,并没有完全失去法律作为社会行为规范的作用,而是根据法律调整的对象强调对有关行为的指导性、引导性。在某种意义上可以认为,法律的指导性和引导性在某些领域起着较法律的强制性和可诉讼性更加有利和有效的作用。因此,作为综合调整、全面调整、整体调整循环经济的基干法,应该具有综合性、指导性和政策性。

在制定循环经济法时,应该坚持经济和环境资源一体化的思想,经济、社会和环境协调发展和可持续发展的思想,实现对循环经济法的立法宗旨、目的、指导思想和调整范围的定性定位,并尽量避免、减少与原有环境资源法律法规的重复,使循环经济法真正成为推动我国循环经济发展的、名副其实的循环经济基干法、牵头法,而不是用循环经济法去取代或包含《环境保护法》等环境资源法律。

关于制定循环经济法的指导思想,笔者认为应该以科学发展观、可持续发展观为指导,以对环境友好、节约资源、优化资源利用方式为基点,以提高资源生产率和降低废弃物排放为目标,以技术创新和制度创新为动力,加强政策指导,完善政策措施,形成政府大力推进、市场有效驱动、公众自觉参与的机制,逐步建立适合中国国情的、有利于循环经济发展的宏观调控体系、运行机制和基本形成中国特色的循环经济发展模式,加快建设资源节约型的生态社会。

在制定循环经济法时,应该坚持如下原则:

（1）"遵循自然生态规律和经济发展规律，对循环经济活动实行科学的法律调整"的原则。所谓循环经济，是指遵循生态学规律，将生态设计、清洁生产、资源综合利用和绿色消费等融为一体，旨在于保护环境、节约资源、促进经济可持续发展，以实现废物减量化、资源化和无害化的社会经济活动。循环经济是一种生态经济，是根据生态学原理和规律进行设计和运行的经济。循环经济强调在（生态）阈值的范围内，合理利用自然资本。循环经济法应该根据循环经济的特点和内在发展规律，对循环经济活动即行为进行科学的法律调整。循环经济法应该全面规范规划生产、分配、流通、消费等循环经济的全过程，同时应该突出重点环节和主要矛盾，增强法律的明确性和可操作性。应该对不同阶段的废物规定不同的措施：在生产阶段，要减少或抑制废弃物的发生；在消费阶段，要对废物再利用；在处理阶段，要加强资源回收及最后适当、安全处理。应该对企业内部的循环经济、企业之间的循环经济即生态园区循环经济和社会循环经济作出统筹安排，在小循环、中循环、大循环及建立废物处置与再生产业 4 个层面推进循环经济。在企业层面发展循环经济，应该着眼于清洁生产，减少产品和服务中物料和能源的消耗量，实现污染物产生量的最小化。在生态园区发展循环经济，应该规范工业生态区、农业生态区的建设，把上游生产过程的副产品或废物用做下游生产过程的原料，形成企业间的工业代谢和共生关系。在社会层面发展循环经济，应该推进绿色消费，建立废物分类回收体系，注重一、二、三产业间物质的循环和能量的梯级利用，同时促进建立废物和废旧资源的回收、处理、处置和再生产业，从根本上解决废物和废旧资源在全社会的循环利用问题。循环经济的重点应该是再生资源回收利用体系和资源再生产业体系。生态建设要着力发展循环经济，循环经济是生态城市的支撑和标志，没有循环经济做保证，生态城市的建设将是一纸空文。生态省、生态城市和生态社区的建设一定要与发展循环经济结合起来，使环境保护、生态建设和城市建设一体化，使经济建设、城市建设和环境建设协调发展。

（2）坚持 3R 原则，即废物的减量化（Reduce）、再利用（Reuse）和再循环（Recycle）原则。传统经济是由"资源—产品—污染排放"所构成的物质单向流动的线性经济,其特征是高开采、低利用、高排放,对资源的利用常常是粗放的和一次性的,经济增长主要依靠高强度地开采和消费资源以及以牺牲环境质量为代价。在这种经济模式下,对经济活动中所产生的废物采取"边污染边治理"或"末端治理"的方式。循环经济或循环型经济是对物质闭路流动型(Closing Materials Cycle)经济的简称,是由"资源—产品—再生资源"所构成的、物质反复循环流动的经济发展模式。其基本特征是低开采、高利用、低排放。循环经济法是规定循环经济活动的行为规范,应该充分体现和全面贯彻3R原则:所谓减量化,是指在生产和消费过程中,尽可能减少资源能源消耗和废物产生,从源头节约资源,减少污染物排放;所谓再利用,是指使产品及其包装或者其拆解后的零部件继续使用,或者将其修复、翻新、处理后继续使用,尽可能地提高产品及其包装的利用效率、延长产品的使用周期;所谓再循环,是指产品在所设计的功能消失即报废后,将其全部或者一部分转化为资源来加以利用,变废为宝,化害为利。在法律上坚持3R原则,就是通过法律推行减量化、再利用和再循环。

(3)坚持"政府主导、市场推进、公众参与"的综合调整原则。一般来讲,循环经济活动的主体包括政府、企业、社会团体和公众。循环经济法应该针对不同循环经济活动主体,建立能够充分发挥循环经济活动主体作用的、对循环经济活动实行综合调整的法律机制。一是发挥政府行政调整机制的作用,通过立法明确政府在循环经济发展中的主导作用和具体职责。政府在循环经济的发展中处于十分重要的地位,它既是循环经济的规划、管理者,又是循环经济实施的法律监督者。因此,循环经济法应当要求政府有关部门,按照各自的职责,负责有关的循环经济促进工作。一方面要强调政府的指导、引导、服务和协调作用,另一方面要加强政府对循环经济的监督,对违反循环经济法律规定的行为人给予处罚。二是发挥市场调整机制的作用,通过立法明确企业在发展循环经济中的权利和义务。应该扩大生产者的责任,包括明确规定生产者的产品责任(回收产品,循环利用,产品的事前评价等)和产品使用后废弃物的处理责任,实行"扩大生产者责任"的原则,促进使用再生品,由损害环境的企业负担恢复原状的费用等。应该制定强制实施循环经济的企业名录,将一些消耗资源和产生严重污染的重点企业列入名录中,要求它们必须实施循环经济,承担回收和循环利用本企业的废弃产品的义务;如果在规定时间内,企业达不到要求应受到相应处罚,对达到要求的国家应在税收等方面给予优惠和鼓励。三是发挥社会调整机制即第三种调整机制①的作用,通过立法明确各种社会团体和公众在发展循环经济中的权利和义务。应该规定消费者在循环经济中的义务,提倡公众参与循环经济活动,特别是循环经济的管理和监督活动。消费者是循环经济中重要角色,在原有的环境资源法律体系中,消费者承担着很少的环境保护义务。但在循环经济法律体系中,消费者应当承担更多的义务。应该规定消费者对其消费中产生的废旧物质,承担一定的回收利用义务。应该提倡环境道德、生态文化、生态文明的建设,将对环境友好的生态道德放在突出的地位,加强环境宣传教育,用各种方式引导人们尊重生命、热爱自然、亲近大地、保护环境,自觉地将自己的行动融入到循环经济活动和生态城市的建设之中,达到人与自然的真正的和谐共处。应该通过上述三种调整机制的综合作用,促进建立一套发展循环经济的法律保障体系。

（4）坚持节约资源、对环境友好的原则。循环经济是一种不同于传统经济的生态经济,是对传统物质资料经济发展模式的革命,是一种新型的、先进的、人与环境和谐发展的经济形态,是实现经济、社会和环境可持续发展、协调发展和"共赢"发展的经济活动理想模式。只有坚持节约资源、对环境友好的原则,才能自觉地、持久深入地开发循环经济活动。

二、建立发展循环经济的法律制度

虽然循环经济法主要是一部政策法,但同时应该尽量建立健全一些对循环经济发展具有重要意义的法律制度,使其具有法律强制性和

---

① 请参看蔡守秋的文章《第三种调整机制——从环境资源保护和环境资源法角度进行研究》(上、下),《中国发展》2004 年第 1、2 期。

可操作性。

通过循环经济法,可以考虑建立如下有关循环经济的法律制度:绿色秩序制度,包括绿色市场制度、绿色产业制度、环保产业制度、绿色技术制度等;绿色产销制度,包括绿色生产制度、绿色采购制度、绿色消费制度、绿色贸易制度、绿色包装制度、废物回收利用制度等;生态激励制度,包括绿色国民经济核算制度、生态预算制度、绿色财政制度、绿色价格制度、绿色金融制度、绿色投资制度、绿色税收制度、绿色统计制度、绿色审计制度、绿色会计制度等;绿色社会制度,包括绿色教育制度、绿色信息(宣传)制度、绿色服务制度、公众参与制度、非政府非营利组织制度等。

1. 循环经济计划(规划)制度

循环经济计划(规划)是发展循环经济的龙头,科学的规划是发展循环经济的重要保证。循环经济法应该对循环经济规划提出明确要求:一是将发展循环经济纳入国家的经济社会发展计划和规划,应将发展循环经济确立为国民经济和社会发展的基本战略目标之一进行全面规划;二是要将发展循环经济作为重要指导原则,用循环经济理念指导编制其他各类相关的专门规划,引导和加快产业结构、产品结构的调整;三是要用循环经济理念指导地方经济社会发展规划、地方专门规划和区域发展规划,促进地方经济结构调整和区域布局合理与优化。循环经济法应该明确规定中央政府应制定循环经济发展规划,并明确循环经济规划与其他相关规划的关系;应该对循环经济规划提出明确要求,包括规划编制、审批、颁布、遵守、实施以及规划的主要内容和编制审批程序。

2. 经济刺激制度

正确、可行的激励政策,特别是带有经济性的激励政策是推动循环经济发展的灵魂。循环经济法应建立健全循环经济的表彰奖励制度,对在循环经济科研、教育、生产中作出显著成绩的单位和个人给予表彰和奖励。应该在综合考虑经济刺激手段有效性、管理可行性、成本最小化和措施的可接受性的基础上,综合运用财政税收、投资、信贷、价格、可交易许可证、押金退款、绿色补贴等政策手段,调节和影响市场主体的行为,建立自觉节约资源、循环利用资源和保护环境的激励机制。要搞好对循环经济的政策扶持,多渠道筹集建设资金。要运用排污收费、生态补偿费、资源使用费、产品回收处理等价格、财税和收费政策激励循环经济,积极调整资源性产品与最终产品的比价关系,完善自然资源价格形成机制,通过水价、电价等价格政策的调整,更好地发挥市场配置资源的基础性作用。循环经济法应该就提高环保投入比例、设立循环经济发展基金、发挥政府资金的引导作用等事项作出具体规定;适时制定节能产品目录、综合利用目录和政府采购目录等名录,对有关循环经济产品给予减免税和其他的优惠政策。要建立生态恢复和环境保护的经济补偿机制。应该为循环经济的发展创造公平竞争的投资环境,建立股票债券融资、招商引资、金融信贷、民间资本等多元化筹融资体系,为循环经济企业发展创造良好的软环境。

3.政府扶植制度

在中国,发展循环经济必须强调政府的扶持作用。循环经济法可以考虑规定如下政府扶持措施:政府对发展循环经济的环保专项基金支持;鼓励废物回收与再生产企业投资;鼓励循环经济企业的股票上市;优先发行循环经济债券和彩票;政府绿色补贴;政府绿色采购;政府融资帮助;鼓励废物处理设施建设与运行的市场化;增值税和所得税的减免等。应该把发展循环经济作为政府投资的重点领域,加大对循环经济发展的资金支持。对一些重大的循环经济项目政府应该进行直接投资或资金补助、贷款贴息的支持,引导各类金融机构对有利于促进循环经济发展的重点项目给予贷款支持。

4.科技支撑制度和示范制度

循环经济法应充分发挥科技作为第一生产力的作用,鼓励依靠科技进步,开发、建立"绿色技术支撑体系",包括清洁生产技术、信息技术、能源综合利用技术、回收和再循环技术、生态管理技术、资源重复利用和替代技术、环境监测技术以及网络运输技术等,加快产业结构调整,以大力降低原材料和能源消耗,实现少投入、高产出、低污染。应该明确政府、企业、科研机构等技术行为主体的责任,鼓励研究、开发、推广与应用清洁生产技术、环境友好技术,鼓励产业界的积极创新和开发,建立循环经济的技术创新体系。各级政府部门应对研究和处理废弃产品的研究机构给予政策上的扶持,加大循环经济的科技投入,组织力量研制开发推广无害或者低害的新工艺、新技术。应该加快循环经济技术开发、示范和推广应用。组织实施循环经济重大技术示范。制定和发布相关技术政策,建立循环经济和生态工业园区的评价指标体系,进一步完善清洁生产标准。制定实施促进节能、节水的鼓励政策。

5.公众参与制度

发展循环经济离不开广大人民群众的参加。循环经济法应该规定公众参与循环经济活动及其有关管理监督的政策和制度,明确规定公众参与建立循环型社会的内容、渠道、方式,鼓励和支持公众的创造精神,逐步建立起公众参与、公众受益、公众监督下的循环经济系统。公众有权参与有关循环经济企业名录、标准和政策的制定,有权了解国家和企业有关发展循环经济的信息。应该通过各种渠道和形式广泛宣传普及生态知识、循环经济知识和环保法规,引导社会公众树立环境友好观、节约资源观、人与自然和谐相处观,倡导文明的生活方式和绿色消费理念,从社会源头和基层减少废物和污染。

6.绿色采购制度

社会再生产的末端是消费者,在传统的环境法律体系中,消费者承担环境保护义务很少。在循环经济法中,消费者应当承担更多环境保护义务。公众通过树立与环境保护相协调的价值观和消费观,采购再生利用的产品,不仅节约了资源,保护了环境,而且有助于环保产业的生存和发展。循环经济法不仅要倡导个人绿色消费,更要倡导政府的绿色消费。在消费方面,政府应该起到表率作用,引导企业和民众进行"绿色采购和消费"。要鼓励公众开展循环回收利用活动,政府可选择与群众生活密切相关的电池等产品进行试点,推动公众参与绿色消费,建立循环型社会。

7.行政考核与问责制度

循环经济法不仅要规定政府机关及其工作人员在发展循环经济方

面的职责,还要规定对上述职责履行情况的考核办法,以及在违反有关职责时追究有关行政责任的措施和途径,包括行政处分和行政诉讼。应该对循环经济实行目标责任制,各级政府领导应该把推动循环经济的发展摆上重要议事日程,建立政府各有关部门的分工负责制,建立健全监督、检查、评比和考核验收制度,把完成目标好坏与奖惩挂钩,与考核领导班子和领导干部政绩联系起来。

8.环境保护委托人制度

为了促进废物循环利用的社会化,《德国循环经济和废物处置法》设立了环境保护委托制度,并取得了成效。该制度是一种外部合作制度,主要适用于生活垃圾的回收处理。我国循环经济法可引入该项制度,主要是明确有关废物回收利用处理主体的委托权和转让权以及相关义务,即:规定垃圾制造者、拥有者可依法转让其回收、处置义务;环境保护受委托人即废物回收处理中介组织或企业(如为履行废物回收、处置义务而成立的公共机构、社会团体、协会、企业等)的资格和条件;发展与培育中介组织的政策;环境保护受委托人接受废物回收处理委托的条件、收费标准和义务。

9.其他制度

(1)循环经济的宣传教育制度。发展循环经济需要提升公众的国家干部、企业职工和公众的环境友好、环境保护意识。为此应该鼓励发展循环经济方面的宣传教育活动,鼓励各类学校、宣传教育机构、报刊杂志、广播电视等大众传播工具用多种方式开展循环经济方面的宣传教育。

(2)信息公开制度。包括政府有关循环经济的信息的公开、企业有关循环经济信息的公开,通过信息公开、获取的制度促进循环经济、公众参与制度的发展。

(3)循环经济市场准入制度。循环经济依靠市场的运作和调节,必须根据循环经济的特点建立符合市场规则和环境保护的市场准入制度。

(4)循环经济名录制度。应该根据企业的不同类型和特点,制定、公布并实施循环经济名录,包括强制实行循环经济的企业名录和自愿进行循环经济的企业名录。此外,还有生态工业园区制度、奖励综合利用制度等。

（蔡守秋:武汉大学教授、博士生导师,
中国环境资源法学研究会会长）

关于循环经济立法相关问题的思考

陈 德 敏

　　循环经济是人类面对环境危机与资源危机反思的产物。作为一种新型的经济模式和社会实践发展模式,循环经济的产生有其深刻的社会背景和时代需求。从国外循环经济的发展来看,普遍利用了法律在推进社会主动性变革中的强制规范性作用,形成了一定的新的法律应用背景的需求。这也为法律在实现循环经济社会建设中的客观地位作出了重要的实践佐证。

　　当前我国正在进行循环经济立法起草工作。笔者在参与起草过程中,认为以下几个方面必须在立法中进行研究和明确规范。

一、关于循环经济概念及法律调整范围

　　循环经济理念的演进始终与人类合理利用资源的实践紧密结合在一起。循环经济作为可持续发展新思维的体现,是为保护环境、实现物质资源的永续利用及人类的可持续发展、按照生态循环体系的客观要求而建立起来的一种经济运行模式,其核心是资源的高效利用和循环利用。推行循环经济,相对于传统工业社会末端治理的做法,代之以在生产和消费的源头控制为主体,配合废物回收再利用和减量化的方法所形成的一个系统的以避免废物产生为特征的循环经济战略。

　　基于此,循环经济立法中的循环经济概念应当能够明晰反映上述内涵,笔者认为在立法中对循环经济的概念界定应是:循环经济,是指遵循生态规律和经济规律,以资源的高效利用和循环利用为核心,以减

少自然资源消耗、降低废物排放、提高资源利用效率、获得尽可能大的经济和环境效益为主要内容的经济活动。根据上述定义,循环经济法的调整范围应当是国家、法人、其他组织、自然人在中华人民共和国领域内参与和开展(经济活动中)循环经济活动中的各种行为。

二、关于循环经济法的立法目的和基本原则

1. 立法目的

循环经济法的立法目的是在节约资源、保护环境、促进经济发展的基础上,推进资源节约和循环利用,提高资源利用效率,减少和避免污染物的产生,保护和改善环境,发展循环经济,促进经济社会可持续发展。

2. 基本原则

(1)减量化原则。又称减物质化,旨在减少进入资源开发、生产和建设过程中物质和能源量,从经济活动的源头节约资源和减少污染。这种源头控制方式,有利于经济和环境保护同时发展,避免走先污染后治理的老路。

(2)再利用原则。属于过程性方法,目的是延长产品和服务的时间强度。通过对物品多次或多种方式的使用,使其能够不断回到经济循环、资源循环利用活动中,从而尽可能地延长资源的利用时间,提高利用率,避免过早地将资源转化为废弃物,以节约资源消耗。

(3)再循环原则。又称资源化,是指使废弃物转化为再生原材料,重新生产出原级资源产品或次级资源产品。所谓原级资源产品,即将消费者遗弃的废弃物资源化后形成与原来相同的新产品,例如废纸再生为可用纸。所谓次级资源产品,即将废弃物循环生产为与原来不同类型的新产品。原级资源化产品利用再生资源的比例高于次级资源化产品。

三、关于循环经济法主体基本职责和基本制度

1. 主体基本职责

(1)政府基本职责——各级政府应当通过规范管理与市场引导,

合理调整产业结构、产品结构和消费结构,推进科学技术进步,提高资源在开发、加工转换、消费和再利用中的效率,降低单位产值和单位产品物耗能耗,促进国民经济向节约型发展。

(2)企业基本职责——企业应当建立产品生产、销售和回收利用过程的资源节约和循环利用责任制度,提高资源节约和循环利用管理水平和技术水平,接受政府的指导、公众的监督或社会咨询机构的评估。

(3)公众基本职责——任何个人都应当履行节约资源、反对浪费的义务,自觉抵制资源的过度消费行为;有权参与资源节约和循环利用相关技术推广、宣传教育活动,有权监督和检举浪费资源的行为。

2. 基本制度

(1)通过建立循环经济规划制度,把循环经济纳入国民经济和社会发展计划,保障资源的高效利用和循环利用。

(2)通过建立循环经济产业发展制度,加强宏观调控,调整产业结构,优化产业布局,发展高新技术产业,逐步向生态性产业转变。

(3)通过建立循环经济评价指标体系制度,科学地对循环经济发展进程进行评估,适时对各项制度进行修正,紧跟循环经济发展,并将发展循环经济、建设节约型社会的重要指标纳入各级政府目标责任制和干部考核体系。

(4)通过建立循环经济统计核算制度,对循环经济各项指标进行分析研究,并将结果定期向社会公布,以接受社会的监督。

(5)通过建立循环经济标准体系制度,制定有利于资源节约和循环利用的产品材料标识标准、能效标准等,推进资源节约和循环利用的标准化建设。

(6)通过建立循环经济科技促进制度,在科学发展观的指导下,以加快循环经济新工艺、新设备的开发和应用,推动循环经济科技进步,建设循环经济,以服务于和谐社会的目标。

四、关于循环经济主要运行环节的法律规定

1. 生产建设中资源循环利用

　　生产建设中的资源循环利用包括在工业生产中、农业生产中和建设项目中的资源循环利用。

　　在工业生产中,应对重点行业、重点产品的资源消耗和废物排放实行限额管理制度;企业应对矿渣、煤矸石、尾矿、冶炼渣、炉渣、粉煤灰及建筑废弃物等固体废弃物进行综合利用;对废水、废气、余热、余压和生产物料进行综合利用;对产品或包装物材料和产品能效实行标识制度;产品包装物的设计应当考虑其在生命周期中对人类健康和环境的影响,企业应当对产品进行合理包装,减少包装材料的过度使用和包装性废物的产生;生产者责任延伸,作为在废旧物和包装物回收利用方面比个人更有优势的企业,承担产品的延伸责任,即生产企业应当承担废旧产品和包装物回收利用责任。

　　在农业生产中,要开展农副产品深加工和对农业废物进行无害化处理与综合利用,延长农业产业链和产品链。建立农业废弃物循环利用体系和农村清洁能源供应保障体系。

　　在项目建设中,严格限制建设资源利用率低、污染物产生量大的项目,禁止建设高消耗、高排放、高污染的项目;建设项目的资源循环利用工程,应当与主体工程同时设计、同时施工、同时投产;对于新建、改建和扩建的项目,应当优先选用节能、节水、节材的工艺、技术、设备和产品,优先选用无污染或轻污染的工艺和技术,优先选用有能效标识、环境标志认证的产品,以及通过环境管理体系认证的企业的产品;对建设项目资源循环利用后评估并提出评估报告;要按循环经济的模式建设开发园区,对于开发园区内的企业进行整合,形成企业之间的生态产业链,实现资源利用最大化和废物排放最小化。

2. 流通消费中资源循环利用

　　关于流通领域中的资源循环利用。应当规定:对重点耗能、耗水产品实行市场准入制度;限制出口高能耗、高污染产品,鼓励进口先进技术设备、国内短缺资源,禁止进口达不到国家最低能效标准、节水标准的产品;对某些重点产品和包装物实行回收押金制度;对电视机、洗衣机、电冰箱、空调器、电脑、汽车等大宗消费品以及含有铅、镉、汞等危害环境的电池类商品(包括民用干电池和机动车船用蓄电池)实行收旧售新制度;废旧物资采取交售方式回收;推广中水回用和雨水积用,建设节水型城市;进行资源节约型公共体系建设,如公共交通、邮政、教育等。

关于消费领域中的资源循环利用。应当规定:提倡适度消费、倡导绿色消费、抑制过度消费;对于水、电、气等资源性产品实行消费定额管理,对于宾馆、酒店、商场、餐饮、娱乐等服务行业进行循环经济规制,抑制一次性用品的消费,编制一次性使用产品目录。

3. 可利用废弃物资源循环利用

可利用废弃物循环利用是资源循环利用的一个非常重要的方面,也是发展循环经济的一个重要环节。按照统筹规划、合理布局的原则,规划建设安全、环保和符合消防要求的可再生资源回收网点、再生资源交易市场及再生资源产业园区。对相关再生资源回收利用企业进行资质认证和人员登记,规范再生资源回收利用的管理。在回收利用可再生资源方面,禁止本地垄断行为。分别规定对报废的机电设备、废旧家电、废弃建材等其他废旧物品的回收利用。对废旧物品回收进行规范市场管理,对城镇生活可回收废弃物实行分类回收。

五、关于推行循环经济的激励措施

来自循环经济建设良好国家的经验表明,采用经济手段,特别是实行有利于资源节约、循环经济建设的财税政策能更好地促进循环经济的建设与发展。因此,立法中应当鼓励金融机构优先给予资源节约和循环利用的企业和项目以资金支持,通过税收政策鼓励各类依法设立的投资机构对资源节约和循环利用项目进行投资,鼓励各种担保机构为开展资源节约和循环利用企业提供信用担保,实行财政支持;对生产、使用节能节材节水产品,回收利用废弃物,生产低油耗、低排量车辆及节能建筑等资源节约和循环利用行为实行税收减免优惠政策,国家征收资源税、环境税,用经济杠杆调节资源的需求强度,抑制资源的过度需求,建立和完善资源开发利用的生态补偿机制;建立来自多渠道的相对固定的资源循环利用基金,主要用于扶持资源节约和循环利用产

业发展、科学研究、新产品开发、教育培训、奖励及扶持具有较强社会效
益的资源节约和循环利用活动。

（陈德敏：重庆大学副校长）

循环经济立法与地方政府行为研究

陈 群 胜

循环经济在我国经历了思路逐步清晰、内涵不断扩大、重点不断调整的演进过程,至2005年,十六届五中全会通过《中共中央关于指定国民经济和社会发展第十一个五年规划的建议》,循环经济上升为国家战略,逐步形成了中国特式循环经济理论体系和实践。当前,需要通过循环经济立法构建法律框架,实施制度创新,将政府、企业和公众的行为纳入法制化轨道。循环经济立法应该重视地方政府行为的研究,地方政府具有连接中央政府的制度供给意愿和微观主体制度需求的重要纽带和中介作用,也正由于他们的参与给制度变迁带来了重大影响。

一、发展县域循环经济的重要性

随着党的十六大提出的全面建设小康社会、走新型工业化道路,中国的城镇化也将经历一个高速发展的时期。新中国五十多年的历史表明,工业化带动城镇化,城镇化促进工业化,两者具有重要的关联性。在未来20年甚至更长时间内,城镇化的发展趋势与城镇化水平提高对社会、经济、科技发展,对资源、环境提出了更多的需求。县域经济是城乡经济的结合部、汇合点,它囊括了占全国总人口70%以上的农民以及绝大部分中小县城居民的发展问题,没有县域经济的大发展,就没有全面小康社会。加快县域经济发展步伐,对于繁荣农村经济,统筹城乡经济的协调发展,建设社会主义新农村,全面建设小康社会,具有特殊重要的意义。从这个意义上讲,全面建设小康社会难点在农村,重点在县及县以下,结合中国国情的县域经济发展,必须以循环经济为指导,发展县域循环经济。发展的切入点在于建设循环型产业和循环型城镇,着力点在于生产和消费两个环节的根本性转变。

循环型产业模式在概念上与资源生态化利用是一致相通的,是产业结构的生态化调整,也是循环经济的技术实现。以改善整个农业、工业和服务业系统内的物质与能源利用效率,以重新确定"废物"价值,使其可作为其他生产过程的原材料,促进物质在整个农业、工业和服务业系统内循环流动和能量的梯度利用。通过循环型产业新模式,发展县域经济,提高社会经济的发展水平和质量。

建设循环型城镇,是实现社会主义新农村的重要前提,有利于夯实社会主义新农村建设的经济基础,也是转移农村剩余劳动力的重要途径。提高城镇的承载能力,有利于促进县域内经济平衡发展。

县域循环经济发展的初始阶段,起主导、推动或者说决定作用的是县级地方政府。因此,其在发展循环经济中的地位、作用和行为不可忽视并应深入研究。

二、循环经济理念与现实的冲突

循环经济,就是按照自然生态物质循环方式运行的经济模式,它要求用生态学的规律来指导人类社会的经济活动。循环经济以资源节约和循环利用为特征,也可以称为资源循环型经济(冯之浚,2003)。冯之浚先生在国内还首先提出"循环经济是一次范式革命"(冯之浚,2003),基于不同的社会历史状况、技术水平、经济发展的前提条件及其运行机制和对环境问题的不同理解与认识,他借鉴科学发展的范式理论,探索和总结出人类社会在经济发展中两种不同范式,一种是生产过程的末端治理范式,另一种是循环经济范式。不同的范式拥有不同的前提假设、概念体系、理论方法和社会实践。在以循环经济为基础的循环范式中,自然资本的作用被重新认识,资源必须合理估价和重新定价。循环经济将自然资本列为最重要的资本形态,是人类社会最大的资本储备,提高资源生产率是解决环境问题的关键,也是转变经济增长方式的关键。

　　而现实县域经济的发展中,地方政府对于经济增长的方式、目标、评价和考核等与循环经济的理念相差甚远,甚至背道而驰。有些地方逃避上级政府的监管,搞上有政策,下有对策。对自然资源的过度开采、私掘滥挖、低价出售,任意毁坏森林、草地、湿地,污染湖泊河流,使生态失去平衡,环境遭到严重败坏,引发大量社会问题。主要表现在:

　　(1)水资源定价过低、开发过度。许多地方热衷于水电的开发,拦水截流,造成原有生态系统的破坏。蓄水位的提高,大量的农民离开了原有肥沃的土地,加剧了农民的贫困化;农业用水技术落后,水资源利用率过低,大量使用农药化肥,造成水体污染;工业用水过度,尤其是小皮革、小造纸等企业,生产工艺落后,污水处理率低,甚至任意排放,污染原有水系,造成人畜饮水困难。目前,在七大水系中,有近六成的断面受到不同程度的污染。其中,劣 V 类水质断面占到了27%。

　　(2)土地管理粗放,耕地面积减少速度过快。有些地方政府,绕开上级政府,搞化整为零擅自土地批租。发展经济招商引资,用低廉的土地作为优惠政策条件,大量占用耕地良田,建各类开发区,屡屡超越土地开发使用警戒线。

　　(3)矿业权取得成本太低,矿产资源开采无序。尤其是小煤矿屡禁不止,低效率开采的同时,严重影响了国有大型煤矿的生产和矿区居民安全。

　　(4)城镇建设沿用粗放式的增长方式。高消耗、高污染、高投入、低效益问题突出,土地浪费现象普遍存在。尤其是普遍存在的"空心村"现象,严重影响了土地使用的效率。城镇的粗放式发展模式,严重阻碍了城镇综合质量的提高和功能的正常发挥,降低了城镇的承载能力,影响了城镇化的健康发展。

　　这些问题产生的根源不仅是"以 GDP 论英雄",尚未形成有效的落实科学发展观的考核制度有关,而且还源于对自然资源的认识不足和对自然资源的经济价值、生态价值、社会价值作为不可分割统一整体缺乏足够的价值认同感有关,不能正确处理经济发展与资源环境的关系,由此造成严重后果。循环经济的理念与现实县域经济发展的冲突,同地方政府和官员的角色定位有极大的关联度,地方政府发展经济仍然看重政绩,由此,会加强同本地企业合作,形成利益共同体。同中央政府博弈,争上新的项目,扩大投资规模,不断挑战国家政策底线。

三、地方政府和微观主体的合作博弈

中国市场经济体制改革是在中央政府、地方政府和微观主体(企业)之间的三方博弈中逐渐展开的,三个主体在不同的制度变迁阶段扮演着各自不同的角色。我国循环经济还处于起步阶段,需要在循环经济立法规范的发展过程中,在制度变迁的框架内,三个主体同样会扮演不同的角色。

中央政府由于缺乏制度创新的知识而依赖于地方政府的知识积累和传递(杨瑞龙,2000)。如开展循环经济实践,国家在重点行业、重点领域、产业园和有关省市选择82家单位开展第一批循环经济的试点工作。在北京、上海等24个城市开展了再生资源回收体系建设试点工作。海南、吉林、黑龙江等9省积极开展生态省建设,全国150个县市开展了生态县(市)创建工作。(中国的环境保护白皮书[1996—2005],2006)这是一种典型的有待地方政府的知识积累,逐步在全国大范围推广实施的过程。但为了控制由不确定性带来的风险需要防止地方政府的"过度"改革。

地方政府的角色定位最重要的影响是其成为了低成本集体行动组织,由于微观主体的经济地位和广泛存在搭便车心理,使集体行动难以形成,既希望有地方政府成为其代言人,由此形成合作博弈为微观主体与中央政府讨价还价来获得最大化利益。在不给它们带来政治风险前提下,通过本地区微观主体的积极参与并实施GDP的增长,进而实现地方政府政绩最大化的意愿。所以地方政府有动力为本地区微观主体捕捉潜在收益提供或创造有利条件,哪怕是不惜以牺牲资源环境为代价,袒护本地企业违规生产与建设,以加快本地经济发展水平来增加自己的"政绩"。在区域地方之间的竞争压力下,地方政府常常会在一定程度上满足微观主体扩大自主权的要求,这也是许多地区企业私排乱放、滥采乱挖,造成污染的根源。

在循环经济发展的一定阶段,地方政府与本地企业之间的合作大

于冲突。地方政府与微观主体之间的上述博弈行为会产生以下影响：首先，当微观主体的行为由地方政府出面组织或实施时，不仅承担较少的风险，而且会有更大的制度需求，是积极的"服从"参与者；其次，两者存在隐形的合谋性契约。地方政府具有捕捉潜在制度收益的动机，为了争取中央政府试点权或对其自主制度创新的事后认可，往往会通过与中央政府的讨价还价和自主制度创新为微观主体提供有利于扩大企业自主权的制度环境，微观主体则以实际的经济行动为地方政府官员实现可显现的政绩最大化创造条件，这也是许多地方大量政绩工程的直接动机。如，绿化只追求好看这一浅层次上，使绿化工程没有任何改善环境，维护生态的功能，而护养这些绿地却要给城市增加能源消耗、淡水消耗、垃圾清运、农药污染、释放温室气体等多种环境负担。

上述分析可见，地方政府和微观主体合作博弈的局面也将会长期存在，同样会对循环经济法律制度建设带来重大影响。因此，当前的循环经济立法，除了循环经济法理、法律框架等研究外，还应加强地方政府发展循环经济的行为研究，规避制度缺陷，使循环经济法更趋完善，使循环经济法实施更加有效。

四、循环经济立法远景

循环经济法，应该具有节约和高效利用资源、保护环境和促进经济发展的目标，为此目标，无论是政府、企业、公众和其他社会组织，都应该受到循环经济法的调整，都应该按照循环经济法的要求，节约资源，保护环境。而县域循环经济的发展具有基础性的作用，因此，要发挥地方政府的主导和推动作用，采取行政强制、经济激励等措施，规范地方政府在发展循环经济中的行为。

1. 强化地方政府的责任

制定循环经济法，应该规定地方政府的各项责任，除了制定和实施有关的规划外，还要明确在发展循环经济中的其他责任，把促进和发展循环经济落实到实处。在"法律责任"中应该明确，未履行循环经济法相关条款的，国务院和上级地方人民政府责令限期改正；建立问责制，情节严重的，对直接负责的主管人员和其他直接责任人员给予行政处分;对造成重大生态和环境责任事故的直接责任人应当引咎辞职并承担相应的法律责任。通过制度规避地方政府和微观主体的合作博弈给发展循环经济所带来的不利因素和损失。

2. 发挥地方政府的作用

制定循环经济法,应发挥和调动地方政府的作用。县域循环经济的发展是建立资源节约型、环境友好型社会的基础,地方政府具有调整县域经济结构内部各产业之间的有机联系和共生关系,建立基于循环经济产业链,壮大县域经济的主导作用。能够推动环保产业和其他新型产业的发展,增加就业机会,转移农村劳动力,在积极稳妥推进城镇化的同时,扎实稳步推进社会主义新农村建设。从根本上解决我国在发展过程中遇到的经济增长与资源环境之间的尖锐矛盾,统筹城乡协调发展,协调人与自然的和谐发展。

3. 鼓励县域循环经济发展

制定循环经济法,应该鼓励地方循环经济发展。在规定鼓励、限制、禁止的名录制度和循环利用产品的优先准入等制度时,应适当考虑中西部地区的生态阈值和县域经济现状,采取相应鼓励措施支持地方循环经济发展;加大中央财政和省级财政的转移支付力度,优先发展循环经济项目;要求各级政府部门加大科技投入,鼓励采用降低原材料和能源消耗的无害或低害的新工艺、新技术,鼓励微观主体的技术创新。促进地方循环经济发展,减少东中西部的经济差异,实现区域协调发展。

主要参考文献

[1] 冯之浚:《循环经济导论》,人民出版社 2004 年版。

[2] 国务院新闻办公室:《中国的环境保护白皮书[1996—2005]》,人民日报出版社 2006 年版。

[3] 道格拉斯·C. 诺思等:《制度、制度变迁与经济绩效》,上海三联书店

1994 年版。

[4] 冯之浚、张伟等:《循环经济是个大战略》,《光明日报》2003 年 9 月 22 日。

[5]《中华人民共和国国民经济和社会发展第十一个五年规划纲要》,人民出版社 2006 年版。

(陈群胜:上海大学博士研究生,河南省科学院副研究员,
河南省中原循环经济技术研究中心副主任)

构建循环型社会法律体系的思考

杜 欢 政

建立循环型社会是国际社会在实施可持续发展战略中提出的一种新的社会发展理念。许多国家已经开始以立法的方法来保障循环型社会的建立和发展。

改革开放二十多年来,我国经济发展取得了举世瞩目的伟大成就,但资源消耗总量急剧增加,环境压力越来越大,经济社会发展处在重要的转型期。对此,党中央提出建设资源节约型、环境友好型社会的发展战略,是从我国国情出发而提出的一项重大决策。

循环型社会是一种新型的社会发展理念,是一个国家全局性、战略性的系统建设工程,它需要全社会共同的努力。特别是要从法律体系的构建、公众基础的培育、企业动力的激发、技术创新体制的形成四方面加以系统的分析和设计。

一、循环型社会法律体系的重要地位

我国是一个人口众多、资源相对匮乏的发展中国家。经过二十多年的改革实践,实现了经济的高速发展,但自然资源存量和环境负荷能力现已严重制约着我国的进一步发展。过去,我们走的是一条西方发达国家的发展老路——高消耗、高能耗和高污染。虽然我们也已经逐渐意识到环境保护的重要性,但采取的不过是些简单的末端处理为主的防治手段,还没有从源头出发,对整个社会生产、生活的全过程进行系统的认识和分析,还没有对建设循环型社会进行系统的考虑和设计。

在循环型社会建设的"四大要素"中,法律是核心、公众是基础、企业是主体、技术是关键。

首先,循环型社会的建设需要社会全体成员的参与。循环型社会的建设不仅要求转变经济增长方式,更要求改变人们的生活方式。同时,循环型社会的建设涉及全社会经济生活的方方面面,需要公众的广泛参与。目前,从总体上讲,我国的公众基础比较薄弱:人们的资源忧患意识和节约资源、保护环境及资源的再利用意识还比较淡薄;人们还没有形成符合循环型社会要求的良好的生活习惯和行为方式。

对于社会公众基础的培育,我们可以通过广泛开展媒体宣传和舆论引导,从根本上改变人们的生产理念和生活观念,增强社会公众的忧患意识和节约资源、保护环境的意识;同时,通过宣讲、讲座等一系列教育活动,引导人们树立循环的理念,增强对循环经济和循环型社会的理解。我们要特别地加强对青少年的教育;并且,通过制定相应的法律、法规和政策来引导人们的行为规范,使他们自觉采纳绿色的生活和消费方式。此外,还要注重发挥公众在循环型社会建设中的监督作用。

其次,在循环型社会建设中要注重企业主体作用的发挥。从我们多年来对浙江区域经济发展的研究来看,浙江经济得以快速发展的法宝在于循环经济。浙江的企业,通过资源的回收再利用,大大地降低了生产的成本。因此,企业在发展循环经济的过程中,具有内在的动力。同时,在循环型社会建设中,一方面,我们可以通过税收减免、绿色补贴等法律制度的设计来激发企业节约资源,提高资源利用率,加强环境保护的动力;另一方面,我们也要通过立法来确定它的法律义务和责任制度,并可以采取扩大生产者责任的措施,促使生产者改进产品设计、促使生产者进行回收和循环利用。此外,在循环型社会建设的初始阶段,企业承担着大量的工作和主要的责任。所以,我们要通过法律、政策和制度的设计来激发企业在循环型社会建设中主体作用的发挥。

最后,技术在循环型社会建设中是关键。从传统的"自然资源—产品—废弃物"的线性经济到"资源—产品—再生资源"循环经济的转变能否实现,关键在于循环技术。只有大量的循环技术的应用,才能实现资源消耗的减量化、资源的再利用和资源的再循环,并且,这些应用技术在经济上也是具有可行性的。

对于循环技术,我们可以通过立法来鼓励对技术创新的研发,加强对创新技术的保护和先进技术的推广及应用。同时,制定相应的法律法规来限制落后技术工艺的使用,抑制废弃物的产生,促进资源的循环利用。

由此可见,完备的法律体系的构建是建设循环型社会的基础和核心,它的建立对社会公众基础的培育,对于企业主体作用的发挥,对于技术创新体制的形成具有全局性和基础性的作用。因此,在建设循环型社会的过程中,我们需要建立完整的、系统的法律体系。与此同时,国外的经验也表明,他们建设循环型社会都是从法律体系的构建开始的。

二、国外循环型社会法律体系构建的经验

新型社会发展模式的建立,需要有力的法律保障。在发达国家中,德国和日本最先尝试以法律手段促进循环型社会的建立。

德国是世界上最早开展循环经济立法的国家,在 1978 年推出"蓝色天使"计划后制定了《废物处理法》和《电子产品的拿回制度》。1994年又制定了在世界上有广泛影响的《循环经济和废物清除法》(1998 年被修订),1998 年根据这项法律制定了《包装法令》,1999 年制定了《垃圾法》和《联邦水土保持与旧废弃物法令》,2000 年制定了《2001 年森林经济年合法伐木限制命令》,2001 年制定了《社区垃圾合乎环保放置及垃圾处理场令》,2002 年制定了包括推进循环经济在内的《持续推动生态税改革法》和《森林繁殖材料法》,2003 年修订了《再生能源法》。

此外,德国及欧盟其他成员国还制定了以下几个方面的循环经济基本法律制度,主要是:抑制废物形成制度、循环名录制度、循环目标制度、循环程序和示范制度、技术与工艺标准及技术性指导制度、法律义务和责任制度、政府扶持制度、市场准入制度、市场运行制度、经济刺激制度和信息化建设制度等。

在日本,《循环型社会形成推进基本法》是建立循环型社会的基本法,于 2000 年 4 月 14 日由日本内阁会议通过并送国会批准。其结构

为总则、建设循环型社会的基本计划和建设循环型社会的基本政策,共计三章三十二条,系统地规定了循环型社会的概念、基本措施、基本要求、有关建立循环型社会基本计划的制定和政府、地方公共团体的对策等。这部法律对构建和统一循环型社会法律体系起到重要作用。

此外,日本循环型社会法律体系中还有其他几部重要的法律,如1995 年颁布的《容器包装循环法》、1998 年颁布的《家电循环法》、2000年颁布的《食品循环法》。除以上几部法律之外,日本还先后颁布和修订了《废物处理法》、《资源有效利用处理法》、《绿色采购法》等法律。这些法律构成了一个资源回收与再生利用方面的比较完善的法规体系,并且有着良好的实施效果。这为在日本建立循环型社会打下了坚实的基础。

从中我们可以发现,自 20 世纪 70 年代开始,发达国家就开始进行立法,来推动循环经济的发展和循环型社会的建设。但最初的推动力是基于解决经济发展带来的资源短缺和环境污染问题,而与此相适应的是,在循环型社会法律体系的构建过程中,这些国家有着发达的经济基础的保证和良好的社会公众基础(如绿色运动、环保思潮等)的支撑。

国外有关促进建立循环型社会的立法实践,对我国循环型社会立法工作有着重要的借鉴意义。我国是一个发展中国家,社会发展和经济建设正处在一个关键的十字路口。因此,我们要充分分析他们建设循环型社会法律体系的历史背景和社会经济条件,认真研究他们的先进经验和做法,并以此作为构建我国循环型社会法律体系的借鉴。

三、构建我国循环型社会法律体系的建议

我国的循环型社会,必须通过立法来推动并实现。因为当新的生产方式和社会发展模式尚未完全确立之前,社会成员受传统的生产观念和社会发展模式的影响,他们的观念和行为方式在很大程度上还需依靠法律的强制性约束来改变。

1. 构建我国循环型社会的法律体系是一个系统工程,所以立法要循序渐进,分阶段、分层次进行

循环型社会的法律体系可以分为三个层次:第一个层次是循环型社会基本法,如我国的《宪法》、《环境与资源保护法》,日本的《循环型社会形成推进基本法》,这是第一个层次,在这个层次上,我国要修改《环境与资源保护法》,制定循环型社会形成推进基本法,以此来指导、统领我国循环型社会的法律体系建设。第二个层次是循环型社会综合性立法,如《废弃物处理法》、《促进资源有效利用法》等。第三个层次是从微观角度制定专项立法贯彻基本法和综合法。

在这三个层次上的立法要分阶段进行,当然这里的分阶段进行不是说按照基本法—综合法—特别法的顺序进行,也不是单纯的从个别领域的特别法开始,然后综合性立法,最后再制定基本法。而应该是这三个层次的立法要同时开展,交叉进行,相互促进。

2. 立法要适合中国的国情,增强可操作性

立法只是法律实施和实现的一个前提,法律要能够得到很好的贯彻与实施,法律的制定就必须要适合中国的国情,要能解决中国的实际问题,而不能盲目地照搬国外的法律。这方面,在我国已经有深刻的教训。世界各国的地理条件、环境、资源、人口、文化等各具特点,各国必须建立与其自身特点和需求相适应的法律制度。我国作为一个发展中的大国,地区之间发展极不平衡,自然条件千差万别,环境问题十分复杂,因此中国的循环型社会立法只能坚持从实际出发,逐步建立起完备的循环型社会法律体系。同时,立法不能过于抽象、笼统,要充分进行协调与配合,增强可操作性,而不能造成政策宣示性质较为明显而法律意义不够突出的结果。

3. 循环型社会法律体系的建设要上升到整个国家战略的高度,而不能仅仅从某一个或几个部门的利益出发

目前,我国循环型社会立法过程中各个部门都从自己的利益出发来考虑立法问题,造成了各种法律与规范之间的不协调、不配套的状况。

4. 循环型社会法律体系的建设要弥补各种利益主体代言人缺失的现象,尤其是要保护弱势群体的利益

法律是调整各种利益主体之间权利义务关系的工具,在制定法律的过程中,应该充分平衡各种利益主体之间的利益,不能使法律成为强者获取不当利益的工具。而应当充分保护一些弱势群体的利益,实现公平正义。

5. 循环型社会法律体系建设的具体建议

(1)我国的立法工作应该从战略规划的高度,从顶层开始进行统筹设计,这是建设我国循环型社会法律体系的首要问题。目前,我国基本上是发现一个需要立法调整的问题时才开始立法的,一般是时机成熟一个再制定一个单行法。具体到循环型社会法律体系的建设,从日本的立法过程来看,也是先从个别法开始,逐步到制定《循环型社会形成推进基本法》。采取从个别立法到综合立法的原则,是因为日本直到近几年才认识到制定一部综合性的法律来促进循环型社会建立的必要性。而我国目前正在致力于推进循环型社会的建设,在这种情形下,我国首先就应该制定一个指导全局的、起统帅作用的推动循环型社会建设的基本法或基本法的原则性规范。因为先制定单行法,虽然会有利于解决眼前的问题,但却不利于各个单行法之间的协调与配套,而先制定基本法,再制定单行法,则不仅可以避免这一矛盾的产生,并且还可保证促进循环型社会建设的法律体系的协调与统一。

(2)强化权利——义务——责任的立法规范布局。目前,我国的循环型社会的立法大多是宣示性、口号性的规范,没有具体权利义务责任的规定,缺乏可操作性。所以,在构建循环型社会法律体系的过程中,必须考虑增强法律的可操作性,强化义务与责任意识,使决策者、生产者、设计者、销售者、使用者、处理者等均纳入法律规范的调整范围。具体从两个方面加以重点考虑:

第一,明确政府建设循环型社会法律体系的义务。对于政府在建设循环型社会中的作用,应以义务性规范为主,而且这种义务主要应集中在"利益机制的建立"方面。另外,公众信息系统的建立也是政府工作的重点。

第二,扩大生产者责任。所谓扩大生产者责任,是指生产者即使在其生产的产品被人使用、被人废弃以后,仍负有一定的对其产品进行适当的循环利用和处置的责任。采取扩大生产者责任的措施,可以促使生产者改进产品设计、改善产品的原料和成分、促使生产者进行回收和循环利用等。

（3）科技支撑和示范制度。循环型社会的建立需要大量现代科技的有力支撑，这些现代科技应当包括清洁生产技术、信息技术、能源综合利用技术、回收和再循环技术、资源重复利用和替代技术、环境监测技术等。所以，要通过立法对一些先进技术给予专利保护或奖励，加大对科技创新的投入，通过典型企业的示范带动全社会的技术创新。

（4）充分发挥市场机制的作用。充分发挥市场机制在循环型社会建设中的资源的有效配置作用，建立市场准入制度、循环经济发展激励制度、绿色消费鼓励制度、征收环境税费制度、排污权交易制度等，以充分发挥市场机制的这只"无形之手"间接调控作用。

（5）公众参与制度。公众参与是促进循环型社会法律体系建立不可缺少的重要手段。一方面，在循环型法律体系的过程中，应当广泛听取广大人民群众的意见和呼声，吸取人民群众的智慧，鼓励人民群众参与发展循环型社会的积极性和创造性。另一方面，建立全民循环型社会教育制度，提高全民环境与循环意识，自觉采纳绿色生活和消费方式。此外，在循环型社会的建设中要充分发挥公众的监督作用。

（杜欢政：长三角循环经济技术研究院

（浙江）院长、嘉兴学院副院长）

关于循环经济立法中的若干问题

季　昆　森

　　循环经济是从国外引进的,为什么在短短几年时间内,特别是近两年来,在全国各地形成蓬勃发展之势。一是党和国家的高度重视;二是国家有关部门和各地党政领导的大力推动;三是这种经济模式符合自然、经济、社会发展的良性循环的客观规律;四是近两年全国各地涌现了一大批发展循环经济的先进典型,这些典型的示范效应逐步扩大;五是基层广大干部群众对发展循环经济的热情高;六是我国经济增长方式太粗放。国内外的实践证明,循环经济是转变增长方式的有效的基本形式,在中国推行循环经济显得尤为迫切,尤为重要。

　　如何把循环经济这种蓬勃发展之势引向更广泛、更深入、更持久、更好地解决我国经济社会发展中存在的深层次矛盾和问题,一个急需解决的重要问题是加强循环经济的法制建设。

　　加快循环经济立法是实际有需要,中央有要求,全国人大有安排。早在九届全国人代会期间就有全国人大代表提出关于制定循环经济促进法的建议。在十届全国人大一次会议上,又有全国人大代表提出关于制定废旧物资回收和综合利用法的议案。十届全国政协委员也向全国政协十届一次会议递交了应当抓紧制定循环经济促进法的提案。此外,在征求对十届全国人大常委会立法规划建议时,国务院有关部门和一些著名专家学者也提出应当尽快制定循环经济促进法。在近几年的"两会"上,循环经济成为两会热点,引起人大代表、政协委员们的强烈关注。

2003 年 3 月下旬,我和安徽省人大常委会城建环资工委的同志到全国人大环资委向毛如柏主任汇报工作时,毛主任谈到十届全国人大环资委立法打算时就把循环经济促进法列在其中。2003 年 11 月 6、7日,全国人大环资委毛如柏主任、冯之浚副主任在上海大学主持召开的中国循环经济发展论坛上,不少同志提出要加快制定循环经济促进法。2005 年 3 月 12 日,胡锦涛总书记在中央人口资源环境工作座谈会上明确要求,"要加快制定循环经济促进法"。2005 年 11 月 5 日,盛华仁副委员长在厦门召开的中国循环经济发展论坛上说,全国人大常委会已将循环经济立法列入立法规划,"循环经济促进法"的"促进"二字容易造成可执行可不执行的问题,因此决定将"促进"二字拿掉,叫"循环经济法",使这部法律成为各行各业,各个方面都必须严格遵守的行为规范。

根据全国人大常委会的研究决定,全国人大环资委成立了循环经济立法起草领导小组,在国家发改委等有关部门的共同参与下,正在抓紧起草工作。

循环经济是一种全新的经济发展模式,制定循环经济法是一项全新的事业。国外虽有这方面的法律,但无法照抄。国内虽有与循环经济有关的法律,但那都是某一个方面的法律,而循环经济法却是一部全局性、综合性很强的法律,要处理好"循环经济法"与相关法律的关系,既不要重复,又要注意衔接,防止出现立法原则性问题上不一致的地方,在有些方面立法上该强化的要强化。制定这部法律既要强调可操作性,又要做到统领经济社会发展的整体和全过程,防止出现明确了某些方面的可操作性,而在许多该管的地方管不到。因此,制定好"循环经济法"难度不小。本人虽然从事循环经济理论研究和实际应用多年,但对循环经济立法却没有做过具体研究,这里仅谈一些粗浅看法。

一、借鉴国外关于循环经济立法的经验

当前发达国家规范循环经济大致有两种立法模式:一种是污染预防型,如美国、加拿大等国,将清洁生产纳入预防污染的法律框架,属于环境法。如美国于 1970 年就施行的《国家环境政策法》,具有最高的

基本法地位,与之配合的有《清洁水法》、《清洁大气法》。另一种是循环经济型。先驱者是德国,比较完善的是日本。这里着重介绍第二种。

(1)德国循环经济立法。1972年德国制定了《废弃物处理法》,该法仅强调废弃物排放后的末端处理。1986年将其修改为《废弃物限制及废物处理法》,发展方向从怎样处理废弃物的观点提升到了怎样避免废弃物的产生。在此基础上,1991年通过的《包装条例》,将各类包装物的回收规定为法定义务,规定了包装物再生循环利用的目标。1992年制定了《限制废车条例》,规定汽车制造商有义务回收废旧车。1996年《循环经济与废物管理法》问世,把废弃物处理提高到发展循环经济的高度,并建立了系统配套的法律体系。据有关报道,德国现有约8000部联邦和各州的环境法律、法规,加上欧盟的400个环境法规,形成庞大的体系,其核心是规范废物清除的法律。德国从1995年起规范垃圾分类。1991年颁行的《商品法》,扩大了企业的产品责任,"制造商要对产品整个生命周期负责",由出售商品的商家负责回收,由制造商负责再生利用,即"谁卖谁负责,谁造谁负责",实行"绿点"制度(在各种包装上印有一个圆圈一个箭头组成的图案,要求回收)。近年来玻璃的再利用率达到90%,废纸60%,塑料50%,剩下不可回收的混合垃圾由国家组织公司负责,80%焚烧、供热,其余废渣做建筑材料或铺路,把整个生产与消费系统规划成了循环经济。2005年我看到一个报道,德国对垃圾处理有一个突破性的观点,把垃圾再生利用作为一种产业,垃圾不准烧、不准埋,采取BOT方式招标,谁掌握了这方面技术,就把垃圾给谁。

(2)日本循环经济立法。继德国推行循环经济法之后的日本,可以说是青出于蓝而胜于蓝,形成了目前世界上最完整的循环经济法体系。日本政府在20世纪90年代初就意识到需要建立一个新的社会经济系统,从而更好地克服和面对即将到来的21世纪的环境和资源问题的压力。1997年7月,日本产经省的产业协会提出了一份题为"循环型经济构想"的报告。报告简述了日本所面临的严峻的资源与环境问题,提出了关于建立循环型经济的构想。该报告得到了公众的积极响应,日本将2000年定为"循环型社会元年",并在内阁通过了《促进建

设循环型社会基本法》等六项法案,加上原有的有关法律法规,形成了
较为完善的循环型社会法律保障体系。(见图1)

图1 日本循环型社会法律保障体系

《促进建设循环型社会基本法》首先对循环型社会作了定义:努力
控制产品成为废弃物等行为的产生,在产品能够利用为循环资源时,采
用适当可行的循环利用方法加以利用,在产品最终不能被循环利用时,
采取适当处理,以此控制自然资源的消耗,建立最大限度减少环境负荷
的社会体系。该法规对废弃物处理的优先顺序为:控制废弃物的产生
(减量化)——再次使用(资源化)——再生利用(资源化)——热量回
收(资源化)——最终处理(无害化)。此外,为推动实现循环型社会,
该法中还规定了中央政府、地方政府、企业及公众的责任。

《资源有效利用法》被认为是2000年日本出台的法律当中最重要
的法。法律要求行业主体将3R原则从产品的生产至回收处理贯穿始
终。指定了7个类目的产品和行业具体实施3R细则。并在内阁通过
了一份包括10个行业69种产品的执行清单(如表1),此清单从2001
年4月起生效。实施要点为:通过产品节省原材料、提高使用年限来控
制废弃物的产生;引入产品部件的再生机制;行业主体有义务有计划地
努力寻求控制副产品的对策及回收再利用的对策;行业主体有义务对
产品进行回收再利用;经过指定的产品必须贴上相应的标签,以便于产

循环经济立法研究

品的回收和利用。

表1　实施促进有效利用资源法的行业和产品类别目录

行业和产品名	副产品的减量和回收	物质的再生利用	物质的循环利用	减量化设计	再利用设计	循环利用设计	回收物标签	公司的回收和循环利用	副产品的循环利用
	资源回收业	资源再利用业		资源节约型产品	资源再利用型产品		标签产品	转型利用产品纸	特定的副产品
旧法中名称			特定行业			指定产品1	指定产品2		指定副产品
容器包装 PET瓶							○		
钢罐							○		
铝罐							○		
玻璃罐							—		
塑料		○					●		
纸张							●		
纸张		○							
汽车				●	●	○			
家电 家电微波炉				●		○			
熨斗				●		●			
充电用品				●		●		●	
燃油/器装置				●		●			
铁质家具				●		●			
个人电脑				●	●	●		●	
充电电池							●	●	
弹球游戏机				●	●	●			
洗浴器						●			
整体厨房						●			
复印机	●				●				
HVC管材,槽/框			●				●		

	副产品的减量和回收	物质的再生利用	物质的循环利用	减量化设计	再利用设计	循环利用设计	回收物标签	公司的回收和循环利用	副产品的循环利用
VC 板材/墙纸							●		
钢材业	●								
纸浆制造业	●								
化学制造业	●								
汽车业	●								
电子业									
建筑业									

说明:1. HVC:硬氯乙烯树脂;VC:氯乙烯。

2. 空心圆圈表示旧法已列出;实心圆圈表示 2001 年 4 月列出。

3. 共 10 个行业,69 种产品。

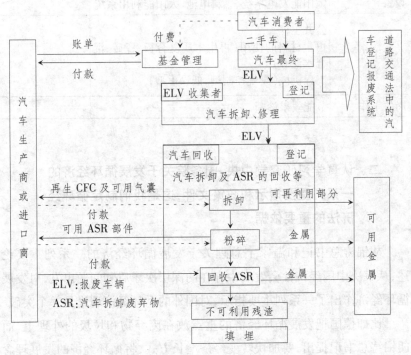

图 2　日本汽车回收法系统图

附件　日本绿色消费中特定环境商品目录及判定标准

分类	特定消费品名录	判定标准
纸张	信息用纸、印刷用纸、卫生用纸	旧纸使用率、色度等
购入印刷品	购入印刷品	
文具类	削笔器、圆珠笔、剪刀、糨糊、胶卷等 49 个名录	再生材料（再生塑料、消耗材）的使用
器材类	椅子、桌子、书架、黑板等 8 个名录	
办公电器	复印机、计算机、打印机、传真机等 7 个名录	能源利用率等
家用电器	冰箱、电视、空调、录像机等 6 项	
照明	荧光灯照明器具	
汽车	低公害车（GDP 汽车、混合燃料汽车）、其他汽车	废气、燃料费
制服工作服	制服、工作服	再生树脂的使用
工作手套	工作手套	
室内装饰、睡衣	地毯、窗帘、卫生抹布	
设备	太阳能发电系统、燃料电池、太阳能利用系统	
公共工程	公共工程 再生材料的使用（再生木质复合板、瓷砖、混合水泥等） 工程机械（废气控制型、低噪声型）	
岗位工作	节能效果诊断	

二、认真学习研究党中央、国务院关于发展循环经济的一系列重要指示和政策文件，这是我们制定循环经济法的重要依据

胡锦涛总书记和温家宝总理关于发展循环经济的一系列重要论述，从解决中国经济社会发展中存在的深层次矛盾和问题出发，对发展循环经济作出了一系列重要指示，对国外的循环经济理论是一个突破。

比如德国把发展循环经济的重点放在废弃物和垃圾的处理上，而胡锦涛总书记提出，要加快转变经济增长方式，将循环经济的发展理念贯穿到区域经济发展、城乡建设和产品生产之中，使资源得到最有效的

利用。最大限度减少废弃物排放,逐步使生态步入良性循环。在 2003 年 11 月 27 日中央经济工作会议上首次提出,大力发展循环经济,加快建设节约型社会。胡锦涛总书记还强调,积极发展循环经济,实现自然生态系统和社会经济系统的良性循环,为子孙后代留下充足的发展条件和发展空间。要在资源开采、加工、运输、消费等环节建立全过程和全面节约的管理制度。组织部门要会同有关部门抓紧研究考核标准,对纵容破坏资源和污染环境行为的干部,不仅不能提拔,还要依照纪律和法律追究责任。并明确提出,要在生活方式和消费方式两个方面积极发展循环经济,大力开展节约活动。在十六届四中全会上胡锦涛总书记强调,加快发展循环经济。抓紧解决严重威胁人民群众健康安全的环境污染问题,推动整个社会真正走上生产发展、生活富裕、生态良好的文明发展道路。

温家宝总理强调,大力发展循环经济。缓解能源和重要原材料供求矛盾,提高我国经济持续增长的资源保障能力,根本出路在节约。必须转变经济增长方式,坚持开发与节约并举,把节约使用资源放在优先位置,建设资源节约型社会。这是一项符合我国国情、在整个现代化建设进程中必须始终坚持的重要方针,是一项需要锲而不舍抓好的长期任务。当前,要突出抓好节煤、节电、节油、节水和降低重要原材料消耗工作。发展循环经济,可以提高资源利用效率,降低废弃物排放,提高经济效益。这是许多发达国家的成功做法,也是我国应对环境资源压力的必然选择。要研究制定鼓励废物回收和资源再生利用的政策法规。开展清洁生产,加强工业废石、废渣、废液、废水和废旧工业品的二次开发利用,建立一批循环经济型企业。建立城乡废旧物资和再生资源回收利用系统,提高资源循环利用率和无害化处理率。温家宝总理还强调,加快发展循环经济。切实做到从节约资源中求发展,从保护环境中求发展,从发展循环经济中求发展。坚持开发和节约并举,把节约放在首位的方针。抓紧制定发展循环经济的政策措施。加快推行清洁生产。

十六届五中全会《建议》提出,发展循环经济是建设资源节约型、环境友好型社会和实现可持续发展的重要途径。

综上所述,可以看出党中央、国务院关于发展循环经济的一系列重要指示,内容十分丰富,内涵非常深刻,覆盖面广。我们在立法过程中,要认真学习、深入领会其精神实质,力求用法律语言加以表述。

三、总结经验

总结全国各地城市、乡村、工业、农业、园区等各方面发展循环经济的典型和经验,将这些新鲜经验加以归纳、提炼,上升到法律条文。还要广泛听取基层、企业在推行循环经济过程中碰到的难题,在立法时做出规定。

四、关键是要转变、创新思维方式

循环经济理论从一开始就是创新的产物,是从解决经济发展与环境保护的矛盾入手,从解决传统的思维方式、发展模式入手提出的一个全新的经济发展模式,是对传统的线性经济的革命。因此,起草循环经济法首先要从传统的、线性经济的思维定势中跳出来。过去我们是在线性经济的思维方式指导下来搞立法工作,制定出的一些法律、法规很难跳出线性经济的框框。尽管我们在这方面立了不少的法,也在不断开展执法监督,但成效并不理想,原因很多,其中很重要的一条是,就环保抓环保,就资源抓资源,就城建抓城建,没有找到问题的根源和防治对策。没有从转变经济增长方式上去思考问题,寻求对策。比如,治理淮河、巢湖的水污染问题,采取抓污染大户,关停"十五小"、"新五小",死看硬守的办法,堵的办法,包括我们在这方面的立法和执法监督,也都是按这个思维方式去做的,虽然我们做了大量艰苦的工作,但只能管一时,不能管长远,只能治标,不能治本。因此,我们必须转变思维方式,从传统的单向的线性经济思维方式转向闭环流动的循环经济的思维方式上来,按这个思维方式来起草循环经济法,按这个思维方式来解决立法过程中遇到的相关问题。同样,关于资源工作,如果仅凭现有的法律法规,不转变增长方式,不从源头成倍地减少资源消耗和采用新的替代品,不从线性经济转向循环经济,不充分运用减量化原则,加快资源节约型社会建设,不对资源和废弃物进行再利用、再循环,要想解决全面建设小康社会和现代化建设进程中对资源的瓶颈制约问题,也是不可能的。关于城乡建设,国内外的城市化、城镇化发展的进程表明,城市(城镇)是经济上的明星,生态上的黑洞。我们要按照胡锦涛总书记提出的,要加快转变经济增长方式,将循环经济的发展理念贯穿到区域经济发展、城乡建设和产品生产之中,使资源得到最有效的利用。用循环经济的理念来指导城市(城镇)建设,逐步从规划、设计、建设、管理等各个环节向生态型城市(城镇)发展。在当前,急需抓好建筑节能省地治污工作。

五、制定循环经济法要注意把握的一些地方

(1)循环经济法是一部覆盖经济社会发展全局的基本法,它与《清洁生产促进法》、《固废法》、《水污染防治法》、《大气污染防治法》、《可再生能源法》、《节约能源法》等法律虽然密切相关,但这些法律是从某一方面来进行法律规范的,而循环经济法是管全面、管全过程、起统领作用的。全国人大常委会将“促进”二字拿掉,就是要强化这部法律的刚性、强制性、可操作性。但是一部法律又不可能把所有方面都规范得很具体、可操作。这就需要在立法的技巧上既要有可操作性,又要把发展循环经济是落实科学发展观、转变经济增长方式、建设资源节约型社会、环境友好型社会和实现可持续发展的重要途径这一根本宗旨,渗透到国民经济和社会发展的总体和专项规划、计划制定工作中,渗透到经济结构的战略性调整中,渗透到高新技术园区和经济技术开发区的产业、企业布局中,渗透到国家支持的产业、项目的安排中。要时时处处运用循环经济的原理来分析审视各行各业,各个方面工作的现状,重新规划调整发展思路,工作思路,将线性经济的思维方式转向闭环流动的循环经济思维方式。在解决操作性问题上,可借鉴上述日本的做法,由国务院制定各个行业、各类产品具体实施循环经济原则的执行清单。

(2)在起草和制定循环经济法的过程中,还要解决一个“中国不行、现在不行”的思想问题,有些同志认为中国太大,影响经济社会发展的资源、环境瓶颈制约方面的问题多,慢慢来,不要急,立法规定严格了办不到。我们认为,现在是解决这个问题的最好时机,广大群众有要

求,党中央、国务院有号召。前不久,吴邦国委员长在上海视察工作时,强调要实行环保一票否决权。我们研究问题的出发点首先不要讲"不行",而要研究"怎样做才行"。广大专家学者、科技人员和干部、群众中蕴藏着巨大的智慧、潜能和创造力,只要坚定不移地贯彻十六届五中全会提出的坚持自主创新,就一定会取得突破性的进展。

(3)根据温家宝总理多次讲话的要求和国发〔2005〕22号文件精神,在立法中对财政、税收、价格、金融、投资、生态补偿、市场准入等政策都要作出明确的刚性规定,这既是加快发展循环经济的动力,也是压力,既有吸引力,也有惩罚力,这是用实际利益引导发展循环经济的指挥棒。

(4)对循环经济的宣传教育投入必要的人力、物力、财力,在立法中要作出明确规定。宣传教育要从娃娃抓起,增强全民族的忧患意识和社会责任感。法律的有效性取决于广大人民群众的觉悟和积极参与。还应在立法中作出规定,把一部分政府职能转移给群众团体和中介组织,发挥群众团体和中介组织在宣传推行循环经济中的参谋助手作用。

(5)要明确和强化执法主体的责任。国发〔2005〕22号文件指出,循环经济由国家发改委为主抓,但鉴于循环经济法是一部综合性的法,因此,在明确国家发改委为循环经济法执法主体的同时,还要明确各有关部门的执法责任。对执法队伍、执法经费和手段都要作出明确规定。我们国家实行的是社会主义市场经济,但是在有些方面推行循环经济,比如建筑节能往往是市场失灵的地方,必须强化行政干预。对废弃物要明确其权属和价格控制,防止普遍利用起来,引起不必要的权属争端和漫天要价,影响废弃物再生利用产业的发展。总之,对中央政府、地方政府、企业和公众在发展循环经济中的责任都要有明确的规定。

(季昆森:安徽省循环经济研究会会长)

关于循环经济立法的几点思考

蒋 慧 工

　　各国实施循环经济的经验表明,法律法规体系是循环经济得以顺利推进的重要保证。在市场经济条件下,对于企业在生产或服务过程中浪费资源、污染环境等"负溢出"行为,必须依靠法律法规和社会舆论进行监督和制约。2002 年以来,我国先后出台了《清洁生产促进法》和《中华人民共和国环境影响评价法》等法律和法规,对建设项目进行环境影响评价,对产品制造进行清洁生产规范,逐步推动环境保护介入经济社会发展综合决策。我国循环经济立法工作已进行了有益的探索,但数量、内容和覆盖面上尚不能达到建设资源节约型、环境友好型社会的要求。党中央国务院号召"发展循环经济,建设资源节约型社会"后,全国人大正在考虑加快循环经济立法,这是一项非常及时重要的决定和措施,必将指引我国循环经济的健康发展。本文从实践角度对循环经济的立法提出若干建议。

一、加快出台循环经济"基本法"

　　当前,最紧迫的是要制定和颁布循环经济基本法,为全面开展循环经济工作提供根本性法律依据。循环经济基本法是循环经济工作的母法,是各地或各类循环经济法律法规的指导性法律文件,应当是一部比较全面、比较原则的法律,同时对某些内容也应当具体规定,能直接规定政府、企业和其他团体开展循环经济工作。循环经济基本法既要包含《清洁生产促进法》和《中华人民共和国环境影响评价法》等已经出台法律法规的主要内容,又要为今后具体领域循环经济立法和地方循环经济立法指明方向,留出空间。循环经济基本法至少应当在以下几方面提出明确要求:

1. 规定政府推进循环经济工作的法律责任

政府是循环经济的推进主体。循环经济基本法应当对政府开展循环经济工作的职责、工作范围、工作方式提出明确要求。这既是对政府转变职能、履行社会管理功能提出的具体要求,又是为政府依法行政提供依据。循环经济基本法应当规定政府履行以下职责:

(1)研究制定发展循环经济的战略目标和总体规划。各级政府应将提高资源利用效率、减少资源消耗、减少污染产生纳入各级政府经济社会发展战略目标。按照社会管理、公共服务的职责,政府要做好静脉产业及垃圾管理的规划,研究垃圾资源化处理的各种方案,根据垃圾的产生量、垃圾的成分和构成以及垃圾的分布特点,统筹建设焚烧发电、生化堆肥、回收利用等垃圾处理设施。将循环经济各方面的研究纳入中长期科技发展规划,提出重点研究的关键技术,尤其是大幅度提高能源和资源利用效率的技术和以废弃物为原料的新型工业技术。

(2)调整产业结构和能源结构。政府应大力发展以服务为重点的现代服务业,以知识为特征的创新创意产业,以高科技为主的先进制造业。坚决淘汰技术落后、资源浪费、污染严重、没有市场、治理无望的生产工艺、设备和企业。以产业集聚为抓手,推动生态产业链和生态园区的建设,不断促进减物质化。调整能源结构比重,将开发可再生能源(如风能、太阳能)列入发展规划,逐步提高可再生能源使用的比重。

(3)加大对循环经济的投入。政府应通过建立循环经济发展基金、发行建设债券、财力支出、税收转移支付等方式,确定对循环经济投入的具体数额或比例。通过财政贴息、优惠贷款等途径,引导企业资金和民间资金投入循环经济各项工程,如生态工程、环境综合治理、重点技术攻关等重大项目。循环经济基本法应规定全社会循环经济投入的最低限,如占国内生产总值的1.5%以上(国际水平为2%左右),以后逐渐增加。

(4)制定政策体系。发展循环经济仅靠法律法规还不够,必须要有一套政策体系来促进循环经济法律法规落到实处,鼓励有助于发展循环经济的行为,处罚违反循环经济的行为。这是政府的职责,下文将具体阐述。

(5)建立环境信息公开发布制度。定期在权威媒体向社会公布"环境质量"指标及相关报告。与此同时,建立企业环境表现公开制度,鼓励公众监督企业的环境行为,促进全社会参与循环经济的建设。

2. 规定企业开展循环经济的法律义务

企业是循环经济的实施主体。无论是减少资源消耗,还是治理环境污染,企业都有不可推卸的责任。循环经济基本法要对企业参与循环经济工作提出明确要求。

在市场经济条件下,以法律形式规定企业开展必须做到同时也能够做到的循环经济工作,是法律的使命,符合国际惯例。循环经济基本法应对资源使用高于国际水准、污染排放影响周边环境的企业提出资源化、减量化、再利用的明确要求。

鼓励企业积极开发循环经济各类技术。要立法规定资源消耗大的企业或污染严重企业必须研发生化处理技术、纳米工程技术、轻型化技术、节水技术、节能技术、房地产开发中的"四新技术"(新材料、新工艺、新技术、新设备)等适用于本企业"减量化"或"资源化"的技术,并加以实际运用,促使企业通过应用新技术而降低成本。

政府与企业共同攻关,突破技术难点。对发展循环经济迫切需要解决的,带有全局性、方向性、基础性的技术难点或成本难题,如固体或电子废弃物污染治理、贵金属回收等技术,又如生活垃圾无害化处置、废塑料循环利用等方法,要立法规定政府与企业共同攻关解决。对成熟的循环经济技术,如生活垃圾生化堆肥技术等,应立法规定全面推广运用,并借此培育一批环保产业。

3. 规定城乡居民和农民承担循环经济事务的基本要求

广大老百姓是推进循环经济的基础。循环经济要成为全民的一种理念,形成一种行为规范。所以循环经济基本法也应对老百姓提出基本要求。主要有:

(1)加强宣传教育,特别要求教育部门在教材和平时学校教育中,加入循环经济的教育内容。

（2）要以"八荣八耻"为指南，引导群众养成若干方面的节约习惯。

（3）以居委会或村委会为单位，组织公民开展循环经济事务等。

二、循环经济立法应当注意的其他几个问题

1. 建立循环经济法律法规体系

为使循环经济工作能更有效地展开，还应当编制和颁布不同领域和不同地方的循环经济具体法律法规，形成循环经济法律法规体系。在日本、德国等先进国家，发展循环经济既有基本法，又有众多与之配套的单项法规。例如日本在《环境基本法》之下，还制定了《循环型社会形成推进法》及废弃物处理、资源有效利用，政府绿色采购、容器包装、家电、建筑材料、食品、汽车再生利用等八部配套的专门法规。

中国经济社会正处在转型期，经济发展阶段处于从农业经济转向工业经济，经济发展模式正在从计划经济转向社会主义市场经济，在这样的大转型时期，过去的法律法规可能不完全适应了，面对层出不穷的新情况，需要新的法律法规来规范社会行为。尤其在农业经济转向工业经济时，必然伴随资源消耗过多、环境污染过重等问题。这些问题在不同领域、不同地方会有不同表现，因而需要根据不同情况制定适应不同领域或地方特点的具体法律法规，以实实在在解决循环经济方面存在的问题。循环经济法应当是一整套法律法规体系，既包括国家颁布实施的相关法律和行政法规，又包括省、自治区、直辖市人大审议并通过的地方法规和相应地方政府制定的规章，以确保循环经济工作有效开展。

2. 保障经济社会可持续发展

发展循环经济是落实科学发展观的重要途径。换句话说，循环经济的立法目的是为了科学发展。所以循环经济法在规范政府、社会、企业行为时，既要约束它们更好地保护自然和生态，更有效地节约资源，又要鼓励它们促进经济社会更快地发展。也就是说，循环经济立法要适当，要能促进政府和企业以尽可能低的资源消耗，尽可能少的环境污染，争取尽可能快的发展速度，促使经济社会又快又好发展，避免出现

偏差。

3. 循环经济立法过程要让不同利益主体参与

循环经济立法的关键在于落实。我国不少法律因群众和企业参与度不够，或多或少存在执行难问题。循环经济立法涉及政府、企业、老百姓各个层面各个角落，不同利益主体对同一措施会有不同态度。如果立法过程没有政府部门、企业、老百姓的参与，不免出现考虑不周或不切合实际的问题，实施时就会遇到困难，这就削弱了循环经济立法的意义。

所以，无论是循环经济基本法或各领域的专门法，抑或地方性法规，在立法过程中要充分听取各级政府部门，企业尤其是污染排放较重的企业，以及广大老百姓意见，扩大企业和百姓参与度，提高立法过程的透明度，使得循环经济法律法规能真正成为规范社会行为的准则。

三、鼓励地方设定地方性法规和政府规章

由于全国人大就某单项循环经济法的立法所需时间较长，为尽快推动循环经济的实施与发展，应鼓励各地针对本地的实际情况和发展需要先行立法。前一阶段，贵阳出台了促进循环经济发展的地方性法规，起了很好的示范作用。各地人大和政府应根据本地情况设立地方法规或政府规章，使得循环经济的实施更有针对性，同时也为国家立法提供实践经验和参考。

目前，应鼓励各地加强在以下方面的立法：一是认真贯彻落实已有相关法律法规和规定，如《清洁生产促进法》、国务院《关于进一步开展资源循环利用的意见》等，在废弃物的收集、处理、利用方面，在促进能源和资源消耗减量及生活垃圾减量化、资源化等方面设立具体的地方法规或规章。二是对互相关联的法规进行整合，在发展循环经济的激励、惩处、支持等方面，形成较为系统和一致的规范。比如在上海可融合《上海市饮食服务业环境污染防治管理办法》、《上海市废弃食用油脂管理办法》、《上海市一次性塑料饭盒管理暂行办法》和《上海市餐厨垃圾处置和管理试行办法》四个法规、规范性文件，提出地方性的《上海市饮食服务业预防污染和环境管理》，以便统筹实施。三是加强循

环经济法规体系的研究,抓紧制定相应的地方规范性文件,如《再生资源回收管理办法》、《电子电器回收管理办法》、《促进清洁生产实施办法》、《重点行业清洁生产评价指标体系》、《强制回收的产品和包装物回收管理办法》、《节水和循环用水、中水回用管理办法》等。

四、关于配套政策

循环经济的发展需要改变现有利益格局,把生态环境和基本资源作为生产要素进入市场"流通"。因此,除了强行立法外,还需制定一系列政策,配合法律法规的施行和执行。循环经济的建立和运行所需要的政府推动和公众参与,在政策制定和实施过程中要得到贯彻和体现。政府要研究制定有利于发展循环经济的产业政策、科技开发政策、财税政策、消费政策、投融资政策等,以确保法律法规得到实际施行。当前,拟先研究以下政策:

1. 产业政策

提高招商引资的质量。支持鼓励发展生态工业,限制污染产业的进入,凡进入的项目,不但要看其是否符合产业政策和导向以及产品的技术含量,而且还要看企业有无清洁化生产的能力、技术、设备和措施,保证增量部分不再对环境造成新的损害。

技术改造政策。采取扶持措施改造损耗大、排放多的工业企业,支持企业采用积极的方式和措施恢复环境的清洁面貌,逐步弥补以前对环境的欠账。

扶持垃圾产业政策。据资料显示,国外垃圾产业是一个稳定的低利润产业,垃圾产业中垃圾收入和投资基本持平,其收入包括:①居民垃圾收费:占总垃圾成本的26%左右。②产品售出收入:包括卖塑料、卖电等。③政府财税补贴:包括城市维护税等。④循环利用法中规定的厂家补贴:占总垃圾成本的54%。所以应当研究合理的垃圾产业扶持政策,特别是要研究实施对垃圾处理企业的优惠政策,包括减免税政策、财政补贴政策等,创造条件实现垃圾处理的产业化。

实施电子废弃物及危险废物收集资质政策。提高此类企业进入门槛,由有专项资质企业控制该类废弃物的收集、处理,建立生产企业和流通领域之间的回收网络,防止无序竞争和造成二次污染。

2. 消费政策

押金返还制。购物者在购买商品时先支付一定数量的押金,当商品消费后,商品的包装或容器返还给零售商和生产者,消费者收回所付押金。这样可以使包装物得到适当的集中处理或者再利用,避免污染的同时减少了垃圾处理的压力。作为一种固体废物污染控制的手段,押金返还制在发达国家特别是在北欧国家,如丹麦、芬兰、瑞典和挪威、荷兰等应用极为广泛,而且较为有效。中国也应当尝试通过强制手段促使押金返还制的推广。在具体实施时,因为要提高产品的价格,以便在返还产品废弃物时付还较高的返还金,就给销售商的价格投机带来便利,所以必须在政府的干预下进行。

倡导绿色消费。鼓励消费未被污染或者有助于公众健康的绿色产品,推行政府绿色采购制度(采购额不低于采购总额的5%,并逐步提高),支持绿色产品生产企业的发展。引导消费者转变消费观念,改变公众对环境不宜的消费方式和行为,减少对一次性产品的使用和依赖,从城市的产品功能上挖掘减物质化的潜力。

制定生态环境和基本资源的价值评估制度。由于物质循环是建立在价格机制基础上的,因而必须保证企业循环利用资源和保护生态环境具有价格优势。价值评估制度的建立有助于循环经济市场化运行的推进。

3. 财税政策

补贴是财政补助形式的总称。在环境管理领域,补贴的目的在于促进污染者改变其不利于环境的活动,减少环境污染,或者帮助在执行环境要求中有困难的企业。补贴一般包括以下几种形式:补助金,指污染者采取一定措施去降低污染而得到不需返回的财政补助;长期低息贷款,是指通过政策性银行贷款或政府补贴利息,对采取防治污染措施的生产者给予支持;回收补贴,是指对从事回收再利用的活动给予一定形式的财政支持,鼓励混合使用原生材料和再生材料,以节约自然资源。但回收补贴过大,会导致过度生产、消费,以致产生更多的废物,因此,补贴额应合理制定。

　　制定发展循环经济的补偿政策。经相关部门认定,对发展循环经济作出较大贡献的单位和企业实施财政补贴。凡开发利用绿色能源、生产绿色产品、保护恢复生态环境的单位或企业可申请补偿,经认定后,通过不同的渠道兑现;对行动迅速、效果明显的企业给予相应的财税奖励;对行动不力、效果较差的企业给予相应的财税处罚,收费标准应达到或超过污染治理量的投入。

　　在中国,进行循环经济立法是项庞大和繁杂的工程。如果制定出可行和有效的法律法规,推进循环经济工作就比较顺利,反之,则劳民伤财。本文尝试从就实践中碰到几个问题提出粗浅的建议,仅供参考。

　　　　　　　　　　　(蒋慧工:上海浦东新区发展和改革委副主任)

关于推动云南省循环经济
法制建设的思考

赖于民　马敏象　夏宇

循环经济全称为物质闭环流动性经济,是相对传统线形经济而言的,本质上是一种生态经济。它要求运用生态学规律来指导人类社会的经济活动,其基本特征是通过科学技术的应用和相关政策法律制度的保障,实现物质和能量的反馈式利用。循环经济作为一场变革传统生产方式、生活方式的社会经济活动,必须以法制为支撑来实现自身稳定而有序的发展。目前,世界上许多国家都把发展循环经济,构筑循环型社会体系作为实现环境与经济协调发展的重要途径,并不断加大对循环经济的法制建设,以法律形式对循环经济加以肯定和规范,使循环经济成为21世纪经济新亮点和当今世界的潮流。

一、国外相关立法概况

发达国家发展循环经济的政策、立法借鉴。自从20世纪90年代国际社会确立可持续发展战略以来,德国、日本、美国等国家把发展循环型经济、建立循环型社会看做是深化可持续发展战略的重要途径。循环经济已经成为整个国际社会经济发展的一股不可阻挡的潮流和趋势。以立法推动循环经济发展是西方国家的重要举措,这为我国以立法推动循环经济发展能提供很好的启示和借鉴。

1. 德国的循环经济立法

德国在发展循环经济方面走在世界前列。德国的废弃物处理法于

1972 年制定,但当时只是强调废弃物排放后的末端处理。1986 年德国制定《废物管理法》,强调要通过节省资源的工艺技术和可循环的包装系统。把避免废物产生作为废物管理的首要目标。1991 年,德国首次按照资源—产品—资源的循环经济理念,制定《包装条例》,规定生产商和零售商对于用过的包装,首先应避免其产生,其次要对其回收和利用。该《包装条例》将各类包装物的回收规定为义务,设定了包装物再生循环利用的目标。1992 年,德国又通过了《限制废车条例》,规定汽车制造商有义务回收废旧车,1996 年德国推出了新的《循环经济与废物法案》,提出将系统的资源闭路循环的循环经济理念从包装推广到所有的生产部门。该法规定,每年总计产生超过 2000 吨以上废物的制造者,必须对避免、利用、消除这些废物制定一个经济方案,包括:需要利用和消除的危险废物的种类、数量和残留物;说明已经采取和计划采取的避免、利用和消除废物的措施;说明何种废物缺乏利用性而必须进行消除及其理由。

德国法律明确规定自 1995 年 7 月 1 日起,玻璃、马口铁、铝、纸板和塑料等包装材料的回收率全部达 80%。在德国的影响下,法国提出 2003 年应有 85%的包装废弃物得到循环使用;荷兰提出到 2000 年,废弃物循环使用率达到 60%;奥地利的法律要求对 80%回收包装材料必须再循环或再利用;丹麦要求 2000 年所有废弃物 50%必须进行再循环处理。

2. 日本的循环经济立法

日本是发达国家中循环经济立法最全面并提出建立"循环型社会"的国家。1991 年制定了《关于促进利用再生资源的法律》,其目的是减少废弃物,促进再生利用以及确保废弃物适当处理。1997 年又制定颁布了《容器包装再利用法》,据此逐渐建立起了相互呼应的循环经济法规。2000 年是日本建设循环型经济关键的一年,召开了"环保国会",通过和修改了多项环保法规,包括《推进形成循环型社会基本法》、《特定家庭用机械再商品化法》、《促进资源有效利用法》、《食品循环资源再生利用促进法》、《建筑工程资材再资源化法》、《容器包装循环法》、《绿色采购法》、《废弃物处理法》、《化学物质排出管理促进法》。上述法规对不同行业的废弃物处理和资源再生等作了具体规定,如《废弃物处理法》第三条第二款中规定:"生产者应当努力对伴随其生产活动而产生的废弃物加以再利用"。

3. 美国的循环经济立法

在循环经济立法上,美国于 1976 年通过了《资源保护回收法》,1986 年,美国国会创建了有毒物排放清单,1990 年通过了《污染防治法》,宣布"对污染应该尽可能地实现预防或源削减是美国的国策",规定了以"末端治理"为特征的源削减制度,提出用污染预防政策补充和取代以末端治理为主的污染控制政策。虽然美国到现在为止,尚未颁布实施一部全国性的循环经济法,但自 20 世纪 80 年代中期俄勒冈、新泽西、罗德岛等州先后制定促进资源再生循环法规以来,现已经有超过一半以上的州制定了不同形式的再生资源法规。如美国加州于 1989 年通过了《综合废弃物管理法令》,要求在 2000 年以前,实现 50% 废弃物可通过源削减和再循环的方式进行处理,未达到要求的城市将被处以每天 1 万美元的行政罚款。

二、我国循环经济立法现状

从立法内容上看,我国自 20 世纪 80 年代以来制定或修改的相关法律法规规章都或多或少地涉及循环经济的某些内容。例如《环境保护法》第二十五条,《固体废物污染环境防治法》第三条、第四条、第十七条、第十八条,《大气污染防治法》第十五条,《水污染防治法》第二十二条,都规定生产者应当采用资源利用率高、污染物排放量少的设备和工艺,回收并综合利用产生的废物。此外,《关于开展资源综合利用若干问题的暂行规定》(1985 年)、《关于进一步开展资源综合利用的意见》(1996 年)都直接规定了资源综合利用的原则及优惠政策。但是由于对循环经济概念的引入和认识尚停留于初级阶段,我国目前真正意义上的专门立法还非常有限。据不完全统计,迄今只有《清洁生产促进法》和地方性的《辽宁省发展循环经济试点方案》、《江苏省循环经济建设规划》和《贵阳市建设循环经济生态城市条例》。由此可见,较之发达国家,我国循环经济立法还很不健全,离循环经济的要求还相距甚远。

三、推进云南省循环经济法制建设的思考

作为西部欠发达地区的云南省,自然资源的开发利用在云南省产业和经济发展中占有重要地位,对自然资源的不合理开发和低效率使用,以及环境污染的日益严重,已使云南的经济、社会和生态可持续协调发展面临严峻的挑战。因此,云南要实现跨越式发展,增强可持续发展能力,改善生态环境,提高资源利用效率,促进人与自然的和谐,就必须大力推进循环经济的发展,用循环经济的理念来指导云南省的生产活动,才可能跨越"先污染、后治理"的模式,走出一条兼顾发展与生态保护的路子,发展循环经济是云南实施可持续发展战略的必然选择。

由于循环经济是以资源循环再利用,经济系统与生态系统、社会系统相互和谐,社会经济永续发展为主旨,因而循环经济改变了以往社会再生产中原有的部分经济关系,形成新的经济关系体系。这就要求通过立法把新的经济关系体系在法规和法规确定的制度中确立起来。云南发展循环经济刚刚开始,缺乏实践经验,因此,在推进循环经济建设中加强循环经济的法制建设就尤为紧迫和重要。根据以上分析,我们认为云南省在加强循环经济法制建设中应当重点考虑以下几个方面的内容:

(1)应把发展循环经济作为云南省地方环境立法的指导思想。我国自20世纪80年代以来,为了防治污染、保护环境,已经制定了4部保护环境的法律、8部资源管理法律、20多项环境资源管理行政法规、260多项环境标准,初步形成了环境资源保护的法律体系框架。然而,现行环保法律的立法观念还局限于"污染治理"的思维模式上,对于废物的回收利用认识模糊。因此,确立环境立法的指导思想,要以适应可持续发展和云南省生态环境保护为目标。在关于生态环境保护的地方立法中,应确立发展循环经济为主的思想。同时,重新审视云南生态环境保护和环境资源保护的地方法规。云南省的现行地方法规多是计划经济时代的产物,随着我国社会主义市场经济体制的确立和可持续发展战略的提出,必须重新予以审视和修改、调整,在这一过程中,要将发

展循环经济贯穿始终。

(2)创建协调的地方性环境法体系,依法推动循环经济发展。云南作为全国的生物资源大省,对生物资源和生态环境的保护十分重要。因此,为了有效地保护生物资源和生态环境,就必须要以发展循环经济为指导思想,依据国家的环境法规,创建协调统一的区域性环境保护条例,以利于对环境资源的合理开发、利用和保护。

(3)要尽快开展我省循环经济发展战略研究,依靠科技进步完成全省资源综合利用、节能、节水等专项规划;研究和制定一系列发展循环经济的评价指标体系,组织制定资源综合利用重点领域与重点方向指南,构建我省发展循环经济的支撑体系;在开展循环经济试点的地区和工业园区要制定相应的鼓励政策,从税收、信贷、财政等方面给予支持。对在实践中行之有效的政策应当及时上升为法规规范,依法加以保障,使之稳定化。

(4)按照科学发展观的要求和全国循环经济工作会议精神,结合云南实际,尽快组织力量研究编制《云南省建设循环经济规划》,明确建设循环经济的目标、任务和重点,把发展循环经济作为各级财政投资的重点领域,加快循环经济的发展;通过制定和完善相应的政策措施,建立有效的激励约束机制,形成多元化的循环经济发展投资渠道,广泛吸纳社会资金,加大对循环经济的投资力度。

(5)培育和提高全省公民法律意识和环境保护意识。针对公民环境保护意识弱和对环境保护的法律知识淡漠的情况,应加强公民对生态环境保护的宣传和教育,不断提高公民的生态环境保护意识。将环境科学知识和法律知识的宣传普及到最基层,增强人们的法治观念和环保意识,为逐步树立与可持续发展相适应的生产模式、生活消费模式和建立科学的管理体系提供强有力的支撑。通过宣传教育,使偏远地区的少数民族干部和群众认识到生态环境建设与保护同自己的现实利益及长远利益是密不可分的,并且运用法律武器保护和建设本地区的生态环境,强化本地区对自然资源开发者的开发行为的社会监督,充分调动民族地区广大人民群众参与环保的积极性,引导全社会转变思想观念和生产生活方式,树立起整体、循环、共有的生态观念和绿色消费观念,使建设循环经济成为云南省各族人民群众的自觉行动,为循环经济的发展营造一个良好的社会氛围,从而进一步促进云南省经济社会的可持续发展。

主要参考文献

[1]冯之浚:《循环经济导论》,人民出版社 2004 年版。

[2]毛如柏、冯之浚:《论循环经济》,经济科学出版社 2003 年版。

[3]吴季松:《循环经济》,北京出版社 2003 年版。

[4]郑云虹、武珊:《推动循环经济发展的政策体系》,《经济研究参考》2004
(7)。

[5]刘云兵:《论建立发展循环经济的政策、法律体系》,《科技与经济》2005
(4)。

(赖于民、马敏象、夏宇:云南省科学技术情报研究所)

循环经济立法的实施机制研究

李 丹

　　循环经济是指在人、自然资源和科学技术的大系统内,在资源投入、企业生产、产品消费及其废弃的全过程中不断提高资源利用效率,把传统的、依赖资源净消耗线性增加的发展,转变为依靠生态型资源循环来发展的经济。[①] 许多西方发达国家已经通过立法的形式将循环经济发展的成熟经验固定下来,并努力推动循环经济的深入扩张。我国循环经济立法也已经纳入了国家的立法日程,循环经济立法已经正式列入了十届全国人大常委会立法计划,并由全国人大环资委负责组织起草。[②] 因此,研究将循环经济理念转化为具体法律制度的问题不仅具有理论价值,更具有现实紧迫性。

一、循环经济的立法调整

1. 我国循环经济立法的社会历史背景

　　从我国的具体情况看,良好的生态环境已经成为十分短缺的生活要素和生产要素。我国环境污染已经达到了十分严重的程度。2000年,全国十大地表水系的 COD 年排放量达 1445 万吨,比 Ⅲ 类水质要求

---

　　① 吴季松:《循环经济——全面建设小康社会的必由之路》,北京出版社2003 年版,第 10 页。

　　② 吴晶晶、康淼:《我国加快循环经济立法进程》,http://www.chinacourt.org,2005 年 11 月 5 日。

的 800 万吨容量高出 80.6%；2001 年，七大水系断面检测，达到Ⅲ类水质的仅占 29.5%，而劣Ⅴ类水质却高达 44%；全国城市有 66.7% 缺水；大气中二氧化硫排放量达 1995 万吨，比国家二级标准要求的 1200 万吨容量高 66.3%；农田化肥农药污染、重金属污染、土地荒漠化、各种持久性有机污染等现象也日益严重。①

从生态环境质量看，这种发展趋势与我们追求的经济增长目标是相悖的。据世界银行测算，20 世纪 90 年代中期，我国每年仅空气和水污染带来的损失占 GDP 的比重就达 8% 以上。2003 年，我国实现的 GDP 约占世界 GDP 的 4%，但是为此消耗的各类国内资源和进口资源，却远远高于这个比例。其中，原油、原煤、铁矿石、钢材、氧化铝、水泥的消费量分别约为世界消费量的 7.4%、31%、30%、27%、25%、40%。② 单位 GDP 资源消耗量过大，进一步加剧了资源短缺的压力。

我们的经济增长在某种程度上是以生态环境成本为代价的。当天然的生态环境资本耗尽以后，继续按照原来的经济增长模式发展经济，将会牺牲人类的健康，经济的增长可能会降低人们的生活质量。我国经济高速发展对资源环境造成的巨大压力表明，现行粗放式的经济增长模式必须改变，应当转轨到以循环经济为导向的环境友好型增长模式中来。

2. 发达国家循环经济立法经验

德国是世界上最早实施循环经济的国家之一，其循环经济法制建设也走在世界的前列。早在 1986 年德国就将 1972 年制定实施的《废弃物处理法》修改为《废弃物限制处理法》，1991 年又专门颁布了《包装废弃物处理法》。1996 年德国还颁布了《循环经济和废物管理法》，规定对废物问题首先是避免生产，然后是循环使用和最终处置，即首先，要减少污染物的产生，在生产阶段和消费阶段都要尽量避免废物排

---

① 解振华：《关于循环经济理论与政策的几点思考》，http://www.zhb.gov.cn，2005 年 11 月 5 日。

② 《数字中国：我们必须选择新型工业化》，http://www.cfej.net，2005 年 11 月 5 日。

放;其次,是对于生产和消费中不能削减又可利用的废弃物要加以回收利用,使它们回到循环生产中去;最后,只有那些不能利用的废弃物,才做最终的无害化处置。

截至2001年4月,已有8项循环经济法律在日本开始施行,即《推进建立循环型社会基本法》、《特定家用电器再商品化法》、《促进资源有效利用法》、《食品循环再生利用促进法》、《建筑工程资材再利用法》、《容器包装再利用法》、《绿色食品采购法》和《废弃物处理法》。《推进建立循环型社会基本法》作为母法,提出了建立循环型经济社会的根本原则:"根据相关方面共同发挥作用的原则,通过促进物质的循环,减轻环境负荷,谋求实现经济的健康发展,构筑可持续发展的社会。"可以说,这是世界上第一部循环经济立法。①

美国1976年通过、1986年修订的《资源保护回收法》也有促进循环利用的内容。自20世纪80年代起,美国各州先后制定了促进生产和消费中资源再生循环的法规,至今大多数州已制定了不同形式的资源再生产循环法规。

现今,欧洲在产品循环利用、废弃物资源化方面已经取得显著成就。1975年7月15日,欧洲共同体理事会通过了《废物指令》,明确要求各成员国应当采取适当的措施,鼓励废物的预防、再生和加工,鼓励从废物中提取原材料或者在可能时提取能源并鼓励废物再利用的其他加工形式。2000年9月18日,欧洲议会和欧盟理事会通过了《报废车辆指令》;2002年6月27日,欧盟委员会通过了《报废车辆指令》附件Ⅱ的修改决定;2003年1月27日,欧洲议会和欧盟理事会通过了《报废电器电子设备指令》。上述法律文件,分别对防止报废电器电子设备及车辆污染环境,促进对有关资源的回收利用和循环使用做出了明确规定,在全世界具有先进性和示范性。②

国内外的实践已经表明,当经济增长达到一定阶段时,对生态环境

① 《循环经济的基本内容》,http://www.htwa.com.cn,2005年7月8日。
② 孙佑海:《循环经济立法问题研究》,《环境保护》2005年第1期,第18—20页。

的免费使用必然达到极限。这是自然循环过程极限和作为自然组成部分的人类生理极限所决定的。人类要继续发展,客观上要求我们转换经济增长方式,用新的模式发展经济;要求我们减少对自然资源的消耗,并对被过度使用的生态环境进行补偿。新的经济增长模式不会自发产生,或者自发产生的过程过于漫长,国家需要通过政府的引导和制度保障促使经济发展模式的转换,同时迫切需要通过法律的形式将促进循环经济的既有政策固定下来,并在社会各个领域发生强制效力,为政府、企业、公民的行为设定规则模式。

二、循环经济立法的实施机制

1. 循环经济立法的定位

循环经济立法首先应当明确该法在环境资源法总体系和循环经济立法子体系中的地位和作用,以厘清循环经济立法的思路。循环经济立法中确实涉及许多经济立法的规则,但是循环经济立法更多立足于环境资源的有效利用,确立符合生态规律和环境保护要求的增长模式。从立法目的和调整方式看,循环经济立法是我国环境资源法的一个新兴重要分支,循环经济法则是这个分支体系中的基本法。应当将循环经济法设计为循环经济法律子体系中的核心法律,循环经济领域的基本法律。循环经济法应当坚持经济和环境资源一体化的思想,实现对该法的立法宗旨、目的、指导思想和调整范围的定性定位,并尽量避免减少与原有环境资源法律法规的重复,使循环经济法真正成为推动我国循环经济发展的基干法,而不是用循环经济法去取代或包含其他环境保护和资源开发的法律。

与循环经济立法实施机制确定相关的另一个问题是循环经济立法的性质选择及其基本的立法思路。目前主要有两种主张:一种是主张制定循环经济法,并将循环经济法设计为规范法、强制法或"硬法"。持这种主张的人从传统的法律规范三要素特别是从法律的制裁性观点出发,强调法律的规范性、强制性、制度性、可操作性、可诉讼性,要求将循环经济法设计为发展循环经济活动的行为准则、行为规范和"硬性"条款,以制裁那些不积极发展循环经济的单位和个人。另一种是主张将循环经济立法定位为循环经济法,属于政策法、促进法,以指导、引导我国循环经济的健康有序发展。①

当代法律的调整范围和作用越来越扩大,法律不仅具有强制作用,也应具有指导作用和引导作用;不仅有强制性很强、重在制裁的"硬法",也应有指导性很强、重在引导的"软法",即目前所称的"政策法"、"促进法",如美国的《国家环境政策法》。法律的作用不仅在于制裁违法行为,预防违法行为的发生,更重要的是,法律在制裁的同时也具有某种导引作用,即通过法律的实施对一般人今后的行为发生积极影响。美国法学家博登·海默阐述了法律的功能:人往往有创造性和惰性两种倾向,法律是刺激人们奋发向上的一个有利手段。② 法律的最终目的不是制裁,而是激励人们奋发向上。因此,在制定法律时,应改变过去只注重否定性法律后果而轻视肯定性法律后果的立法模式,在内容上除了应设置一些条款惩罚违法者外,还应有相应的条款充分调动行为人的积极性,鼓励他们积极参与法律活动。③ 而且,这种"政策法"、"促进法"并没有否定法律的强制性、可诉讼性的作用,只不过法律包含的强制性和制裁性条款较少,并没有完全失去法律作为社会行为规范的作用,而是根据法律调整的对象强调对有关行为的指导性。因此,我们认为,循环经济立法的性质应当定位为"政策法"或"促进法"。

2. 循环经济立法与法律实施机制的选择

法律实施机制又称法律调整机制,它是指法律规范的形成、实施到产生调整社会关系效果的整个运行过程的综合原理,是从法律各个方面的联系和从法律的动态上来考察法律对社会关系的调整功能的运行过程。④ 环境法的基本实施机制主要可以概括为如下 4 种:行政强制、

---

① 蔡守秋:《论循环经济立法》,《南阳师范学院学报(社会科学版)》,2005 年第 1 期,第 6—7 页。

② [美]博登·海默著,邓正来译:《法理学:法律哲学与法律方法》,中国政法大学出版社 1999 年版,第 234 页。

③ 窦玉珍、李亚红:《循环经济立法构想》,《南阳师范学院学报》(社会科学版),2005 年第 1 期,第 16 页。

④ 王启富等主编:《法律辞海》(第三册),吉林出版社 1998 年版,第 1063 页。

行政指导、经济刺激和公众参与。每一种法律实施机制各有其产生和存在的基础,也有其独特的作用方式与空间。

环境法律制度实施机制既是环境法律制度的实施方式,也是国家监督管理环境的具体手段,包括直接的管制(如排放限制、许可证管制等)和间接的管制(对生产投入或消费前端过程中可能产生的污染物和污染源的削减进行鼓励和刺激则属间接管制)。机制选择的一般意义,即机制选择的正当性、合理性、系统性、可实施性问题。对正当性的研究,主要是对机制的评价问题,核心仍为公平与效率问题,环境法律制度实施机制的选择应强调公平优先,兼顾效率。与合理性、可实施性相联系的是机制选择的评价准则问题,对合理性的研究主要是对机制的适用领域、不适用的领域、适用原则、适用救济的研究。与系统性相联系的是具体机制之间的功能配套与互补问题,对系统性的研究指出机制应是体系化的概念,它反映了各种机制在利益衡平中的作用。①

循环经济立法主要是以引导性规范、鼓励性规范和支撑保障性法律规范为主,而不应以直接行政控制和制裁性法律规范为主。这是因为经济类立法必然以遵循经济活动规律为前提,循环经济立法概莫能外。强制性规则虽具有简便、见效快的特点,但其弊端十分明显,容易导致扭曲经济规律、造成政府失灵等新问题。因此,循环经济立法应当以行政强制为底线,更多运用行政指导、经济刺激、公众参与三种环境法基本实施机制,将市场规则的基本要求体现在具体的法律制度中。

三、循环经济立法实施机制的贯彻

1. 循环经济立法的基本框架与基本制度

有学者认为,循环经济立法的框架大概包括九个方面:一是规定循环经济的发展规划;二是规定全社会绿色消费鼓励的制度;三是规定产品利用回收的制度;四是规定循环经济发展激励制度;五是规定中介组织服务制度;六是规定公众参与;七是规定中央政府和地方政府各项的

---

① 《环境法律制度的完善与创新》,http://www.riel.whu.edu.cn,2005年7月8日。

责任;八是规定重点企业和重点污染企业循环经济的强制实行制度;九是规定循环经济的科技支撑和示范制度。① 还有的学者主张,循环经济法应当包括如下六个部分:第一部分为总则;第二部分为循环经济的推行,主要规定国家中央政府和地方政府及其主管部门在推行循环经济方面的主要职责和采取的主要政策;第三部分为循环经济的实施,对企业内部的循环经济、企业之间的循环经济即生态园区循环经济和社会循环经济作出统筹安排;第四部分为循环经济的鼓励措施,综合运用财政税收、投资、信贷、价格等政策手段调节和影响市场主体的行为;第五部分为法律责任;第六部分为附则。②

循环经济立法需要确立的具体制度在学界也没有统一的研究成果。有学者认为,循环经济立法需要确立的基本法律制度包括:发展循环经济的规划制度、循环经济的科技支撑和示范制度、绿色消费鼓励制度、生产者责任延伸制度、循环经济发展激励制度、相关的中介组织服务制度、公众参与制度、中央政府和地方政府在发展循环经济中的各项责任、要求重点污染企业必须实施循环经济。③ 还有人认为,循环经济法律制度的构建主要包括如下几个方面:一是环境资源核算制度,规定绿色"GDP"制度;二是环境税收制度;三是生态补偿制度;四是财政调控制度;五是绿色消费制度;六是绿色产权制度,是指对资源所有权及财产权作出规定,明确各个行为主体的权利、义务和责任;七是绿色规范制度,即每个循环经济法的法律主体的义务和责任,如政府义务、企业义务、中介组织的义务、公民的义务等。④

上述各位学者对于循环经济立法框架和具体制度的研究均具有一定合理性,但是需要一定程度的整合或梳理。我们认为,循环经济立法

① 冯之浚:《加快循环经济立法建设节约型社会》,《建设节约型社会国际研讨会论文集》,2005 年 6 月 26 日。

② 蔡守秋:《论循环经济立法》,《南阳师范学院学报》(社会科学版),2005 年第 1 期,第 7—8 页。

③ 孙佑海:《循环经济立法问题研究》,《环境保护》2005 年第 1 期,第 24 页。

④ 高莉:《我国循环经济立法问题思考》,《江苏警官学院学报》2004 年第 5 期,第 92—93 页。

的基本框架应当包括如下几个部分:第一部分为总则,主要规定立法目的、适用范围、重要术语的法律定义,发展循环经济的基本政策、原则和措施,循环经济的管理机构和管理体制;第二部分为循环经济发展规划,主要规定循环经济发展规划的法律地位、内容、与其他规划之间的关系、制定修改的程序以及规划的实施等内容;第三部分为循环经济的施行,主要规定中央政府和地方政府以及主管部门、企业、中介机构、公众在推进循环经济过程中的各自权利义务关系,包括政府责任制度、产业技术政策制度、生产者责任延伸制度、回收利用制度、名录制度、绿色包装制度、重点企业实行循环经济的强制制度、中介组织服务规范制度等;第四部分为循环经济的鼓励措施,主要规定环境资源核算制度、环境税收制度、财政调控制度、绿色消费制度、绿色标志制度、循环经济的科技支撑和示范制度、生态补偿制度、奖励教育制度等;第五部分为公众参与,主要规定循环经济促进过程中公众参与的性质、范围、方式、程度以及权利救济等内容;第六部分为法律责任,主要是对那些适宜运用法律强制手段规范的行为规定违反法律的不利后果;最后一部分为附则,主要规定法律的生效日期、法律的修改以及相关术语的定义等事项。

2. 循环经济立法实施机制在基本制度中的贯彻途径分析

环境法的四种基本实施机制在循环经济立法中有不同程度的体现,这四种机制处于一个相互支持、相互补充的动态系统中。每一种机制的良好运行都有助于提高其他机制的运行效果。它们互相配合,将循环经济的理念转化为具体的法律制度。

(1)行政强制机制的贯彻途径。环境行政强制机制的核心内容是:国家通过单向的命令与制裁方式来调节不同法律主体利用环境的行为模式及环境利益关系。它是以国家的主导和相对人的服从为特征的作用过程与运行原理。行政强制机制是世界各国在面对环境问题时的首要选择。整个社会是一个由多重力量支撑的复杂结构,政府负起保护环境的职责,是由环境问题的公共性所决定的。政府保护环境的目的和范围主要外化为通过管制性手段克服利益外溢与损失外溢问题以纠正市场的缺陷,以便使企业能在管制性法律的基础上按照市场原理,充分利用具有稀缺性的环境资源。但强制性规则只是构成环境管理的基础而不是全部。

循环经济立法中我们强调政策型、指导型、鼓励型、参与型制度在法律规则中的主导地位,但是并不是否认行政强制机制在立法中的重要作用。循环经济立法中的行政强制机制更多地表现为对促进循环经济起到关键性作用并具有可谴责性的行为的惩罚或进行不利评价,并通过国家强制力对这种否定评价予以实施,以对行为人造成负面影响。强制性规则在循环经济立法中集中体现在循环经济的施行部分和法律责任部分,具体表现在生产者责任延伸制度、回收利用制度、名录制度、绿色包装制度、重点企业实行循环经济的强制制度、中介组织服务规范制度中。这些制度均为"硬性"条款,是促进循环经济的核心和基础,行为人必须遵守和服从。

(2)经济刺激和行政指导机制的贯彻途径。我国目前的环境法律调整机制呈现出以行政强制为主的特征,在某些方面甚至单纯使用行政强制而忽略经济激励机制、行政指导机制。从应然角度而言,社会政治、经济、文化、环境的巨大变化及由此而引起的社会结构的重构,国家权力和社会权利配置的重心转移,经济发展和环境问题等一系列突出的外在矛盾,致使现行的以命令控制为主导、忽视其他机制配合的环境法律机制难以有效发挥其应有的功能。为使环境法律在这种变化的社会生活中仍能有效地发挥调控作用,环境法律的实施机制亟须更新和进化。

环境经济刺激机制的核心内容是:国家通过经济上的增益与损抑方式来调节不同法律主体利用环境的利益关系。经济刺激机制偏重于市场作用的发挥,而对于政府与市场之间的作用机制(即行政指导机制)则鲜有运用。经济刺激机制通常是在尊重社会经济内生规则的基础上形成的,与政府行政强制机制相比较,它更注重目标群之间的合作互利,其结果是达到和接近帕累托最优而非纯粹的强制执行。经济和社会活动过于复杂,任何试图控制经济活动或强制经济社会生活的努力都被证明是无效的。循环经济立法在承认政府主导必要合理的前提下,必须摒弃过去单纯依靠行政强制推行法律措施的做法,尊重生态规律和市场规律的作用,综合运用各种经济激励制度引导或促进各个法律主体施行符合循环经济要求的各项措施。环境行政指导机制的核心内容是:国家通过指导性的行政活动方式来调节不同法律主体利用环境的行为模式。它是以环境利益为中介所形成的不同主体之间相互联系、相互制约、相互推动的作用过程与运行原理。处于转型发展时期的中国既"迫切需要建构一个区别于且外在于国家的自主的社会,同时又不能不接受社会国家化和国家社会化的现实"①,以谋求市场、社会与国家的均衡。行政指导机制即是这种均衡价值和目标的最佳选择。行政指导机制通过诱导性手段,在市场、社会与国家的相互作用过程中进行信息传递、意志交换、价值沟通与目标协调。

环境经济刺激机制和环境行政指导机制集中体现在总则部分、循环经济发展规划部分和循环经济的鼓励措施部分,在发展循环经济的基本政策、原则和措施制度、循环经济发展规划的法律地位、产业技术政策制度、环境资源核算制度、环境税收制度、财政调控制度、绿色消费制度、绿色标志制度、循环经济的科技支撑和示范制度、生态补偿制度、奖励教育制度中具体体现。循环经济的鼓励措施部分体现出环境经济刺激机制的要求,总则和循环经济发展规划部分则体现为环境行政指导机制的精神。但环境经济刺激机制和环境行政指导机制在上述制度中并不截然分开,往往两种机制互相渗透,共同构成一个完整的制度。

(3)公众参与机制的贯彻途径。从 20 世纪 60 年代的环境运动到 90 年代的循环经济,世界上的环境与发展政策已经演变了三代。第一代是基于政府主导的命令与控制方法,通过行政强制手段实现污染控制;第二代是基于市场的经济刺激手段,强调企业在废弃物产生方面的源头作用;第三代是在进一步完善政府和企业作用的基础上要求实行信息公开,其实质是实现公众监督和倡导下的生态文明。因此,实施循环经济不仅需要政府的主导和企业的自律,更需要提高广大社会公众的参与意识和参与能力。②

环境公众参与机制在循环经济立法中集中体现在公众参与部分,

---

① 梁治平:《市场社会与公共秩序》,三联书店 1996 年版,第 4 页。
② 诸大建:《循环型经济之制度条件》,《学习时报》2002 年 1 月 16 日。

在绿色消费制度以及公众参与的性质、范围、方式、程度等内容的规定中具体体现。循环经济立法通过规定公众监督权、参与权、知情权、决策权、听证权以及权利救济途径的方式贯彻环境公众参与的各项要求，同时对公众的某些行为作出必要限制，并对公众设定了一定义务。需要注意的是，公众参与的形式和种类是多样的，公众参与机制应当渗透到循环经济立法每个可能的制度中。公民可以自己亲自参与，也可以成立一定环保团体以维护公众的知情权、参与权、监督权等权利，客观上推动循环经济的发展。

（李丹：中国政法大学环境法研究所）

系统化构建中的循环经济立法

李艳芳

　　《中共中央关于制定国民经济和社会发展第十一个五年计划的建议》(以下简称"十一五规划")明确提出"建设资源节约型、环境友好型社会"的目标,将"大力发展循环经济"作为建设资源节约型、环境友好型社会和实现可持续发展的重要途径。为了保障这一目标的实现,十届全国人大常委会将循环经济法增补列入十届全国人大的立法规划,并力争在 2007 年提交全国人大常委会审议。① 循环经济从提出、到国家明确倡导、进而立法,其发展速度和热度都异乎寻常。循环经济的"实践"更是将"理论"远远抛在身后。然而,无论实践给予其多么肥沃的生长土壤,循环经济最终仍需要理论与立法的支撑。循环经济到底应当如何定义? 它的内涵是什么? 它与资源节约型、环境友好型社会是什么关系? 在我国已出台了《清洁生产促进法》、《节约能源法》、《固体废物污染防治法》等立法的情况下,如何协调相关立法的关系? 怎样构筑我国循环经济法律体系? 这些问题既是发展循环经济的必须回答的问题,也是进行循环经济立法的必须首先解决的基本问题。

一、"循环经济"概念述评

　　我国学术与实务界对循环经济有各种各样的理解和看法,可以说

---

　　① 　盛华仁:《在中国循环经济发展论坛 2005 年年会开幕式上的讲话》,2005年 11 月 5 日。

见仁见智,①但是较有影响的观点可以概括为生态经济论和经济发展模式论。生态经济论认为:"所谓循环经济,本质上是一种生态经济,它要求运用生态学规律而不是机械论规律来指导人类社会的经济活动。"②"所谓循环经济,就是把清洁生产和废弃物(排泄物)的综合利用融为一体的经济,本质上是一种生态经济,它要求运用生态学规律来指导人类社会的经济活动。"③经济发展模式论认为:"循环经济是一种以资源的高效利用和循环利用为核心,以'减量化、再利用、资源化'为原则,以低消耗、低排放、高效率为基本特征,符合可持续发展理念的经济增长模式,是对'大量生产、大量消费、大量废弃'的传统增长模式的根本变革。"④经济发展模式论将循环经济界定为一种不同于传统经济发展模式的新型经济发展模式或者产业增长方式。

从国外的情况来看,只有德国和日本进行了循环经济的立法。德国作为世界上最早进行循环经济立法的国家,在其循环经济的立法《循环经济和废物处置法》(1994年公布,1998年修改)中并没有对循环经济进行定义,但从该法第二条规定的适用范围和第四条规定的"循环经济的原则"还是可以对德国循环经济进行较准确的理解。德国《循环经济法和废物处置法》第二条规定:"本法适用于:1.避免废物;2.利用废物;3.处置废物。"第四条又进一步强调了循环经济的两个原则:一是避免产生废物,特别重要的是减少废物的量及其危害性;二是利用废物,包括用来获取能源(能源利用)。对于第一个原则即避免产生废物,该法规定"避免产生废物的措施是设备内的物质循环利用;要生产废物少的产品;要引导消费行为,消费那些废物少的和有害

---

① 参见王明远:《"循环经济"概念辨析》,《中国人口、资源与环境》2005年第6期。周宏春、刘燕华等著:《循环经济学》,中国发展出版社2005年版。

② 曲格平:《发展循环经济是21世纪的大趋势》,《机电产品开发与创新》2001年第6期。

③ 奈民夫·那顺:《新形态的循环经济与循环经济学的研究》,《内蒙古农业大学学报》2002年第3期。

④ 马凯:《贯彻落实科学发展观 推进循环经济发展》,《人民日报》2004年10月19日。

物少的产品。"对于第二个原则即利用,该法区别为两种:一种利用"包括原材料的替换,通过从废物中提取物质(二级原材料),或者为了它本来的目的,或者为了其他目的而利用废物的物质特性,但能源的直接再提取除外。"另一种利用"是出于经济考虑,是考虑到个例情况出现的污染,利用这种废物的措施的主要目标不是为了排除有害物质的潜在危险。""能源利用包括把废物作为补充燃料使用。"从德国《循环经济和废物处置法》的规定来看,德国循环经济法是将循环经济紧密地与废物联系在一起,包括避免废物、利用废物和处置废物三个重要内容。

日本《建立循环型社会基本法》(2000 年 6 月生效)使用了"循环型社会"的概念,没有使用"循环经济"的概念。根据该法第二条的定义,所谓"循环型社会"是指"通过抑制产品成为废物,当产品成为可循环资源时则促进产品的适当循环,并确保不可循环的回收资源得到适当处置,从而使自然资源的消耗受到抑制,环境负荷得到削减的社会形态。"从这个规定来看,日本循环型社会的本质也是抑制废物的产生、产品的循环使用、废物的适当处置等,与德国规定的循环经济不存在本质差异。

笔者认为,虽然德国与日本的循环经济立法早于我国,但是德国与日本的循环经济概念显然不适合中国。其原因在于中国提出发展循环经济的背景和所要实现的目标与德国和日本完全不同。日本发展循环经济的基本背景是"废弃物数量的增大"、"废弃物丢弃"与"最终处置场所不足"等,①中国发展循环经济的背景是"传统的高消耗、高排放、低效率的粗放型增长方式仍未根本转变,资源利用率低,环境污染严重"以及"21 世纪头 20 年,我国将处于工业化和城镇化加速发展阶段,面临的资源和环境形势十分严峻"。② 可以认为,中国当前面临的严重的资源能源短缺与环境污染是中国提出发展循环经济的基本背景。在

---

① [日]吉田文和:《日本的循环型社会的成果和课题》,《第三届环境纠纷中日(韩)国际学术研讨会发言提纲》2005 年 11 月 26 日,上海。

② 参见:《国务院关于加快发展循环经济的若干意见》(国发〔2005〕22 号)。

此情形下,将循环经济限定在"废物管理"上,显而易见是不可行的。这也是国内学者与德国、日本立法对循环经济所下定义不同的根本原因。

但是也不能将循环经济的作用无限夸大。笔者不同意将循环经济定义为"生态经济"。其原因在于:首先,"生态经济"缺乏科学的内涵。如果说生态经济就是"用生态规律指导经济活动"的话,那么它与经济活动首先应当遵守经济规律相背离;如果说它是经济形态的话,它又难以和农业经济、工业经济和知识经济相对应。其次,它没有确定的外延。生态经济到底包括什么? 是不是凡是遵守生态规律的经济活动都是生态经济? 如果在此意义上理解循环经济,那么农业经济、知识经济本身就是生态经济,工业经济也不是完全排斥生态规律,既然各种经济形态均与循环经济兼容,提出循环经济还有什么意义? 因此,关于循环经济就是生态经济的说法并不十分恰当。

笔者赞同循环经济"经济增长方式"或者"经济增长模式"论。如前所述,我国提出循环经济的主要背景是资源、能源的短缺,环境污染的不断恶化,而其主要原因在于中国"高投入、高消耗、高污染"或者"大量生产、大量消费、大量废弃"的传统经济增长方式和生活方式。胡锦涛同志在 2004 年中央人口资源环境工作会议上指示:"要加快转变经济增长方式,将循环经济的发展理念贯穿到区域经济发展、城乡建设和产品生产中,使资源得到最有效的利用。"因此,可以认为,循环经济在中国不断升温是中国政府希望通过发展循环经济转变经济增长方式,进而缓解中国存在的严重的资源、能源压力。

二、循环经济的立法定义与内涵

1. 循环经济的法律定义

根据中国提出发展循环经济的背景和所要解决的问题,可以将循环经济定义为:循环经济是指通过减少对自然资源和能源的投入、开展清洁生产和废物综合利用、提高资源能源利用效率等措施和手段,减少资源和能源在生产和消费领域的浪费,实现个人、企业以及全社会对资源和能源利用的最优化,从而减轻对资源和环境压力的经济增长模式。

循环经济包括以下主要内涵：

第一，循环经济的性质。循环经济是对传统经济增长方式的转变，它本身不是一种独立的经济形态或者经济类型。

第二，发展循环经济的措施。发展循环经济的根本措施在于减少资源和能源的投入、开展清洁生产和废物综合利用与循环使用、提高资源能源利用效率。中国当前资源能源与环境的双重瓶颈主要原因在于资源能源的浪费、追求一次性消费、过度包装，或者说"大量消耗、大量生产、大量消费、大量排放"。与此相反，发展循环经济必须强调低投入、低消耗、少排放。为此，必须强调资源能源开采、利用消费中的节约使用、强调企业在生产过程中对废物的循环利用和再生利用、强调延长产品生命周期、提高资源利用效率。这与人们普遍认为的发展循环经济的 3R(Reduce, Reuse, Recycle)原则是一致的。[①]

第三，循环经济渗透于资源的开采、生产和消费等领域。我国资源能源消耗和环境污染主要来自于生产过程，特别是工业生产，因此，要降低资源能源消耗，首先必须强调生产领域资源与能源的节约使用、循环使用和废物的综合利用，但是，仅此不足以满足可持续发展的要求。实际上，我国在资源的开采和消费领域的浪费同样十分惊人，发达的德国和日本将循环经济理念渗透于消费领域，我国循环经济也不仅应当将消费领域囊括其中，而且应当延伸至资源的开采领域，即循环经济不仅应当包括静脉领域的循环而且包括动脉领域的循环。

第四，循环经济需要在企业、企业之间以及公民个人及至整个社会不同层次展开。循环经济的实践证明单个企业内部的循环是实现循环经济的基础，但是仅有小循环不能实现真正意义上的资源和能源利用的最优化，企业之间的中循环和全社会对资源能源的循环与节约利用，才能实现最终的资源能源利用最优化。因此笔者赞同循环经济应当包括单个企业内部的小循环、企业之间的中循环和全社会层面上的大循环。

---

① 需要申明的是，笔者认为，严格地来说，公认的"3R"原则不是原则，就是措施和方法。

　　第五,循环经济的目标。开展循环经济是资源能源利用的最优化以及减轻对环境的压力。资源能源是一个国家经济发展的物质保证,没有足够和持久的资源与能源保障,一个国家的经济就不可能有稳定的长远的发展。当前,中国资源能源一方面短缺,另一方面能源效率低下,单位 GDP 的能耗比发达国家高几倍甚至几十倍。通过发展循环经济,减少资源能源投入,提高资源能源的利用率,从而减轻对环境的污染,实现经济与环境的双赢,就成为发展循环经济的最终目标。

2. 循环经济与资源节约型、环境友好型社会

　　循环经济的概念提出之后就与资源节约型、环境友好型社会交织在一起使用。但在事实上,循环经济与资源节约型、环境友好型社会的概念还是有区别的。

　　资源节约型社会是指国家通过采取经济、技术、法律等措施,促使政府、一切社会组织(企业)和公民个人尽可能提高资源利用效率,避免在生产、建设、流通、消费各个领域的资源能源浪费,以形成以最少的资源能源消耗获得最大的经济和社会效益、保持资源供给与需求相对平衡的社会状态。随着我国经济的快速增长和人口的不断增加,我国淡水、土地、能源、矿产等资源不足的矛盾更加突出,建立资源节约型社会是针对我国资源短缺而提出的一种综合解决方案。

　　2005 年 6 月 27 日国务院《关于做好建设节约型社会近期重点工作通知》(〔国发 2005〕21 号)明确提出建立资源节约型社会的指导思想是:“坚持资源开发与节约并重,把节约放在首位的方针,紧紧围绕实现经济增长方式的根本性转变,以提高资源利用效率为核心,以节能、节水、节材、节地、资源综合利用和发展循环经济为重点。”这一指导思想也被《十一五规划》所吸收。

　　环境友好型社会是指社会中的任何组织和个人进行生产、生活或者消费都应首先考虑环境和自然生态的承载能力,应当以无害于环境的方式利用环境,预防因生产、经营或者消费行为对环境和自然生态的污染和破坏,从而形成人与自然和谐相处的社会状态。我国的环境污染状况的不容乐观是众所周知的事实,它甚至成为当前危害国民生存质量的头号大敌。而我国的环境污染主要是产生于生产和生活领域的

废弃物,因此建立环境友好型社会首先要求最大限度地减少资源消耗;其次,就是要对消耗资源产生的废弃物进行再利用和循环利用;最后,对在目前技术水平和经济条件下没有再利用价值和无法再利用的废弃物进行环境无害化处理。

尽管从表面上看似乎资源节约型和环境友好型社会是两个目标,但实质上,从资源是环境要素的组成部分、废物污染环境的观点来看,只要能够节约资源,高效利用资源就有利于环境保护;另一方面,保护生态环境、建立环境友好型社会也必然要求减少资源浪费,减少废物的排放,因而也有利于资源节约型社会的建立,因而这两个看似独立的目标,实质是完全一致的。

循环经济与资源节约型、环境友好型社会的区别在于:首先,循环经济概念的提出要早于资源节约型、环境友好型社会。学者们认为,虽然德国和日本分别在 1994 年和 2000 年制定了有关循环经济的立法,但是"循环经济是一个地地道道的中国概念,是中国学者基于自己的国情,对发展理论和发展模式的一个创新"①。在我国,"循环经济一词是刘庆山在 1994 年使用"的。② 资源节约型社会、环境友好型社会是2005 年 3 月 12 日举行的《中央人口资源环境工作座谈会》上明确提出的,胡锦涛总书记指出努力建设资源节约型、环境友好型社会之后,十六届五中全会首次把建设资源节约型和环境友好型社会确定为国民经济与社会发展中长期规划的一项战略任务。其次,循环经济是手段和途径,资源节约型、环境友好型社会是目标。资源节约型、环境友好型社会是建设社会主义和谐社会的组成部分,它是我国在相当一段时间的奋斗目标,而达成这一目标的实现必须采取多种手段,其中发展循环经济是一个重要的手段,加强环境保护,保护自然生态也是建设资源节约型、环境友好型社会的手段。最后,循环经济是建立资源节约型、环境友好型社会最重要的手段之一。资源节约型、环境友好型社会的建

---

① 周宏春、刘燕华等著:《循环经济学》,中国发展出版社 2005 年版,第 10 页。

② 同上。

立其中核心在于提高资源利用率,而循环经济的实质就在于对资源在"开采、利用、消费"各环节的"吃干榨尽",可以最大限度地充分利用资源、减少废弃物的排放,从而节约资源,减轻环境污染。这也是为什么把循环经济紧密与"两个社会"相联系的原因所在。

由此看来,尽管循环经济无论对资源节约型社会还是环境友好型社会都具有十分重要的作用,但它们毕竟不是同一层面的问题,那种将循环经济与资源节约型社会和环境友好型社会相提并论的观点是值得商榷的。

三、循环经济立法与相关立法的关系

由于实施循环经济包括使用清洁生产、节约资源和能源以及对废物的合理处置等措施,而《清洁生产促进法》、《节约能源法》和《固体废物污染环境防治法》分别对清洁生产、节约能源和固体废物污染进行了专门规定,这样就必然会出现重复立法或者交叉立法的问题。在此背景下,如何处理循环经济立法与相关立法的关系就是立法者应当直面的问题。

1. 循环经济立法与《清洁生产促进法》

我国于 2002 年通过的《清洁生产促进法》是"世界上第一部冠以'清洁生产'的法律"[1]。《清洁生产促进法》规定的清洁生产"是指不断采取改进设计,使用清洁的能源和原料,采用先进的工艺与设备,改善管理,综合利用等措施,从源头削减污染,提高资源利用效率,减少或者避免生产、服务和产品使用过程中污染物的产生和排放,以减轻或者消除对人类健康和环境的危害。"(第二条)这个规定与美国《污染预防法》所规定的"源削减"实际上是相同的。美国《污染预防法》规定的源削减指:(1)被再循环、处理或处置之前,减少进入任何废物流或者以其他方式排放进入环境的危险物和污染物的数量;(2)减少由于这类物质、污染物排放而对公共健康和环境所产生的危险。从我国《清洁

---

① 曲格平:《从清洁生产到循环经济》,张坤主编《循环经济理论与实践》,中国环境科学出版社 2003 年版,第 15 页。

生产法》和美国《污染预防法》对清洁生产和"源削减"下的定义来看,它们本质上都是通过改进技术与管理,减少污染物的排放,预防对环境可能产生的污染。

如果从德国的循环经济立法、日本的循环经济立法完全侧重于抑制废物、避免废物产生和合理处理废物来看循环经济的话,那么的确循环经济立法与我国的《清洁生产促进法》、美国的《污染预防法》没有太多的差别,在我国已经存在《清洁生产促进法》的情况下,进行或者不进行循环经济立法意义不大,或者在循环经济法颁布后,应当废止《清洁生产促进法》。但是如前所述,我国提出循环经济立法有自己的特定的背景和意义,我们不能将循环经济定位于避免与抑制废物产生,而是将它作为一种新的经济增长模式,在此条件下,我国进行的循环经济立法虽然与清洁生产有非常密切的关系,但是也存在许多区别。

循环经济与清洁生产相比,相同之处在于:

第一,具有相同的立法目的。《清洁生产法》第一条规定:"为了促进清洁生产提高资源利用效率,减少和避免污染物的产生,保护和改善环境,保障人体健康,促进经济与社会可持续发展,制定本法。"可见,《清洁生产法》的直接目的有两项:一是提高资源利用效率;二是减少和避免污染物的产生。这与发展循环经济的目的减缓资源供需矛盾、降低环境污染应当是一致的。

第二,均强调对资源能源的节约使用。《清洁生产法》第二十三条规定:"餐饮、娱乐、宾馆等服务性企业,应当采用节能、节水和其他有利于环境保护的技术和设备,减少使用或者不使用浪费资源、污染环境的消费品。"第二十四条规定:"建筑工程应当采用节能、节水等有利于环境与资源保护的建筑设计方案、建筑和装修材料、建筑构配件及设备。"节约资源与能源不仅是清洁生产法的重要内容,而且将成为循环经济立法的重要的内容。

第三,均强调产品的生命周期、抑制过度包装。《清洁生产法》第二十条规定:"产品和包装物的设计,应当考虑其在生命周期中对人类健康和环境的影响,优先选择无毒、无害、易于降解或者便于回收利用的方案。企业应当对产品进行合理包装,减少包装材料的过度使用和包装性废物的产生。"这与循环经济要求的避免废物或者抑制废物是不谋而合的。

第四,强调综合利用和资源利用效率。《清洁生产法》第十九条规定,企业在进行技术改造过程中,应当采用资源利用率高、污染物产生量少的工艺和设备,替代资源利用率低、污染物产生量多的工艺和设备;对生产过程中产生的废物、废水和余热等进行综合利用或者循环使用。第二十五条规定:"矿产资源的勘察、开采,应当采用有利于合理利用资源、保护环境和防止污染的勘察、开采方法和工艺技术,提高资源利用水平。"这与循环经济提高资源利用效率、对废物进行循环利用与综合利用、将循环经济渗透于资源开采领域是一致的。

循环经济与清洁生产的区别在于:

第一,所处层次不同。清洁生产强调单个企业的污染预防,如果按照循环经济的大、中、小循环的层次来看,清洁生产属于小循环,属于微观领域的循环,处于较低层次;循环经济则既包括企业内部的小循环,更重要的是强调企业之间、全社会范围的中型和大型循环,属于综合性循环,处于较宏观的层面。

第二,规范的范围不同。清洁生产虽然将污染预防延伸至消费领域,但主要是预防"生产过程"中的污染,循环经济则强调包括生产、消费等诸多环节全方位的能源和资源的节约和减少污染。

第三,实施的义务主体不同。由于清洁生产预防的是生产过程中的污染,所以其义务主体主要是企业,如我国《清洁生产法》第三章规定的"清洁生产的实施"中,主要规定企业的清洁生产义务。而循环经济不仅涉及生产领域,还涉及流通与消费等领域,因而其义务主体不仅包括企业,还包括政府、社会组织与消费者个人。

正如曲格平同志指出的:"清洁生产是循环经济形态的微观基础,循环经济则是清洁生产的最终发展目标,各种产业的、区域的生态链和生态经济系统则构成清洁生产到循环经济系统的中间环节。"[①]

---

① 曲格平:《从清洁生产到循环经济》,张坤主编《循环经济理论与实践》,中国环境科学出版社 2003 年版,第 17 页。

可见,清洁生产与循环经济并不是完全相同的,循环经济的理念、范围、层次均远远广于清洁生产,清洁生产只是循环经济较为重要的一个方面,但绝不是全部。因而清洁生产不等同循环经济,《清洁生产促进法》和《循环经济法》彼此不能互替。

2. 循环经济立法与《节约能源法》

能源是经济社会发展的物质基础,也是制约经济社会发展的资源因素。随着我国人口增加、工业化和城镇化进程加快,特别是重化工业和交通运输的快速发展,能源需求量大幅度上升,经济发展面临的能源约束矛盾越来越突出。同时由于粗放型经济增长,我国资源利用效率低,浪费严重,能源问题愈加突出。近年凸显的"水荒、电荒、煤荒"问题充分暴露了我国的能源短缺问题。因此,推动全社会大力节能降耗,提高能源利用效率,也是建设节约型社会、转变经济增长方式,缓解甚至解决资源约束矛盾,改善环境质量的根本措施。为了推进全社会节约能源,提高能源利用效率和经济效益,保护环境,全国人大早在 1997 年 11 月 1 日通过了《节约能源法》。该法规定国家通过采取技术上可行、经济上合理以及环境和社会可以承受的措施,加强对煤炭、原油、天然气、电力、焦炭、煤气、热力、成品油、液化石油气、生物质能和其他直接或者通过加工、转换而取得有用能的各种资源的用能管理,以减少从能源生产到消费各个环节中的损失和浪费,更加有效、合理地利用能源。《节约能源法》颁布后,由于过于原则的规定而又没有颁布配套的实施细则,再加缺乏具体的执法机关,普遍认为《节约能源法》发挥的作用极其有限。

循环经济与节约能源的共同之处在于:它们都是实现节约型社会的手段。节约型社会的重点是节能节材节水节地和对废物的循环利用,节能是构建节约型社会的基本要素;循环经济的基本理念是"以最小投入实现最大的效益",其中减少对资源与能源的投入是一个最基本的要求,因而也要求节约资源特别是能源。由于循环经济在一定程度上包括节能,因而有些人据此认为,我国将要制定的循环经济法必然与现行的《节约能源法》重叠,而现行《节约能源法》又没有发挥多大作用,为了避免立法的重叠与冲突,应当在制定循环经济法后,废止《节约能源法》。笔者认为,尽管循环经济与节约能源有某些共同之处,但是循环经济与节约能源并不是同一概念。它们最主要的不同之处在于:两者的范围不同。循环经济的范围要广于节约能源。如前所述,循环经济既包括减量化,也包括再循环再利用;而节约能源则仅具有减量化的意义,并不包括再循环再利用。

《节约能源法》虽然只规范节约能源,但是其在我国仍然具有相当重要的意义。原因在于:

第一,能源是最重要的资源。我国虽然有比较丰富的自然资源储备,但是能源资源特别是一些重要的能源如煤炭、原油、天然气等资源实际上是战略资源,缺乏这些资源,国家的经济无法正常运行。

第二,在能源储量既定的情况下,保证能源供给的一个重要途径是"节流"。"开源"与"节流"是我国能源利用的两个基本原则。一方面,必须开源,即开发利用可再生能源和新能源;另一方面就是节能,即减少不必要能源投入和对能源的浪费。在开源与节流两个途径中,相对来说节流对技术的依赖较低,因而更容易低成本实现,因而强调节约能源具有更加重要的意义。

第三,我国具有较大的节约能源的空间。我国能源消耗高、利用率低、能源浪费严重是不争的事实。其中如何通过节约能源,最大限度地减少能源浪费,不仅是必需的,也是完全可能的。

正因为《节约能源法》在保障能源安全方面具有独特的意义和作用,对节约能源进行单独立法是十分必要的。循环经济作为一个上位概念以及《循环经济法》作为上位立法,不可能对节约能源作出十分具体的规定,因而即使出台了《循环经济法》,《节约能源法》仍然具有独立存在的价值和作用。至于《节约能源法》是否可以发挥实效的问题,可以通过进一步修改和完善的途径实现。

3. 循环经济立法与《固体废物污染环境防治法》

《固体废物污染环境防治法》于1995年颁布,并于2004年进行了修改。《固体废物污染环境防治法》的修改是在《清洁生产法》颁布之后、循环经济蓬勃发展的情势下进行的,因此该部立法是现行所有环境立法中对循环经济的发展最为有利也是最具有积极意义的立法。这表现在：

第一，强调废物的减量化、资源化、再循环、再利用。如明确规定"国家对固体废物污染环境的防治，实行减少固体废物的产生量和危害性、充分合理利用固体废物和无害化处置固体废物的原则，促进清洁生产和循环经济发展。"（第三条第一款）因而实际上明确规定了发展循环经济的要求与措施。

第二，明确鼓励转变生产方式和生活方式、鼓励绿色采购、抑制过度包装等。如规定"各级人民政府应当加强防治固体废物污染环境的宣传教育，倡导有利于环境保护的生产方式和生活方式。"（第六条第二款）。"国家鼓励单位和个人购买、使用再生产品和可重复利用产品。"（第七条）"产品和包装物的设计、制造，应当遵守国家有关清洁生产的规定。国务院标准化行政主管部门应当根据国家经济和技术条件、固体废物污染环境防治状况以及产品的技术要求，组织制定有关标准，防止过度包装造成环境污染。"（第十八条第一款）"生产、销售、进口依法被列入强制回收目录的产品和包装物的企业，必须按照国家有关规定对该产品和包装进行回收。"（第十八条第一款）这些规定与发展循环经济要求转变生产方式和生活方式，要求公众参与以及"生产者负责制度"相一致。

第三，它不仅要求在生产和消费中减少废物的排放，而且要求在资源的开采环境减少废物的排放。如规定"合理选择和利用原材料、能源和其他资源，采用先进的生产工艺和设备，减少工业固体废物产生量"（第三十一条）；"企业事业单位对其产生的工业固体废物加以利用（第三十三条）；矿山企业应当采取科学的开采方法和选矿工艺，减少尾矿、矸石、废石等矿业固体废物的产生量和贮存量"（第三十六条）。这些规定体现了循环经济要求动静脉同时循环的精神。

第四，将减少废物的要求从工业生产延伸至农业和城市。如规定"国家鼓励科研、生产单位研究、生产易回收利用、易处置或者在环境中可降解的薄膜覆盖物和商品包装物。使用农用薄膜的单位和个人，应当采取回收利用等措施，防止或者减少农用薄膜对环境的污染。"（第十九条）"促进生活垃圾收集、处置的产业化发展，逐步建立和完善生活垃圾污染环境防治的社会服务体系"(第三十八条);"对城市生活应当及时清运,逐步做到分类收集和运输,并积极开展合理利用和实施无害化处置"(第四十二条)等。

从《固体废物污染环境防治法》的规定来看,其调整的范围远远大于固体废物管理本身,实际上已经包含了一些发展循环经济的内容。这样就会与正在制定中的循环经济法在调整的范围和内容上有所交叉甚至重复,从而引发要不要制定循环经济法或者在循环经济法制定后《固体废物污染环境防治法》何处去的疑问。

笔者认为,《固体废物污染环境防治法》作为一项专门防治固体废物污染的立法,现有内容很全面地与循环经济的发展相衔接,这是在中国没有循环经济专门立法情况下所作出的选择。在循环经济法颁布后,《固体废物污染防治法》作为专门防治固体废物污染的立法,就没有必要再对超出固体废物管理的内容加以规定,如倡导绿色采购、防止过度包装等。因此建议在循环经济法颁布后的适当时间内对《固体废物污染防治法》进行再次修改,删除其与循环经济法相互重复的内容。

四、循环经济法律体系

根据上述对循环经济概念与范围的界定,循环经济立法与清洁生产法、固体废物污染环境防治法、节约能源法的关系的分析,笔者认为,我国应当建立循环经济法律体系。这个体系不应打破现有环境法律体系的框架和内容,并应注意与现有环境法律体系的协调。

我国循环经济法律体系应当是:以循环经济法为龙头,以《节约能源法》、《资源有效利用促进法》、《清洁生产促进法》、《固体废物污染防治法》四部法律为基干,以特定资源、产品的单项立法为补充的循环经济法律体系。

循环经济法作为循环经济法律体系当中的龙头法,应当定位于政策性立法目标,其主要作用是引导、推动循环经济的有序健康发展。从其调整机制来看,侧重于事先的规范、指导,而不在于事后的制裁。其主要内容应包括:循环经济定义、范围、发展循环经济的目标、原则、主管部门、规划、政府的推动责任与扶持措施、企业和公民个人的一般义

循环经济立法研究

务和责任。

有学者认为,循环经济法应当定位于资源有效利用和再生利用,因而它就是"资源有效利用法",不可能是政策性的龙头法。笔者认为,此种主张也值得商榷。虽然循环经济的核心是资源的高效利用和循环利用,但是绝对不能认为循环经济就等同于资源的高效利用和再生利用。如果说循环经济立法就只解决一个资源有效利用和再生利用问题,那么循环经济的范围就太过狭窄,甚至是否有必要提出循环经济都值得怀疑。

在基干法部分,需要新制定《资源有效利用促进法》,以填补我国在促进资源有效利用问题上的立法空白。我国在资源立法领域,颁布了包括《森林法》《水法》等在内的9部自然资源法,但是唯独没有进行资源有效利用的立法,这与我国长期以来缺乏资源稀缺意识有关,"资源无价、原料低价、制成品高价"现象一方面抑制可再生资源生产的积极性,另一方面助长了资源浪费现象。因而制定一部资源有效利用促进法,要求有关单位和个人根据资源的特性、功能及赋存形式和分布条件,采取各种科学的手段和方法,对资源进行综合开发,合理和充分利用,变一用为多用、小用为大用、无用为有用、有害为有利,实现物尽其用是十分必要的。

《节约能源法》《清洁生产促进法》《固体废物污染防治法》三部立法是旧法,需要在循环经济法出台后,适时进行修改,主要解决这些既有立法的立法内容的回归与复位,避免法律之间的冲突与重叠、增强可操作性,解决实施效果不力问题。

在行业与产品的立法部分,针对我国的国情,借鉴国外立法经验,笔者认为应当制定容器与包装物分类回收与利用法、家用电器循环利用法、建筑材料循环利用法、可循环性食品资源利用法、报废汽车循环利用法、农村废物综合利用法、政府绿色采购法等。通过这些具体立法的制定与完善,才有可能形成真正的资源节约型、环境友好型社会。

(李艳芳:中国人民大学法学院教授,博士生导师)

我国发展循环经济的政策与法律体系探讨①

任勇 周国梅 李华友 陈赛

在循环经济发展处于从理念倡导和试验示范向全面推进的关键时期,政策就成为决定性的因素。在着手建立和完善循环经济政策之前,首先要弄清两个基本问题:一是应遵循的基本原则和思路是什么;二是政策体系框架,或者说政策体系的结构是什么;它们决定着国家建立和完善相关政策的定位、方向、内容和质量。为此,本文对这两个问题进行了初步探讨。

一、建立和完善循环经济政策的基本原则和思路

建立和完善循环经济政策应遵循三个原则和思路。

1. 服务于我国循环经济概念与内涵原则

除了发展循环经济对我国现代化建设具有重大的现实和长远意义之外,国家建立和完善循环经济政策的一个基本前提是,循环经济术语是一个规范的概念,有特定的内涵。在我国循环经济内涵的五大特征

---

① 本文是科学技术部 2003 年度社会公益研究专项资金项目《国家环境安全及其环境管理支撑体系研究》课题四《中国循环经济发展模式及政策体系研究》的成果。

中(任勇等,2005),①循环经济概念的定位问题和外延问题是决定相关政策定位的首要因素。从循环经济概念产生的历史过程和背景看,它是国际社会因资源环境问题、特别是环境污染问题而起,并为了彻底解决这一问题,从调整生态系统与社会经济系统物质交换方式和通量的层面和角度,提出的一种环境友好型的经济发展模式。这是循环经济概念的基本定位,它首先是"经济活动","循环"是这种经济活动的特征,二者缺一不可,共同构成了循环经济的特有概念,也就是说这种经济发展模式必须是环境友好型的。既然是"经济活动",循环经济概念的外延就涉及生产(包括资源能源开发)、流通和消费等环节。

这一概念定位与外延就决定了一部分循环经济政策如基本政策的定位既不是只见树木不见森林的传统环境政策,也不是不考虑环境的经济政策,而是环境保护与经济发展有机融合的综合性政策,覆盖资源能源开发、生产、流通和消费各领域。

2. 服务于循环经济实践的原则

政策是为了推进实践而制定的。我国循环经济的实践主体主要是企业,出现了产业生态化模式和区域模式。产业模式包括生态工业、生态农业、绿色服务业、废弃物资源化和无害化产业。企业是产业的基本经济单元,所以循环经济的产业模式实际上包含了企业模式。循环经济的企业模式是以清洁生产为核心的资源(包括废物)循环式利用和能源梯级利用的生产模式。区域模式主要包括两个方面:一是不同产业间的共生,生产与消费领域间的共生;二是区域公共资源能源(如水、电等)利用与基础设施的高效率和对环境的低负荷。目前消费领域的循环经济实践抓手有节水节电,绿色消费、特别是政府绿色采购,产品环境标志,绿色饭店等绿色服务业,以及生活废弃物的分类回收、再利用和资源化等。从这里可以看出,绿色服务业和废弃物资源化与

---

① 我国循环经济内涵的五大特征包括:循环经济概念的定位,外延,区别于传统经济发展模式的表征,区别于经济学及传统经济发展模式的根本特征,实现循环经济的原则、方法和核心标准等方面(参见任勇等:《我国循环经济的概念、内涵和有关理论问题》,《中国人口、资源与环境》,2005年第4期)。

无害化产业是横跨生产和消费领域的链接产业。

因此,循环经济的政策必须要满足推进这些循环经济实践模式发展的需要,否则,相关政策将失去作用对象,没有存在的价值。

3. 用足用好现有政策和补充缺位政策相结合的原则

建立和完善循环经济政策有两条途径:一是梳理和整合现有有利于循环经济发展的政策;二是制定新的政策。从二者的关系和实际工作需要看,梳理和整合是当务之急。首先,循环经济不是无源之水、无本之木,而是在总结我国经济发展和资源环境保护实践的历史教训和借鉴国际先进经验的基础上,继承发展起来的。我国已形成了不少有利于循环经济发展的政策,所以,用足用好现有相关政策,或改变相关政策的使用方向是基础工作。其次,新制定的政策必须要与现有政策相协调,是对政策空白的补充和完善,不是割裂的和孤立的,所以,梳理现有相关政策是制定新政策的基础和前提。

二、我国循环经济政策和法律体系框架

根据上述三个原则和相关国际经验,我国循环经济政策和法律体系不仅包括直接针对循环经济实践模式的核心政策;也包括对社会经济基础制度的创新,即基础性政策;还需要与循环经济发展相适应的生态文化的宣传教育政策;统领核心政策、基础政策和宣传教育等政策的是循环经济的基本政策;环境保护政策及其监督管理是促进循环经济政策建设和实践的直接推动力(如图1);循环经济技术研发政策是循环经济政策体系的重要组成部分,在形式上可以融入上述政策类别之中。只有建立和完善这样一个复杂和系统的政策体系,循环经济实践才能得到全面和有效地推进,我国循环经济实践才能担当起彻底改造传统生产和消费模式,改变经济增长方式,走出新型工业化道路,解除全面建设小康社会所遇到的资源环境瓶颈约束的历史重任。在政策表现形式上,上述各类政策可以是法律法规、也可以是规章制度、指导文件、标准和规划。所以,图1的循环经济政策体系框架也是循环经济的法律法规框架。在政策手段上,应该是命令控制手段、经济激励手段、自愿手段和信息公开手段的组合。

循环经济立法研究

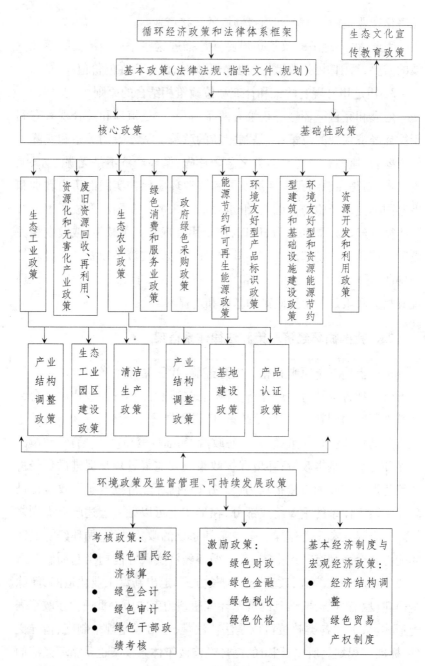

图1 我国循环经济发展政策和法律体系框架

三、促进循环经济发展的基本政策

基本政策是促进循环经济发展的最根本的和普遍适用的指导政策,是超越传统环保政策和经济政策之上的综合性政策,统领社会经济和资源环境等方面的实践,其实质上是可持续发展政策。在基本政策之下,现有的资源环境保护政策和经济政策都应作出相应的调整,反映基本政策的原则和制度要求。循环经济基本政策的目标和内容是确定循环经济在社会经济发展中的战略地位,提出循环经济发展的总体战略目标、步骤、主要制度和措施,以便用循环经济理念、原则和方法指导社会经济发展的方方面面,形成核心政策和基础政策创新的依据。根据日本经验,循环经济基本政策包括基本法和基本计划(规划)。在基本法出台之前,国务院刚刚发布的《关于加快发展循环经济的意见》可以作为指导我国目前循环经济发展的基本政策。基本规划是某一时期落实循环经济基本政策的实施载体,我国发展循环经济的基本规划可由两部分组成:一是制定中长期循环经济发展战略规划,二是根据战略规划,将循环经济发展的阶段目标、任务和措施纳入到国民经济与社会发展五年规划。根据我国的规划体系,循环经济发展的阶段或短期规划不宜独立制定,避免与社会经济发展主流规划脱节,形成两张皮现象。

四、促进循环经济发展的核心政策

核心政策是直接推动循环经济重点实践领域的政策。在循环经济核心政策建设中,特别要注意切实落实和用足用好现有有利于循环经济发展的政策,并进行适当调整和整合;同时,完善薄弱政策,补充缺位政策。

根据我国目前相关政策的建设情况,对循环经济发展较有利的政策有:生态工业政策(包括产业结构调整政策、清洁生产政策),资源综合利用和环保产业税费优惠政策,能源节约和再生能源政策,环境友好型产品标志(标识)政策;薄弱的政策有:生态工业园建设政策,废弃物回收、再利用、资源化和无害化产业政策,生态农业政策,资源开发利用政策;基本缺位的政策有:绿色消费和服务业政策,政府绿色采购政策,环境友好型和资源能源节约型城镇基础设施和建筑政策等。

1. 切实落实和用足用好现有政策

(1)废旧资源综合利用和环保产业政策。我国废旧资源综合利用及相关环保产业政策建设已有二十多年的历史,并与市场经济体制改革同步发展,政策结构由初期的宏观指导政策为主逐步转向以经济激励政策为主,管理机制由政府主导过渡到以市场机制为基础。首先,从上世纪90年代中期开始,国家陆续发布了大量涉及综合利用企业所得税、企业及相关产品增值税、固定资产投资调节税、技术及产品研发等方面的税收优惠政策和有关信贷支持政策,特别是90年代末期开始实行的垃圾和污水处理收费制度,标志着资源综合利用及相关环保产业开始全面走向市场。其次,国家相关的宏观政策注重从确立废旧资源综合利用及环保产业在国民经济中的地位和制定规划的角度鼓励和调控产业发展的步伐与方向,并不断扩大产业范围。1989年,国家首次将环保和能源利用相关产业确定为国家产业重点。亚洲金融危机之后,国家又将环保相关产业和环境基础设施建设作为拉动内需的重点领域,加大财政投入,对壮大环保相关产业发展发挥了决定性的作用。从"十五"开始,国家又首次制定了环保产业发展的五年规划,对引导产业发展具有重要意义。

(2)生态工业相关政策。在我国现行的工业政策体系中,产业结构调整政策、生态工业园区建设和清洁生产政策是促进工业体系生态化的重要制度。从这些政策的构成和内容看,生态工业园区政策基本缺位,是今后建立和完善的重点环节;产业结构调整和清洁生产政策在2004年取得重要进展,基本可以满足目前循环经济发展的要求,关键是要切实落实好这些政策。

从"九五"开始,我国将产业结构调整摆到了转变经济增长方式的战略高度,制定了许多重要政策。国家先后发布了《当前国家重点鼓励发展的产业、产品和技术目录(2000年修订)》和三批《淘汰落后生产能力、工艺和产品的目录》。仅1999年的第一批淘汰目录就淘汰了违反国家法律法规、生产方式落后、产品质量低劣、环境污染严重、原料和能源消耗高的 10 个行业的落后生产能力、工艺和产品,共 114 个项目。特别是按照国务院《关于环境保护若干问题的决定》要求,全国关闭了 8.4 万家严重浪费资源、污染环境的小企业;淘汰了一批落后的生产能力和设备,限制发展了一批高物耗、高污染的产业,促进了传统产业的技术改造。2006 年年初,国家发改委新制定的《产业结构调整方向暂行规定》正在向社会征求意见。《暂行规定》确定了产业结构调整目标和调整的方向与重点,并制定了包括进出口税收优惠、企业所得税优惠以及违反《暂行规定》的惩罚措施等实质性政策。围绕《暂行规定》,制定了新的《产业结构调整指导目录》。总体上看,《产业结构调整方向暂行规定》符合了全面协调可持续科学发展观和走新型工业化道路的要求,是全面建设小康社会新形势下我国产业结构调整的重要政策创新,对促进产业生态化将有重要的推动作用。

我国的清洁生产政策包括法律法规、技术指导目录及标准和能力建设三方面。总体上,我国的相关政策处于世界先进水平,基本可以满足现阶段循环经济发展战略对清洁生产的要求。

2002 年颁布的《清洁生产促进法》和 2004 年 8 月由国家发改委和国家环保总局联合发布的《清洁生产审核暂行办法》(简称《办法》)是我国清洁生产政策取得重要突破的标志。特别是《办法》可以在较大程度上解决我国清洁生产实践中长期存在的经济激励不足和强制实施没有法律依据这两大难题,具体表现在三个方面:一是实行自愿审核和强制审核相结合,对于超标排放污染物和使用有毒有害原料进行生产或者在生产中排放有毒有害物质的企业实行强制审核。二是对强制审核配套了较严格的管理措施。具体措施包括信息发布和公众监督制度、限期审核、承担违法责任等。三是建立了政府扶持和奖励等配套政策。

同时,国家先后发布了两批清洁生产技术导向目录,涉及 9 个重点行业和 113 项清洁生产技术。2003 年国家还发布了石油炼制和炼焦行业的清洁生产标准。

(3)能源政策。从上世纪 90 年代中期开始,节约能源、提高能源利用效率逐渐成为我国能源政策的主体。1997 年颁布了《能源节约法》,并陆续发布了主要行业和部分产品的能效标准,开展了各种节能降耗活动,制定了五年能源节约规划,在改进能源效率上取得了很大成效。特别是进入新世纪,在全面建设小康社会面临资源能源和环境瓶颈约束的严峻形势下,节约能源和再生能源开发政策得到前所未有的加强。仅 2004 年以来,国家出台了五项相关政策和法律:《国务院办公厅关于开展资源节约活动的通知》、《可再生能源法》(2005 年 3 月 1 日颁布,2006 年 1 月实施)、《节能中长期规划》、《能源效率标识管理办法》和《政府节能产品采购通知》。这些政策充分反映了科学发展观和新型工业化道路的要求,若能切实落实,将会较好地推动循环经济的发展。

(4)环境友好型产品政策。我国环境友好型产品政策主要是标志(或标识)制度和采购制度。标志(识)制度包括环境标志制度、绿色食品标志制度、有机食品标志制度、无公害食品标志制度、环境友好型企业标志制度和能源效率标识制度等 6 类,其中,前 4 种标志制度是我国目前较为普遍应用的制度。我国环境标志制度诞生于 1993 年,目前已经开展了 56 项环境标志产品认证,已有 1000 多家企业,18000 多种产品获得中国环境标志认证,形成了 700 亿产值的环境标志产品群体。环境友好型企业标志制度试验不到 2 年的时间。《能源效率标识管理办法》于 2005 年 3 月进入实施。国家发改委、国家质检总局今年初联合发布了《能源效率标识管理办法》,并将制定《中华人民共和国实行能源效率标识的产品目录》。财政部、国家发改委在 2004 年 12 月份发布了《节能产品政府采购实施意见》,将于 2007 年全面实行。

(5)环境政策及监督管理。目前,我国已颁布和实施了 7 部环境法、数百件环境法规和标准、10 多项行之有效的管理制度,形成了比较完善的环保法律和政策体系。除了《清洁生产促进法》和《固体废物污染环境防治法》(2004 年修订)有直接促进循环经济发展的作用或相关规定外,绝大部分环保法律法规和政策只是服务于污染预防和治理的。但实践证明,这些环境政策及其监督管理可以对企业循环经济实践产生强大的推动力。江苏太仓市新太酒精有限公司开展循环式生产的经历就是对这一机制的最好诠释。新太酒精有限公司是一家以木薯为原料生产酒精的厂家,酒精生产过程中产生的高浓度有机废水对当地水体造成严重污染,其 COD 排放量占太仓市的 70%。对此,太仓市环保局在严格执法的同时,大力支持企业进行酒精废水治理的技术攻关,1999 年 3 月该公司全面实现废水达标排放,同时,形成了两条循环体系:酒精糟液——污水处理系统——污泥回收制沼气——沼气替代煤炭用于生产锅炉;分离污泥——制有机复合肥或分离污泥——与煤混合用于锅炉燃烧,获得了可观的经济和环境效益。目前,新太公司计划开发废水回用循环链,即生产污水处理——深化处理——锅炉用水,减少新鲜水用量。

2. 完善薄弱政策

在调整和强化上述对循环经济发展有利的政策的同时,目前需要尽快完善下列循环经济相关政策。

(1)废弃物回收、再利用、资源化和无害化产业政策。废弃物回收、再利用、资源化和无害化产业政策完善的方向是:首先要理顺和改革管理体制与产业体系,建立统一的废旧资源回收、再利用、资源化和无害化处置管理体制和产业体系,培育和扶持以市场机制为基础的、组织化程度较高的市场运营主体。其次,借鉴日本立法模式,对产生量和环境影响大的废弃物进行专项立法,逐步建立废弃物资源化和无害化法律法规体系。第三,在继续实施税收优惠政策的同时,重点强化信贷支持和有关收费政策。第四,制定技术研发政策,并通过 5 年产业发展规划的方式,落实具体的技术研发和推广项目。

(2)生态工业园区建设政策。我国生态工业园区建设政策基本处于缺位状态,其建立和完善的方向是:①将现有生态工业示范园区提升为国家示范园区,扩大示范数量,给予资金和税收优惠;②在鼓励建设新的生态工业园区的同时,重点要放在将现有各类经济开发区,特别是经济技术开发区和高新技术产业园改造成生态工业园;③制定生态工业园区标准,建立奖励制度。

(3)生态农业政策。与我国较长的生态农业实践历史相比,有关政策建设严重滞后。目前相关政策明显呈现出三个特点或不足:第一,现有政策以行政规范和宏观引导为主,尚未在国家层面上建立起包括法律法规、管理制度和经济激励措施等在内的政策体系。第二,现有政策主要是从生态农业建设的末端,即无公害农产品入手,缺乏生态农业建设过程中的有关政策。第三,对于生态农业技术体系和服务体系建设的支持不足。今后,政策调整完善的方向是要同时抓好绿色(无公害)产品末端和生态农业建设过程两个环节,填补生态农业立法、经济政策、生态农业基地建设和技术政策空白,并将生态农业发展政策纳入农业结构调整和农业环境污染防治政策之中。

(4)资源开发利用政策。在自然资源和能源开发利用方面,现有政策体系改革的方向是:①改变重开发轻利用的政策结构;②重点改进资源定价政策、税收政策、生态补偿政策这些根本性的政策,使资源价格趋向全面反映资源生产成本、稀缺成本和环境成本,为提高资源开采效率、利用效率和循环利用率创造良好的市场环境;③逐步修改现有相关资源法律法规,使之体现出可持续发展和循环经济的理念和原则;④用好五年规划手段,确定具体目标,落实具体项目,扎扎实实推进能源节约和资源综合利用工作。

(5)环境友好型产品相关政策。我国环境友好型产品相关政策尚处于起步阶段,今后政策建设的方向一是应扩大环境友好型产品的范围,制定相关目录;二是确立法律依据;三是制定税收、价格和采购方面的优惠政策,以市场机制推进环境友好型产品的开发和应用。

3. 补充缺位的政策

在推动循环经济发展的核心政策中,明显缺位的政策主要集中在环境友好型和资源能源节约型基础设施与建筑领域和消费领域。

我国正处在工业化和城市化"双高"时期,城市基础设施建设和房屋建筑增长速度和增长空间巨大,资源能源消耗量和对环境的影响惊人。专家预测,我国现有建筑总面积400多亿平方米,到2020年将新增建筑面积约300至400多亿平方米。目前,建造和使用建筑直接、间接消耗的能源占到全社会总能耗的46.7%。现有建筑中95%达不到节能标准,单位建筑面积能耗是发达国家的2至3倍。如果城镇建筑全部达到节能标准,到2020年每年就可以节省3.35亿吨标准煤,减少8000万千瓦时空调高峰负荷,相当于每年节省电力建设投资约1万亿元(新华网,2005年4月27日)。同时,建设中还存在土地资源利用率低、水污染严重等问题。因此,我国急需对城镇交通、能源、供水等基础设施建设和房屋建筑的资源能源节约和保护环境问题进行立法,建立健全有关强制性标准体系,制定经济激励、信息发布、技术研发和行政监督管理制度等。

在消费领域,应抓好绿色服务业和绿色消费的政策建设。在绿色服务业方面,现阶段政策建设可以定位在培育和扶持一批绿色服务业企业,如绿色饭店、宾馆、设备和器具租赁等,政策手段是宣传教育、信息披露、典型示范,并配套以经济激励和市场荣誉奖励制度。

建立政府绿色采购制度对引领绿色消费,推动循环经济发展具有重要的突破性意义。首先,政府采购的规模显著影响消费市场,甚至可以作为调控宏观经济的一个重要手段,是绿色消费的重要环节。政府采购制度作为公共财政体系管理中的一项重要内容,是国家管理直接支出的基本手段。世界各国的政府采购在其国民生产总值(GDP)所占比例很大,足以影响某些产品的市场份额和消费者取向。据统计,欧盟各国政府采购每年约1万亿欧元,占其国内生产总值的14%左右,若包括公用事业部门的采购,该比例将会更高。日本中央政府每年采购额达到14万亿日元。我国2003年实施《政府采购法》后,当年政府采购额达到1659.4亿元,占同期GDP的6.7%,与2002年相比,增长了64.4%。有些地方政府如福建等省市,政府采购规模占当年财政支出的39.6%。其次,实践表明,发达国家的政府绿色采购对可持续消费乃至可持续生产发挥着显著的引导作用。政府绿色采购行为会对相关供应商产生积极影响,供应商为了赢得政府这个市场上最大的客户,积极采取措施增强其产品的绿色度,提高企业管理水平和技术创新,节约资源能源,减少污染物排放,提高产品质量和降低对环境和人体的负面影响程度。

从目前面临的政治、经济和社会发展的形势看,我国建立政府绿色采购制度不仅是十分必要的,而且也是可行的。首先,落实科学发展观,构建和谐社会,大力发展循环经济为建立可持续消费模式、推行政府绿色采购提供了重要的战略机遇。第二,我国目前正处于消费升级转型的关键阶段,应积极采取措施促进绿色消费,实现消费模式的跨越式发展。第三,全球可持续发展战略、经济全球化趋势和 WTO 规则等也对政府实施绿色采购提出了要求。第四,我国《政府采购法》对绿色采购已有原则性规定,具备了一定的法律基础。该法第九条明确规定:"政府采购应当优先采购高科技和环境保护产品,促进环保企业的发展,保证经济的可持续发展。"第五,从相关环境标志等配套制度建设和绿色采购产品的规模来看,我国已具备了推行政府绿色采购的市场条件。另外,政府绿色采购所涉及的主体较单一,包括政府机构、事业单位、国有企业和使用财政资金的建设项目业主。只要政府有意愿,绿色采购相对来说易于推行。而且政府有义务发挥表率作用,理应率先实行绿色采购。

我国可以从四个方面着手,建立政府绿色采购制度。一是在《政府采购法》之下,制定政府绿色采购办法,待时机成熟时再修订目前的采购法,完善相关法律法规,为全面推行政府绿色采购提供法律保障;二是建立绿色采购标准,发布绿色采购清单;三是建立绿色采购网络;四是公开绿色采购信息,完善监督机制。

4. 循环经济发展的基础性政策

循环经济发展的基础性政策是指,在更大程度上为循环经济重点领域实践创造良好制度环境的政策。循环经济基础政策可以大致分为宏观经济政策和基本经济制度、基础性激励政策和考核政策等三大类。宏观经济政策和基本经济制度包括经济结构调整政策、绿色贸易政策和有利于资源环境保护的产权制度。基础性激励政策包括绿色财政、绿色金融、绿色税收和绿色价格政策。考核政策包括绿色国民经济核算制度、绿色会计制度、绿色审计制度和绿色干部考核制度。在实行社会主义市场经济制度以来,我国这类基础性政策的改革力度较大,进展显著,逐步与市场经济机制相适应。在实施转变经济增长方式和可持续发展战略后,诸如经济结构调整、部分资源能源价格、一些税费和财政等基础性政策和制度开始向有利于环境保护和可持续发展的方向迈进。特别是在落实科学发展观和走新型工业化道路以来,我国开始积极研究如绿色国民经济核算和绿色干部政绩考核等先进的绿色制度。

但同时,必须清醒地认识到,基础经济制度的变革需要漫长的时间,变革的阻力和难度也会很大。今后政策变革的任务是在科学发展观的指导下,应用可持续发展、循环经济和环境保护的理论与原则,坚持不懈地逐步将我国基础经济政策和制度绿色化。

主要参考文献

[1]任勇、吴玉萍:《中国循环经济内涵及有关理论探讨》,《中国人口资源与环境》,2004 年第 3 期。

[2]周国梅、任勇、陈燕平:《发展循环经济的国际经验和对我国的启示》,《中国人口资源与环境》,2004 年第 3 期。

[3]任勇、周国梅、陈燕平:《从我国国情探索循环经济的发展模式》,《中国环境报》,2005 年 5 月 24 日。

[4]周国梅、冯东方、任勇:《循环经济的核心调控手段是物质流分析与管理》,《中国环境报》,2004 年 11 月 30 日。

[5]任勇、李华友、周国梅:《我国循环经济相关政策分析》,《研究报告》,2004 年。

[6]国家环境保护总局政策法规司编译:《循环经济立法选译》,中国科学技术出版社 2003 年版。

[7]吕忠梅:《环境法新视野》,中国政法大学出版社 2000 年版。

(任勇、周国梅、李华友、陈赛:国家环保总局
环境与经济政策研究中心)

循环经济法的建构与实证分析

王灿发　李丹　李俊红

　　发展循环经济,建设资源节约型、环境友好型社会,已经作为我国一个时期的发展战略被正式列入《国民经济和社会发展第十一个五年规划纲要》,其立法也已经被全国人大提上议事日程。许多专家、学者、官员对如何发展循环经济也已有很多论述和探讨。然而,到底应当制定一部什么样结构和内容的法律,应当遵循什么基本原则,构建哪些基本管理制度和措施,则很少被探讨。本文着重从实证的角度对循环经济立法的背景及必要性、调整范围、法律定位、基本原则、框架设计、法律制度等立法中亟待解决的问题进行比较深入探讨。

一、循环经济与循环经济法

　　循环经济的思想萌芽可以追溯到环境保护兴起的 20 世纪 60 年代。“循环经济”一词最早由美国经济学家 K. 波尔丁提出,主要是指在人、自然资源和科学技术的大系统内,在资源投入、企业生产、产品消费及其废弃的全过程中,把传统的依赖资源消耗的线性增长经济,转变为依靠生态型资源循环来发展的经济。其“宇宙飞船理论”可以作为循环经济的早期代表。① 我国从 20 世纪 90 年代起引入循环经济的思

---

　　① 李凯飞:《循环经济与企业战略发展》,http://www.chinace.org.cn,2006. 6.21。

想:1998 年引入德国的循环经济概念,确立了"3R 原则"①的地位;1999 年从可持续发展的角度对循环经济发展模式进行整合;2003 年将循环经济纳入科学发展观,确定了物质减量化的发展战略;2004 年提出从不同的空间规模城市、区域和国家层面发展循环经济。

我国引入循环经济思想是以现行经济发展模式的不适应性和资源环境面临的巨大压力为背景的。《十一五规划》提出了十一五期间我国国内生产总值年均增长 7.5%,实现人均国内生产总值比 2000 年翻一番的战略目标。② 如果继续沿袭现行的经济发展模式,在 GDP 翻两番的同时,资源投入将同步增长,污染排放也将同步增长,其后果将是灾难性的,届时耕地减少、用水紧张、能源短缺、矿产资源不足、大气污染加剧、水环境恶化、生态失衡等不可持续因素造成的压力将进一步增加,其中有些因素将逼近甚至超过极限值。③ 因此,党中央提出,发展循环经济,是建设资源节约型、环境友好型社会和实现可持续发展的重要途径。

然而,到底什么是循环经济,仍然是一个仁者见仁、智者见智的问题。归纳起来,对循环经济的概念的理解可以分为狭义和广义两大类型。狭义的循环经济,也可称为"废物经济",是指不断提高资源利用效率,把传统的消费后的废弃物转变为另一企业原材料的新型经济运行形态。广义的循环经济,是指以资源节约、综合利用、污染预防、清洁生产、绿色消费为内容,使经济系统和自然生态系统的物质和谐循环的一种新的发展理念和经济形态。

为了符合法律的可操作性和稳定性,从立法实用主义的角度,我们可以把循环经济定义为:循环经济是指根据可持续发展的要求,通过清洁生产的方式,建立生产、流通、消费各环节的反馈流程系统,达到资源和能源使用的最少化和利用效率的最大化、废物排放的最小化和生态

---

① 即减量化(Reduce)、再利用(Reuse)、资源化(Resource)原则。

② 参见《中华人民共和国国民经济和社会发展第十一个五年规划纲要》,第三章。

③ 钱易:《发展循环经济 建设小康社会》,《循环经济在实践——中国循环经济高端论坛(2005)》,人民出版社 2006 年版,第 201 页。

效率最优化的经济发展模式。按照这一定义,循环经济首先是一种经济发展模式,它是一种高效经济,符合时代要求,符合人们追求美好生活的愿望。其次,从过程来讲,它是流程反馈式经济,在生产、流通、消费的每个过程产生的废气、废水、废渣、废能都能反复利用或者再生利用,这样才叫"循环"。其三,循环经济应当是"三化"经济,即能源资源利用效果的最大化、废弃物排放的最小化和生态效益的最优化。循环经济是生态经济,所以要实现生态效益的最优化。最后,循环经济在实现的途径上是通过清洁生产的方式来实现的。这样就需要对原来的法律制度和传统的环境保护及经济发展理念进行全面的改革。①

在法治社会,循环经济的推行和实现离不开法律的保障,特别是在我国推行和发展循环经济的许多障碍和问题,需要通过立法去排除和破解。这些障碍表现为:

(1)一些地方政府片面追求经济增长,过度消耗资源和破坏环境。长期以来,我国实际存在的以 GDP 为导向的发展惯性相当强地影响着各级政府领导的思想观念和行动,有些地方政府的领导干部为了政绩一味追求国内生产总值的增长速度,不惜采取杀鸡取卵式地开发自然资源,建设高消耗、高污染的建设项目,幻想着等到经济发展到一定水平后再发展循环经济。

(2)政府和相关部门、企业、公众在发展循环经济方面的责任不明确。目前,在推进循环经济过程中,由于政府管理部门职责划分不明确,政府部门制定循环经济相关政策和措施缺乏法律依据,部门利益问题突出。另外,企业和公众对发展循环经济过程中应尽的义务和应负的责任也不清楚,从而影响了循环经济的发展。

(3)缺乏相关政策体系和激励机制。为了解决经济发展中的资源短缺和环境问题,中央政府把发展循环经济提到了很高的地位。但在各级政府和综合经济管理部门的相关政策中,仍然没有把发展循环经济作为整体政策中的一个环节进行具体落实。发展循环经济仍然游离于主流经济政策之外。促进循环经济发展的规划制度、循环经济指标

---

① 王灿发:《第四届东南法学论坛》,http://www.fzu.edu.cn,2006.6.22。

体系制度和政策还没有建立健全,开展循环经济的收费、税收、配套政策还远远达不到刺激和激励企业的作用。

(4)尚未建立起发展循环经济的技术支撑体系。由于我国科技领域自主创新能力比较薄弱,在发展循环经济领域存在很大的技术和成本障碍。而资源的综合利用、产品的重复利用和再生利用,都需要技术的支撑和创新,从而降低成本,真正达到可持续发展的目的。

(5)现行立法的不足影响循环经济的进一步推进。到目前为止,循环经济的相关法律法规不健全,我国在循环经济方面仅出台了少量的法规,对全局有重大影响的实质性内容的规定并不是很多,大部分领域仍是空白;现有的法规比较原则笼统,可操作性不够强,若干相关法律之间存在不够协调等问题。现行环保法律还局限于"污染治理"的思维模式上,对于废物的回收利用没有具体的法律法规,这和循环经济的要求相差甚远。

为克服上述障碍,解决发展循环经济中存在的主要困难,需要利用法律手段的规范性、强制性、公开性将一些促进循环经济发展的政策、制度和措施通过立法的形式进行明确规定,充分发挥法律手段的作用,实现以科学发展观为灵魂的《十一五规划》提出的各项目标。

进行循环经济立法,首先要解决的问题就是循环经济法调整的范围。在国外,有的循环经济法主要调整的是对废物的再利用,如德国;有的则强调建立整个的循环型社会,并从各个方面推进循环经济发展,比如日本。根据我国的国情和现有的法律基础,我们认为,我国循环经济法调整的范围应当主要包括下列几个方面:

一是清洁生产。清洁生产是指不断采取改进设计、使用清洁的能源和原料、采用先进的工艺技术与设备、改善管理、综合利用等措施,从源头削减污染,提高资源利用效率,减少或者避免生产、服务和产品使用过程中污染物的产生和排放,以减轻或者消除对人类健康和环境的危害,因此清洁生产应当是实现循环经济的重要途径之一。

二是资源综合利用。资源综合利用是我国一项重大的技术经济政策,也是我国国民经济和社会发展中一项长远的战略方针。资源综合利用主要包括:在矿产资源开采过程中对共生、伴生矿进行综合开发与合理利用;对生产过程中产生的废渣、废气、废水、余热、余压等进行回收和合理利用。资源的综合利用在很大程度上体现了循环经济对资源利用的要求和废物资源化的理念。

三是资源的再使用或继续使用。资源的再使用是指对资源或者拆解后的产品继续使用,或者修复、翻新、处理后继续使用,尽可能地延长产品的使用周期。

四是废物再生利用与无害化处置。废物再生利用是指包括收集、分类、消毒、处理以及再利用那些可能成为废物的材料,使之以原材料的形式进入经济领域,用于生产新的、再生的或复合的产品,并使其符合相应的质量技术标准。废物的无害化处置是指对于不可再生利用的废弃物应当采取焚烧等形式进行热回收,并最终以对环境无害的方式进入环境。

五是绿色消费。绿色消费,也称可持续消费,是循环经济发展的内在动力。它是指一种以适度节制消费,避免或减少对环境的破坏,崇尚自然和保护生态等为特征的新型消费行为和过程。这种消费模式不仅包括购买和使用绿色产品,还包括物资的回收利用,能源的节约使用,对生存环境、对物种的保护等。

二、循环经济法的定位与法律原则

在我国,目前关于循环经济法律性质的讨论主要有三种观点:

其一,循环经济法属于环境资源法。此种观点认为,虽然循环经济法与经济法有关,但其立法的立法目的、内容大都与环境资源的开发、利用、治理、保护及其管理有关,其遵循的生态规律和"3R"原则主要是环境资源法所坚持的规律和原则,循环经济法基本上或本质上应该属于环境资源法的范畴。①

其二,循环经济法属于经济法。此种观点认为,首先循环经济的法律调整使线性经济转向循环经济,这些是在经济范畴内进行的;其次循

---

① 蔡守秋:《论循环经济法》,《南阳师范学院学报(社会科学版)》2005 年第 1 期,第 3 页。

环经济是政府推动性的经济,属政府管理经济,为经济法题中应有之义。最后循环经济法强调鼓励达到经济与环境双赢,以赢利为目的,这是经济法部门典型的规范手段。①

其三,循环经济法部分属于经济法,部分属于环境资源法。此种观点认为,我国循环经济法既包括了经济法的内容,又包括了环境资源法的内容,是一部综合性的法律,这反映了法律部门融合、综合调整的趋势,人为划分循环经济法的部门法性质将会导致法律系统性、有效性的缺失。②

学界关于循环经济法法律性质的三种观点从不同侧面揭示了循环经济法的主要内容和基本特征,均具有一定的合理性。但是我们认为,要厘清循环经济法的法律性质,首先应当对循环经济法的作用或定位问题作出前提性判断。循环经济法在整个法律体系中主要有如下三个方面的定位:

第一,循环经济法是一部环境友好型经济法。一般而言,法律调整的对象是划分法律部门的基本标准,法律调整的方法是划分法律部门的辅助性标准。循环经济法主要是调整单位和个人从事资源的高效利用、废物综合利用、产品的重复使用、废旧产品的再生利用和处置、可再生资源开发利用这五方面的活动或行为。这五方面的活动或行为既需遵循生态规律的要求,更需遵循经济规律的要求,从根本上说,循环经济只能在符合经济规律的条件下才能"循环"起来,是一种满足生态要求的新型经济增长模式。因此,循环经济法实际上是由部分具有经济法性质和部分具有环境法性质的规则构成的综合性法律,就其本质而言是一部环境友好型的经济法。

第二,循环经济法是具有可操作性的专项法。法律具有规范性、强制性、制度性和可操作性等特点。法律的这些特点决定了循环经济法

---

① 唐荣智、钱水娟、王珍:《论循环经济法的若干基本问题》,《北京政法职业学院学报》2006 年第 1 期,第 7 页。

② 蔡文灿等:《我国循环经济法模式选择》,《云南环境科学》2004 年第 4 期,第 16 页。

必须立足于现实问题的解决,应当是规范法、强制法或"硬法",是发展循环经济活动的基本行为准则和规范。美国著名法学家罗科斯·庞德认为,强力是法律的要素,背后没有强力的法治如同"不发光的灯,不燃烧的火"。① 为了避免以往"促进法"存在的可操作性和强制性差的问题,循环经济法的条文应当明确具体,必要时可以规定一些量化指标,对违反循环经济法的行为规定有力的制裁措施。

第三,循环经济法与现行其他法律互为补充。就循环经济法与其他诸如《清洁生产促进法》、《固体废物污染环境防治法》、《节约能源法》等法律之间的关系而言,循环经济法与这些法律之间存在着交叉,但循环经济法与这些法律之间解决问题的侧重点不同。其他法律只是解决了资源节约或环境保护中某个方面的问题。而循环经济法则从全面落实科学发展观的高度,将资源的节约、综合利用与环境保护综合考虑,提出了这种新的经济增长模式应当遵守的基本原则、行为准则和规范体系。

循环经济法应当坚持经济和环境资源一体化的思想,实现对该法的立法宗旨、目的、指导思想和调整范围的定性和定位,并尽量避免或减少与原有环境资源法律法规的重复,使循环经济法真正成为推动我国循环经济发展的、名副其实的专项法,而不是用循环经济法去取代或包含其他环境保护和资源开发的法律。对于现行立法未作规定的内容,循环经济法可以规定细致、全面的法律制度,以保证法律的可操作性。对于现行立法已有规定的内容,循环经济法应当总体重申现行立法确定的基本原则、政策、方针,但在某些方面可调整、补充、细化相关法律制度。

鉴于循环经济法的上述定位,我国的循环经济法应当体现下列基本原则:

其一,减量化、再使用、资源化原则即 3R 原则。所谓减量化,是指在生产和消费过程中,尽可能减少资源能源消耗和废物产生。所谓再利用,是指产品或者拆解后的零部件继续使用,或者修复、翻新、处理后

---

① 朱晓东:《庞德法理学提纲初论》,http://www.gongfa.com,2006.6.21。

继续使用,尽可能地延长产品的使用周期。所谓资源化,是指产品在所设计的功能消失即报废后,将其全部或者一部分转化为资源来加以利用,变废为宝,化害为利。这一原则体现了循环经济最本质的要求。

其二,政府引导、市场调节、企业实施相结合原则。发展循环经济涉及到政府、企业、中介组织的权利和义务,循环经济的推行与实施应当强调这些主体的平等协作和密切配合。循环经济法应当遵循经济规律,在强调政府引导责任的同时,还应当注意运用市场手段,充分发挥企业的实施主体功能以及中介组织的桥梁作用。这一原则解决的是循环经济发展的主体责任问题。

其三,扶持与强制相结合原则。循环经济法主要应以引导性规范、扶持性规范和支撑保障性法律规范为主,而不应以直接行政控制和制裁性法律规范为主。强制性规则虽具有简便、见效快的特点,但其弊端十分明显,容易导致扭曲经济规律、造成政府失灵等新问题。因此,循环经济法应当以行政强制为底线,更多运用经济扶持等法律实施机制,将市场规则的基本要求体现在具体的法律制度中。

其四,鼓励技术创新的原则。以技术创新为基础来推动循环经济是循环经济法应当确立的另一个法律基本原则。依照这一原则的基本要求,循环经济法应当鼓励企业的科技进步,采用降低原材料和能源消耗的无害或低害的新工艺、新技术;鼓励产业界的积极创新和开发;要求各级政府部门加大科技投入,组织力量研制开发清洁生产技术,推广无害或者低害的新工艺、新技术;对研究和处理废弃产品的研究机构给予政策上的扶持。

其五,公众参与原则。发展循环经济需要转变消费者的不良消费习惯,需要提高广大社会公众的参与意识和参与能力。循环经济法可以通过规定公众的监督权、参与权、知情权、听证权以及权利救济途径的方式贯彻公众参与循环经济的各项要求,同时对公众的某些行为作出必要限制,并对公众设定一定义务。

三、循环经济法的架构模式选择

目前在起草循环经济法过程中,争议最大的还是立法架构模式的选择问题。不同的立法框架其立法的侧重点就会有所不同,立法调整的内容也会有一定的倾向性,从而影响到法律的可操作性。分析国外循环经济法架构模式,对我国循环经济法架构模式的选择具有重要借鉴意义。

1. 国外循环经济法的架构模式与借鉴

世界上许多国家尤其是发达国家经过长期实践,目前已经处于循环经济法制化阶段,有专门的和相对完善的法律推动和保障本国循环型社会的形成。总的说来,发达国家的循环经济立法主要有两种模式,一种是以德国和日本为代表的循环经济立法,一种是以美国为代表的污染预防性立法。

日本循环经济立法架构模式。到目前为止,日本是世界上循环经济立法最为完善的国家,拥有世界上最为完善的循环经济法体系,由基本法、综合性法律与专项立法组成。基本法即 2000 年 6 月颁布的《循环型社会形成推进基本法》,主要内容包括"循环型社会"及其相关术语定义,循环经济活动必须经过的几个阶段,国家、地方政府、企业和广大公众的责任和义务,政府制定与循环型社会相适应的发展计划的责任,生产者的延伸责任等。

德国循环经济立法架构模式。德国作为世界上最早实施循环经济的国家之一,1994 年出台了以发展循环经济为目的的《循环经济和废物处置法》,标志着德国循环经济法制建设的开端。作为德国发展循环经济的代表性法律,经 1998 年修改后,德国《循环经济和废物处置法》的主要内容包括立法目的,废物制造者、拥有者和处置者的权利和义务,产品生产者的责任、废物处置计划责任,主管部门对废弃物的监测职能和义务以及公民的义务等。

美国循环经济立法架构模式。美国至今还没有一部真正意义上的循环经济法,但美国的《资源保护和回收法》体现了循环经济的要求,主要内容包括:第一,规定废弃物的存在方式及其对环境的影响;第二,规定立法目的;第三,对循环经济给出详细定义;第四,规定负责资源保护和废弃物回收利用的管理和实施机构及其职权;第五,规定危险废弃物的管理制度;第六,规定制定州或地区固体废物计划;第七,规定商业部长在资源回收利用中的责任。

国外的经验对我国循环经济立法具有重要的借鉴作用。从宏观层面上讲,立法应明确立法目的和指导思想;从微观层面上,应加大废品回收利用力度,增强主体责任,合理利用再生资源,强调全民参与,扩大生产者责任。

2. 循环经济法框架的论争与整合

目前我国关于循环经济法框架主要存在如下几种观点:

其一,按权利义务主体设计循环经济法的框架。该立法框架模式主要侧重对权利义务主体的分别规定,以期在法律中明晰各方主体的责任和义务,可以分为政府的权利与义务、企业的权利与义务、中介组织的权利与义务、公众(包括消费者)的权利与义务四部分。但该种模式的缺陷也很明显,即容易出现重复性条款,如在绿色采购方面,政府、企业和中介组织都负有义务,分别规定就会出现条款重复的现象。

其二,按管理对象(各个行业)设计循环经济法的框架。该框架模式按照循环经济的管理对象来设计,即按照农业、工业、服务业这三个产业实施循环经济的要求来设计循环经济法的框架。该立法框架模式的优点在于针对管理对象或者行业进行规定,可以使企业明确其适用的法律规定,缺陷在于循环经济的管理对象不仅仅是这三种行业,循环经济法的调整范围应该包括全社会,循环经济是一种社会经济发展模式,而不仅仅是一种手段。

其三,按循环经济实施的过程设计循环经济法的框架。按照这个框架模式,循环经济法框架的主体部分应当包括五个部分:资源综合利用、清洁生产、再利用、热回收、安全处置。该框架模式的优点是明确规定循环经济法所要规制的是上述五种活动,任何主体在进行上述五种活动时必须遵循法律相关规定,缺陷是无法明确管理主体的规划、监督等职责。

其四,按3R原则的基本顺序设计循环经济法的框架。此种意见认为,循环经济法框架的主体部分应当按照3R原则实施的顺序设计。法律草案主体框架应当包括五个部分:循环经济规划与管理、减量化原则的推行与实施、再利用原则的推行与实施、再循环原则的推行与实施、废弃物的最终处理。该框架模式充分体现了循环经济的特点,美中不足的是这样的框架模式会与现有的《清洁生产促进法》的内容有很多重复之处。

其五,按循环经济行政管理的程序设计立法草案框架。即循环经济法框架应当符合国家推行循环经济的行政管理程序,草案主体框架应当包括:循环经济发展规划、循环经济的推行与实施、循环经济的鼓励措施、公众参与。该框架模式的优点在于能够很明确地把发展循环经济的相关内容规定写进法律条文中,但缺陷在于会出现各章节不均衡,比如循环经济的推行与实施将是一个非常庞大、内容非常繁杂的章节,法律适用时会出现不容易找到相关条款的问题。

总的说来,上述框架模式各有优势和侧重点,可以对上述框架模式进行整合,以期能够提出一个比较具有可操作性的立法框架模式。

3. 我国循环经济法框架的选择与设计

理想的循环经济法框架应当能够体现出立法的指导思想,能够清晰勾勒法律的基本轮廓,涵括各项法律制度,最大限度地避免重复和与现行法律的重叠,而且要便于实施操作。根据循环经济的特点和现实中存在的问题,为尽量避免与其他现有法律的冲突和重复,我国循环经济法框架应当按照循环经济实施的过程予以设计,在各个环节中贯彻3R原则的要求。具体分为:

其一,总则。总则部分可以对法律所具有的共同性规则和价值理念进行规定,包括立法目的、适用范围、基本原则、管理体制、重要名词定义等内容。

其二,职责与管理。该部分可以包括两个方面的内容,一方面规定政府、单位和个人在发展循环经济中的主要职责或义务;另一方面规定发展循环经济的基本法律制度。

其三,生产建设中的资源循环利用。该部分可以主要规定生产建设过程中贯彻减量化、再使用、资源化原则的要求的具体法律制度。

其四,消费流通中的资源循环利用。该部分主要从市场准入、消费引导、产品标识以及服务行业循环经济等方面规定了发展循环经济的具体要求。

其五,废物回收利用。该部分主要规范对收集者和利用者的管理、收集过程中防止二次污染、建立废物收集网点等问题。

其六,鼓励与扶持措施。该部分主要规定国家在财政、税收、投资、价格方面的优惠措施。

其七,法律责任。该部分主要规定违反法律的不利后果。

其八,附则。该部分主要规定法律的生效日期、相关法律的修改以及相关术语的定义等事项。

四、循环经济法的制度建构与实证分析

1. 循环经济法律制度的界分

循环经济法律制度是指调整循环经济法律关系,并具有相同或相似法律功能的一系列法律规范所组成的相对完整的规则系统。它是循环经济法所蕴涵法律精神的具体化,是联结循环经济法律具体规则和法律原则之间的纽带。循环经济法律制度不同于循环经济法的基本原则,也有别于具体的循环经济法律规则、规范、措施或条文,具有如下特点:

第一,调整对象的特定性。循环经济法律制度是根据特定类型的循环经济社会关系所表现出来的外在特征和对法律调整的内在需求,通过对同类法律规范的遴选而组成的规则体系。

第二,规范的整合性。循环经济法律制度是一系列有特定调整对象的法律规范的集合体,扩大和强化了单个或零散法律规范的功能。

第三,功能的同质性。循环经济法律制度所统率的法律规范在价值判断的取舍方面以及发挥作用的方式上基本是一致的,是为解决某类现实问题,调整某类内在需求相同的特定社会关系而创设。

第四,实施的可操作性。特定而明确的适用对象和具体而完备的规则系统,决定了循环经济法律制度在实施中必然具有较强的可操作性。

循环经济法律规范、规则、措施、条文体系只有具备了以上特点,我们才能将之抽象归纳为一种法律制度。按照适用范围以及影响为分类标准,我们将循环经济法律制度分为基本制度和特殊制度两类。循环

经济基本法律制度是指贯穿于整个产品生产服务流程的、具有共性的法律制度;循环经济特殊法律制度是指在循环经济的某一环节或领域适用的法律制度。

2. 循环经济基本法律制度的选择

在发展循环经济中,涉及到许多管理制度,如果方方面面都算下来,会有30多个制度,包括循环经济发展规划制度、政府绿色采购制度、政府目标责任制度、生产者责任延伸制度、、名录及落后工艺淘汰制度、产业技术政策制度、重点企业实行循环经济的强制制度、自然资源的循环利用制度、中介组织服务规范制度、循环经济评价指标体系和统计核算制度、环境管理体系认证制度、生态环境恢复补偿制度、市场准入制度、循环经济技术咨询服务制度、、环境资源核算制度、环境税收制度、财政调控制度、绿色消费制度、绿色标志制度、循环经济的科技支撑和示范制度、循环经济专项基金制度、节能降耗制度、污水集中处理和循环利用制度、建筑材料的循环利用处置制度、电子废弃物循环利用处置制度、垃圾处理与分类回收制度、生态农业制度、公众参与制度、可再生能源和清洁能源发展制度、循环经济评价制度、绿色包装制度、信息公开制度、区域合作制度、宣传教育制度和行政奖励制度等。这些制度中,有的是具有全局意义的指导性制度,有的是只在某个方面所适用的管理措施;有的是法律中应当规定的制度,有的则是在行政法规或者行政规章中可以规定的制度;有的是现有法律已经规定且比较成熟的制度,有的则是现有法律尚未涉及的制度,有的应当单独成立,有的则可以纳入其他制度之中。作为一部循环经济法,不应当包罗万象,将所有与循环经济有关的制度都纳入其中,而只能是选择对循环经济发展最直接而其他法律中又没有规定或者没有具体规定、对于循环经济发展十分关键的基本管理制度。这些制度主要包括:

(1)规划制度。规划是将循环经济发展目标与具体法律措施相联结的重要载体,是政府绩效考核和扶持倾斜措施实施的基本依据。循环经济法可以对循环经济规划的制定主体和程序、规划编制的原则、规划的内容、规划的批准和修改、规划的法律效力作出规定。此外,为了保证循环经济规划的切实执行,循环经济法可以规定,循环经济发展规划的约束性指标应当分解到相关部门,其中单位国内生产总值能源消耗降低、主要污染物排放总量减少等指标应当分解到各地方人民政府,并纳入各级政府的绩效考核要求中。

(2)名录制度。包括鼓励、限制、禁止名录制度。它既是促进产业结构调整的有效手段,又是政府经济扶持制度实施的主要依据,还是建立市场准入、淘汰落后工艺和产品的法律保障。循环经济法可以对名录制定的主体、制定的程序、名录的法律效力等问题作出相应规定。对于国家鼓励发展的符合资源节约和环境友好要求的产品和工艺,法律应当给予相应的经济扶持;对于国家限制发展的产品和工艺,法律应当严格限制其生产经营范围和规模,通过政策引导其发展资源节约和环境友好的产品和工艺;对于国家禁止生产的产品和禁止采用的工艺,法律应当规定严格的违法处罚措施,保证其依法淘汰。

(3)循环经济标准与指标体系制度。循环经济标准和指标体系能够为考核政府发展循环经济绩效提供法律依据,还能作为政府为企业提供资金倾斜、技术支持、税收优惠的主要参考。循环经济法可以对循环经济标准和指标体系的制定主体、制定要求和法律效力进行规定。

(4)生产者延伸责任制度。德国和日本的循环经济法均将生产者责任延伸制度(Extended Producer Responsibility)作为一项基本的法律制度固定下来。生产者不仅对产品的性能负责,而且承担产品从生产到废弃对环境影响的全部责任,因此生产者必须考虑包括原材料选择、生产过程的确定、产品使用过程以及废弃等各个环节对环境的影响。①我国循环经济法可以借鉴德国和日本的成功经验,对生产者延伸责任作出全面细致的规定。即产品的生产单位应当承担产品包装和废旧产品回收利用的责任。在产品和包装物进入流通领域前,生产单位应采取有利于产品循环利用和回收的工艺设计,制定相应的回收计划。销售该产品的流通销售企业应当承担回收废旧物品和包装物的连带

---

① 中关村国际环保产业促进中心编著:《循环经济国际趋势与中国实践》,人民出版社 2005 年版,第 208 页。

责任。

（5）经济扶持制度。循环经济法要建立有利于循环经济发展的经济扶持制度。该制度主要包括拓宽循环经济融资渠道,建立完善循环经济多元化的投资机制;实行资源回收奖励制度,调动个人回收有用物资的积极性;鼓励发展废旧物资回收和再生利用的产业;调整税收、信贷、财政等政策,对再生资源利用企业及购买再生资源产品的企业和个人实行税收优惠,也可以考虑通过增设原生材料税、垃圾填埋税等税种,鼓励企业、公众多用再生物品,少用原生物料。[①] 此外,政府还应当通过宏观调控手段,促进废旧物品回收市场的发展和固体废物资源化产业链的建立。

3. 循环经济特殊法律制度的建构

为了与相关法律法规保持衔接,循环经济法可以在肯定现行法律行之有效的法律制度的基础上,着重对其他法律中未涵括的内容予以重点规定。循环经济特殊法律制度主要集中于如下三个领域:

（1）生产建设领域的特殊法律制度。包括:建设项目循环经济许可制度;循环经济设计资质管理制度;循环利用三同时制度;建设项目循环经济评估制度;清洁生产审计制度;资源循环利用认证制度;生产资源消耗定额制度;产品标识制度;资源综合利用制度;节能交易制度;循环农业制度等。

（2）消费流通领域的特殊法律制度。包括:政府绿色采购制度;重点产品和包装的强制回收制度;重点产品和包装的押金制度;生活废弃物分类回收制度;重点废弃物的交售制度;服务行业循环经济制度等。

（3）废物回收利用领域的特殊法律制度。包括:再生资源回收利用制度;再生资源回收企业资质认证制度;再生产品生产使用管理制度;再生资源市场准入制度;再生资源进口管理制度;废物安全清洁处置制度等。

这些制度如果能够在循环经济法中得到体现,将会使该法的创新

---

① 孙佑海:《我国循环经济法的再思考》,《循环经济在实践——中国循环经济高端论坛(2005)》,人民出版社 2006 年版,第 293 页。

性、规范的系统性和可操作性大大提高,成为一部纲领性与实用性、原则性与可操作性完美结合的推动循环经济稳步、快速发展的法律。

（王灿发：中国政法大学环境资源法研究所所长，教授、博士生导师李丹、李俊红：中国政法大学民商经济法学院博士研究生）

浅论循环经济立法的技术问题

王　茂　祯

循环经济立法技术,是指制定和变动循环经济法律规范活动中所遵循的方法和操作技巧的总称。它通常包括循环经济法的名称、结构、内容、符号等立法技术。

一、名称的立法技术

循环经济法律规范的名称,从立法技术上讲,一般包括三个要素:一是反映适用范围的要素;二是反映法律内容的要素;三是反映效力等级的要素。循环经济的基本法律名称应为《中华人民共和国循环经济法》,"中华人民共和国"就是法名称的适用范围要素,"循环经济"是法名称的内容要素,"法"就是法的效力等级要素。根据我国的立法传统,冠以"中华人民共和国"的法,除表明适用范围外,还默示其是"法律"这一等级。

二、结构的立法技术

结构的立法技术,主要包括总则、分则、附则的设计。

1. 总则设计

总则,指的是一部法律对某一类社会关系进行调整的总规则。总则是该部法律的起头部分,是统领全局的法之精神。一般讲,结构比较复杂且分"编"、"章"的法规,都有明确的总则部分,第一章都是总则。而在结构比较简单的,特别是只设"条"而不分"章"的法律规范中,则看不到"总则"字样。但没有"总则"二字并不等于在这些法规中就没有总的规则。

总则可以是明示的,也可以是暗示的,但无论采取何种方式,总则都必须存在,任何一部法规都必须有统领全局的总规则。这些总的规则,对后面的具体行为具有指导意义;另一方面,总则所确定的总的原则和精神又必须通过具体的行为规则来实现。两者的关系,是纲与目的关系。

总则的内容应当是原则性的,它所规定的是该法的总的要求、总的精神。

循环经济法不一定设单独的"总则",但应该用四个条款加以明确:一是立法的法律依据;二是立法的目的;三是循环经济法坚持的主要原则;四是循环经济的内涵和基本要求。主要包括:循环经济的概念、立法宗旨、调整对象、基本原则、管理体制及术语解释等。概念前已叙及,兹不赘述;立法宗旨应是根据可持续发展战略,全民参与,节约资源、减少污染和浪费,建立循环型社会;调整对象涵盖生产、生活两个领域,涉及企业、企业间及全社会三个层次;基本原则主要包括可持续发展原则、3R原则、公众参与原则等;管理体制方法应明确建立循环型社会的主管机关。

2. 分则设计

分则是一部法律中具体规定行为模式和法律后果的部分。它具体规定一部法所鼓励、允许、要求、限制、禁止的内容以及相应的法律后果。因此,分则的规定是否科学、准确、严密并具有可操作性,直接关系到立法的质量高低和效果优劣。

有的法明确标有"分则"的字样,如《中华人民共和国刑法》。但更多的法则不出现"分则"这个概念,而是在总则之后,根据不同的内容依次分章;不分章的法规,分则条文则紧跟在总则条文之后。

循环经济法不应出现"分则"字样,应紧随总则的三个条款之后,设"章"。分则部分的主要内容应包括国家、企业、个人及非政府组织的权利义务、法律责任。

国家职责主要包括:中央及地方政府制定循环经济规划;建立国民

经济绿色核算体系,体现资源的环境价值;加大循环经济宣传教育力度;建立和实施促进循环经济发展的一系列制度。

企业的权利义务主要包括:申请税费减免、基金奖励;申请循环产品和服务环境标识;实行企业内部循环;参与企业间循环及社会循环等。

个人的权利义务主要包括:作出突出贡献的个人申请循环经济奖励基金;培养绿色消费意识,积极采购循环型产品;在生活消费中节约资源,支持资源回收等。

非政府组织(如中介组织、环保组织)的权利义务主要包括:提供信息咨询,搭建交易平台;申请国家基金扶持;自身建立循环经济奖励基金,对作出突出贡献的企业和个人进行奖励、表彰;积极宣传循环经济内涵,推动循环型社会的建立等。

在法律责任方面应明确循环经济法律关系的各个主体,如主管机关、企业、个人、非政府组织等在循环经济发展活动中因其违反法律规定、义务所应承担的责任。这部分规定应明确具体,注意和权力的对应性,使各法律主体的违法行为具有可问责性,以保证循环经济法的实施。为此,特建议:一是要扩大循环经济法律责任主体的范围。现有的法律责任主体是行政机关的负责人和直接责任人以及企业,把行政机关本身和消费者排除在外。当负责人和直接责任人的决定阻碍循环经济的发展,造成资源浪费,甚至在具体项目的处理上违背循环经济基本原则,造成人们财产损失和构成侵权的时候,我们不能仅仅对个人进行处罚就了结责任的承担。此时,作为一般民事主体的行政管理机关也应当作为责任主体来承担赔偿责任。这样不仅可以使损失得到最大程度的弥补,也可以进一步规范和约束行政管理的行为。此外,我们应该通过立法,规定消费者在循环经济中的义务和违反义务应该承担的法律责任,从而提高公众的环保意识。社会再生产的末端是消费者,在传统的环境保护法律体系中,消费者承担着很少的环境保护义务。但是在循环经济法律体系中,消费者应当承担更多的义务,同时必须为其违反循环经济法律规定的行为承担相应的责任。二是建立统一的循环经济行政处罚机关,统一行政处罚权。行政部门之间的职权纷争向来都是行政机关的大问题。为了避免循环经济法律法规也出现相同的情况,作者建议建立一个统一的循环经济行政处罚机关,享有唯一的行政处罚权。这样,面对复杂的循环经济行政违法行为时,我们就可以非常明确地让该机关来行使处罚权,统一管理罚款经费,也可以提高执法效率。三是采用无过错责任原则。在循环经济行政责任和环境刑事责任中,应适用无过错责任。从目前环境保护法律和相关循环经济法律法规实施的情况看,一些环境保护和促进循环经济的法律权威还没有真正的树立起来,存在有法不依、执法不严、违法不究的现象。重大资源破坏和环境污染事故不断出现,造成了很大的社会危害。因此,应采用无过错责任原则,不管行为人主观上有没有过错或是过失,只要有损害事实的出现就可认定行为的性质和确定责任方式及内容。采用无过错原则在教育、预防和惩罚方面的作用也是相当明显的。它的教育作用体现在要求企业在追逐自身利益的同时必须合理考虑社会的循环发展和公众利益。预防方面,能责成产业活动者承担更严格的责任,使得他们谨慎行事,防患于未然。惩罚方面,加害方如造成了法律不允许发生的后果而且不能免责,这必然带来其财产的减少和声誉的下降,惩罚功能可见一斑。四是倡导采用功利补偿的责任方式。从营造全社会发展循环经济的目的出发,应该在法律责任方式中采用功利补偿形式,以此体现公平合理的原则。民事补偿的方式主要采用:停止侵害、排除妨害、消除危险、消除影响。行政赔偿的方式是国家循环经济行政管理机关因自己的具体行政行为,给行政相对人损害后,采用弥补和赔偿等方式履行法律责任。

3. 附则设计

附则是附在法规后面的规则。作为法律的组成部分,附则同总则和分则一样具有法律效力。其内容通常是放在总则和分则中都不合适,以及在总则和分则中不便解释或不便列举的一些附带性的规定。附则同总则一样,在分章的法规中是明示的,通常作为法规的最后一章,在不分章的法律中虽然也存在附则,但不出现“附则”字样。

附则通常规定以下内容:①对法规中需要明确界限和范围的概念、

专用术语的解释。②解释权。法律的解释权通常授予该法的主管机关,表述为:"本法由……负责解释"。凡没有明确规定解释权的,解释权就是制定机关。③实施细则(办法)的制定权。④生效和施行日期。⑤对法规生效后可能产生的法律冲突问题的处理。

循环经济法应有"附则",一是明确规定"本法由全国人大常委会负责解释";二是明确要求国务院负责制定本法的实施细则;三是规定本法施行时间;四是关于本法实施后,《清洁生产促进法》等有关法律或法条的废止规定。至于是否设条款解释"循环经济"等术语,可以进一步研究。我个人认为,循环经济这个贯穿整个法律的总概念应在总则部分加以明确,其他技术性术语,如循环、循环型社会、再生利用、热回收、资源回收等,可以在附则部分解释。

三、内容的立法技术

循环经济法的内容,包括规范性内容和非规范性内容两方面。因此,其立法技术亦包括规范性内容的立法技术和非规范性内容的立法技术两大类。

1. 规范性内容的立法技术

首先,规范性内容要具有完整性。规范性内容是一部法律的主体,它由两个要素构成:一是行为模式,包括有权怎样行为、必须怎样行为、不能怎样行为三种模式。二是法律后果,包括对人们合法行为加以保护、赞许或奖励的肯定式法律后果和对人们违法行为进行制裁的否定式法律后果。其次,规范性内容要具有普遍性,即法规的适用对象和范围不是针对个别人的行为,而是针对所有范围或一定范围的所有人的行为。再次,规范性内容要具有明确性。所谓明确性,就是它的内容不是模糊、伸缩的,而是一般以具体的形式,明确地为人们提供行为标准和方向。

循环经济法的规范性内容,主要应包括以下几个方面:

(1)明确立法目的、调整对象、适用范围。

(2)规定利用、处置废旧资源的基本顺序:尽量减少废物的产生、再使用、再生利用、热回收、妥善处置。

（3）强化循环经济规划计划的地位和作用。

（4）构建循环经济的有关制度。除了环境保护制度外，应设立体现循环经济特色的相关制度，如：①绿色 GDP 制度。过去在计算国家的 GDP 总量时，从未把经济发展所带来的对环境与资源的破坏计为经济发展的成本，其结果是"不仅引起社会成本和效益不清晰，使 GDP 总量与经济发展实力发生脱节，而且会误导经济决策"。市场失灵是造成环境资源退化的主要原因。环境退化是各种不适当的经济活动的产物，市场的缺陷在于不能正确估价环境资源，表现在环境资源市场上，市场失灵是指环境资源产品没有反映同污染生态破坏和资源耗竭相关的外部性，以及通过市场提供的作为公共物品或公有物的环境资源的数量不足或质量不佳。因此我国应该推行"绿色 GDP 制度"，就是在计算 GDP 时要加入资源和生态环境因素，使环境成本从 GDP 中体现出来，以解决机制失灵的问题。②环境税收制度。税种应当包括：环境税，差别税收，征收原生材料税，征收填满和焚烧税。③绿色消费制度。绿色消费制度是循环经济不可缺少的一部分，其应当包括：绿色产品消费制度，层次消费制度，消费垃圾处理制度，推进"绿色消费制度"不仅能使消费沿着循环经济的方面发展，更重要的是它能引导和带动生产过程的"绿色"进程。④绿色财政投入与信贷鼓励制度。在循环经济的立法中，政府扮演的是一个主导者的角色，政府应当对循环经济公共设施的建设提供财政支持；对进行循环资源利用的企业给予资金援助；政府应当采购和使用再生品，率先进行绿色消费；政府应当负责循环经济知识的宣传和普及并做好指导工作，政府应当监督循环经济法律的实施等。在循环经济立法中，来自国家财政的直接支持，将成为循环经济资金的重要来源。循环经济的理念是要求不污染或少污染，治污设施是可以不建或少建的。其带有浓厚的"末端治理"的影子。因此环保法律中"三同时"（环境资源保护设施必须与主体工程同时设计、同时施工、同时投产使用）制度应该废除，与之相配套的环境评价制度也应做相应调整。

（5）规定中央政府和地方政府在发展循环经济、建立节约型社会中的责任和义务。

2. 非规范性内容的立法技术

一部循环经济法,仅有规范性内容是不够的,还应有关于法的等级、时间效力、适用范围以及其他辅助法的规范的内容,亦即非规范性内容。

(1)等级的内容。主要是标明循环经济法的立法主体,从而确定了该法的等级。如果循环经济法由全国人大审议通过,则属基本法性质的法律;如果是全国人大常委会通过,则是普通法。

(2)时间效力的内容。主要是标明该法的通过、公布或发布时间,生效或施行时间。

(3)其他非规范性内容。主要包括关于立法指导思想、依据、宗旨和原则的说明,关于专门概念和术语的解释,关于授权有关机关制定变通、补充规定或实施细则的规定,关于废止有关法规的规定,有关人员的签署等。

四、符号的立法技术

一部法律规范的结构和内容,需要经过排列、组合才能成为法律、法规或规章。而要把法律规范的结构和内容加以排列、组合,就需要使用一系列符号。

1. 目录

除简单的法外,大多数法设有章、节,有的复杂的法还有卷、编。在复杂的法中,一般应当设有目录;把各部分的标题集中排列在法的序言或正文之前,以利于人们从宏观角度容易了解和查阅有关的内容。循环经济法下设"章"、"节",应在正文之前设"目录",让人一目了然。

2. 标题

在篇幅较长、内容较多,单以条文形式不足以组合法律规范的内容,而需设置章、节甚至卷、编的法中,各卷、编、章、节应当设立标题。标题的层次有多有少,多的有四级,少的只有一级。

个人建议,循环经济法的章、节设标题,但层次不宜太多。

3. 序言

它是正文前一部分叙述性或论述性文字。有的标明"序言",有的不标明、序言有长也有短。如宪法的序言。

循环经济法规定的内容并不十分复杂,因此不用设"序言"部分。

4. 括号

在法律名称下方必须设置括号,标明法的通过时间和通过机关、公布时间和公布机关、施行时间等。正文中除了用于条文标题之外,一般情况不能用括号。正文中如对某一种意思需要加以说明、注释和补充时,应当以定义的形式加以解决,或是另以专条或专款加以解决。

循环经济法应遵循这一立法技术要求。

5. 章、节

各章按照统一的序数连贯排列,章与章之间应当有内在的联系。节是隶属于章的一种符号。循环经济法需要设几章,有些章中设几节,应根据内容来确定。

6. 条、款

条是法律中最重要、最常用的符号单位。换句话说,一个法律,上可以没有卷、编、章、节,下可以没有款、项、目,但不能没有条。每个条文的内容,应当具有相对独立性和完整性。一个条文只能规定一项内容,同一项内容只能规定在同一个条文中。条通常以"第 X 条"形式出现,所有条文均须按照统一序数连贯排列。款是条之下并隶属于条的一种符号,当一个条文的内容有两层以上的意思需要表示时,便需要运用款这一符号。一款只能规定条文中的一层意思,同一层意思的内容亦只有规定在同一款中。款的表现形式可以"第 X 款"形式出现,亦可以自然段的形式出现。循环经济法之"款",应以自然段的形式出现。

7. 项、目

项是包含于款之中并隶属于款的符号单位,目是包含于项之中并隶属于项的符号单位。项和目比条和款使用频率低,尤其是目在一般法规中很少出现。在设置项和目时,应注意对条和款的内容作性质和层次的区分。在我国立法实践中,"项"多以(一)、(二)……的序数形式来表现。"目"以 1、2……或(1)、(2)……的序数形式来表现,还可在项之下以自然段的形式表示。

循环经济立法研究

8. 文字

语言文字是一切成文法最基本的符号。而法的文字与文学的文字不同,它不能用形容、夸张的手法和带有感情色彩的方式来表现;也与学术研究的文字不同,它不能用探索、讨论、商榷的语言来表现;还与报告、宣传报道的文字不同,它不能用说理性、口号性的文字来表现。法的文字有特定的要求,即"法言法语"。一是要明确、肯定。即用清楚、具体、明白无误的语言文字,来规定人们的行为模式和法律后果,来表述其他各种非规范性内容。二是通俗、简洁。即为人们行为提供标准和指明方向的文字,应易于被人们理解、掌握和遵守。三是严谨、规范。所谓严谨,就是应按照实际生活中通常所理解的含义来准确地使用语言文字。所谓规范,就是使用立法所约定的语言文字,如"可以"、"必须"、"应当"、"最多"、"最少"等文字的使用。

有学者指出,我国已经制定了大量环境法律、法规和规章,但这些立法普遍存在着重实体、轻程序,语言欠明确,内容过于原则、抽象,可操作性不强,权利义务不对等,前后冲突、立法之间衔接不够、重复矛盾之处颇多等问题。个人认为,在循环经济立法时,应注意加以避免上述问题。要注意立法语言的明确性、内容的详尽性,减少宣示性、口号性语言。德国《循环经济和废物清除法》中的明确的义务条款和可以量化的标准非常多,立法的程序性规定也十分完备,从制定计划、提交报告、进行提前审批到监测程序的一整套规定,使这部法律的可操作性,义务主体的可问责性都大大增强。这些都非常值得我们借鉴。

(王茂祯:山东省委政法委员会政治部副主任,

上海大学循环经济研究院博士研究生)

论上海市循环经济法制建设

王 曦

　　循环经济社会是建立在循环经济基础上的社会。它是在循环经济的原则和制度指导和规范下的社会,是一种建立在新型的、符合自然生态规律的商品生产、交换、使用和处置关系上的社会。对于循环经济社会的追求是一种崇高的理想和信念。人类到今天终于认识到必须节制对于自然的索取,必须将自身的社会和经济发展置于自然所能提供的支持限度之内,必须学会同自然和谐相处。循环经济社会就是这样一种人与自然和谐的理想社会。

　　循环经济立法问题处于两大基础学科——经济学和法学——的交汇点上。经济学"研究的是社会如何利用稀缺的资源生产有价值的商品,并将它们分配给不同的个人"。① 循环经济属于经济学研究的范围。法学研究的是如何用以国家强制力为后盾的法律来规范人与人之间和人与组织之间的关系,从而保障正义在社会中占主导地位。循环经济的形成,需要法律的规范和保障。循环经济因此必然同法律发生关系。循环经济立法,包括新法的制定和现行法的整理和修改,可以为循环经济和循环经济社会的运转提供规则和秩序。这就是法律服务于循环经济的表现。

　　就上海来说,一方面是经济规模比较大、发展速度快;另一方面是

---

　　① 保罗·A. 萨缪尔森著,陈迅、白远良译释,《萨缪尔森辞典》,京华出版社2001 年版,第 88 页。

人口众多、资源相对缺乏、资源消耗量大、环境容量相对狭小。发展与资源环境之间的矛盾和资源环境的压力在上海表现得比较突出。在这种情况下,发展循环经济是上海的必由之路。法律如何接受循环经济概念和循环经济社会的理念,促进和保障上海循环经济的建设和发展,是上海循环经济法制建设工作中的一个重大课题。

一、循环经济的概念

循环经济(Circular Economy)一词是"物质闭环流动型(Closing Materials Cycle)经济"的简称。[1] 循环经济是以资源的高效利用和循环利用为核心,以'减量化、再利用、资源化'为原则,以低消耗、低排放、高效率为基本特征,符合可持续发展理念的一种经济增长模式,它是对'大量生产、大量消费、大量废弃'等传统经济增长模式的变革。

尽管目前关于循环经济的内涵阐释并不一致,但目前关于以下内容基本上已达成共识:

(1)循环经济是可持续发展理念在人类社会经济发展模式上的贯彻和深刻反映。可持续发展理念要求发展与环境保护的一体化。循环经济由于其在资源利用上的"资源—产品—再生资源"的特点,很好地体现了这种发展与环境保护的协调,是实现可持续发展的有效途径和模式。

(2)循环经济是体现生态学规律的生态经济。传统经济发展模式是资源的直线、单向流动的"资源—产品—污染排放"的线性过程。在这个过程中,经济增长是通过把物质和能源不断变成废弃物的单向线性过程实现的。循环经济则是有别于传统经济模式的"资源—产品—再生资源"的反馈流程,是一种物质资源的闭环流动。循环经济将人类社会的各项经济活动与自然资源的各种资源要素视为一个密不可分的整体,在经济发展中加以统一考虑,要求以环境友好的方式利用自然资源和环境容量,把经济活动对自然环境的影响

---

[1] 参见曲格平:《发展循环经济是 21 世纪的大趋势》,《中国环保产业》2001 年第 2 期。

降低到尽可能小的程度,实现经济增长和改善环境质量的协调一致发展。①

(3)3R 原则,即减量化(Reduce)、再利用(Reuse)、再循环或资源化(Recycle)是循环经济的基本原则。减量化原则是要减少进入生产和消费流程的物质量,并减少废物量,因此又叫减物质化。再利用原则是尽可能多次和以多种方式使用产品,防止产品过早成为垃圾。再循环原则又称资源化原则,是指废弃物的资源化,使废弃物转化为再生原材料。3R 原则重要性依次排序为减量化—再使用—再循环,循环经济的根本目标是要求在经济流程中系统的避免和减少废物,废物再生利用只是减少废物最终处理量的方式之一。②

(4)循环经济的基本特征是低开发→高利用→低排放,恰恰相反于传统经济的高开发→低利用→高排放。循环经济要求用尽量少的物质投入量达到既定的生产和消费目的,延长和拓宽生产技术链,尽量将废弃物在生产企业内消化,减少污染排放;产品和包装能以初始形式多次使用;对生产、流通、消费等领域废弃物全面回收,经技术处理进行循环利用;对生产企业无法处理的废弃物集中回收、处理,减少资源开采、不可再生资源利用和废弃物排放。③

(5)循环经济大体上可分为企业内部的循环经济、企业间的循环经济和社会整体的循环经济。企业内部的循环经济是单一企业内部的材料和能源的循环利用。企业间的循环经济是通过组织生态工业链,把不同的企业组织起来,形成共享资源和互换副产品的产业共生组合,使一家企业的废弃物成为另一家企业的资源。这种循环经济往往存在于一些先进的工业园区。社会整体的循环经济是通过发展清洁生产、

---

① 参见刘国涛主编:《循环经济·绿色产业·法制建设》,中国方正出版社2004 年版,第3 页。

② 相关内容参见诸大建:《从可持续发展到循环经济》,见张坤主编:《循环经济理论与实践》,中国环境科学出版社 2003 年版,第81—86 页;以及诸大建:《循环经济的崛起与上海的应对思路》,《社会科学》1998 年第 10 期,第 14 页。

③ 参见牛桂敏:《循环经济:从超前性理念到体系和制度创新》,《国家行政学院学报》2004 年第 6 期,第 63 页。

绿色消费和资源回收产业,在社会范围内实现"资源—产品—再生资源"的闭路循环。①

另外,关于循环经济的理解有广义与狭义之别。狭义的理解,主要是指废物最小化,强调清洁生产和全过程管理,相当于"垃圾经济"、"废物经济"的范畴。广义的理解则覆盖所有社会生产活动,相当于"循环经济社会"的提法。

二、循环经济的理论依据

生态学和生态经济学是循环经济的两大理论依据。

循环经济的理论依据之一是生态学。自然的生态系统由生物和非生物共同组成,在这个系统中,所有的生物与非生物都是共生共存,相互影响的,它们之间组成了无数的相互关联的、由低到高的、由简单到复杂的食物链,"能量与物质在这个食物链中逐级传递,由低级到高级,又由高级到低级循环往复流动,形成一个相互关联和互动的生物链,从而维持自然界各物质间的生态平衡,保证了自然持续不断的发展。"②

反观人类社会,纵使是在社会一体化的大背景之下,社会生产部门之间的分工越来越细,人类经济各部门之间的合作互助越来越强,人类社会的经济模式仍未摆脱从自然界开采大量的资源,尔后又将产出的废弃物当做垃圾抛回自然这样一种线性形态。人类经济发展的这种模式从根本上违背了生态学规律,它严重地毁坏自然环境和自然生态系统,是不可持续的。

在当代严重的环境问题面前,人类认识到有必要依据生态学的规律重构经济体系,按照生态学的原理重新组织人类的经济活动,大量减少资源消耗并实现充分物质循环,人类社会才有可持续的未来。

---

① 参见廖红:《循环经济理论:对可持续发展的环境管理的新思考》,见毛如柏、冯之浚主编:《论循环经济》,经济科学出版社 2003 年版,第 219 页;以及诸大建:《循环经济的崛起与上海的应对思路》,《社会科学》1998 年第 10 期,第 15 页。

② 胥树凡:《推进生态工业发展 建立循环经济模式》,见张坤主编:《循环经济理论与实践》,中国环境科学出版社 2003 年版,第 165 页。

循环经济的理论依据之二是经济学的最新发展——生态经济学。20 世纪 60 年代后期,美国经济学家肯尼斯·鲍尔丁(Kenneth Boulding)在他的重要论文《一门科学——生态经济学》中正式提出了"生态经济学"的概念。自那时以来,生态经济学有了长足的发展。

生态经济学最重要的贡献是提出并论证了人类经济活动的总规模的概念,指出传统经济学所关注的资源的有效配置和财富的公平分配必须以经济活动的总规模不突破地球生态系统的支撑能力为前提。大自然的资源储量有限,其环境容量也有限。人类经济活动的规模,不能超过自然的承载能力,人类经济发展方式要遵从生态系统的整体制约机制,在经济发展模式中充分考虑生态参数。但人类社会的经济发展自工业革命以来从未全面考虑过这个生态前提。甚至连经济学家也忽视了生态限度这一前提。生态经济学发现了传统发展模式和传统经济学的这一重大缺陷,指出这一前提条件的重要性,提出经济学的任务首先是研究人类经济活动的总规模与地球生态支撑能力的关系,其次才是研究资源的有效配置和财富的公平分配。它要求经济政策以生态原理为基础。"生态学家与经济学家之间的关系,犹如建筑师与建筑商之间的关系,理应由生态学家给经济学家提供蓝图。"①

生态经济学主张生态经济。将生态学规律同传统的经济学规律一样作为指导人类经济活动的规律,将人类经济活动的目标同生态系统的完善性统一起来。传统的经济学将人类社会的经济系统与它所处的生态系统分割开来,仅仅将生态系统作为人类经济系统所利用的一个外部因素来对待。然而人类从来没有像自己想象的那样生活在生态系统之外,人类社会也是地球生态系统的一部分,要接受自然规律的制约。

生态经济学主张将空气、水等过去被认为是取之不尽、可以免费使用的公共资源纳入人类经济活动的成本来考虑。生态经济学的先驱赫

---

① (美)莱斯特·R. 布朗著,林自新、戢守志等译:《生态经济》,东方出版社 2002 年版,第 1 页。

尔曼·戴利曾经指出:我们的世界"已经从以人造资本('虚无'事物)代表经济发展中的制约因素的时代,进入一个以日益稀缺的自然资本('实在'事物)取代其地位的时代"。随着人类事业的继续扩张,由地球生态系统所提供的产品和服务越来越稀缺,自然资本正在迅速成为制约因素。①

生态经济学讲求生态效率。生态经济学也强调效率,但并非传统经济学概念下的效率。传统经济学中,环境与自然资源在生产函数中被严重忽视,效率一词仅仅针对人工创新的价值而言。生态效率则是指在尽量提高自然资源的利用效率和减少环境污染的基础上实现国民经济持续增长,它一方面表现为提高所投入的能源、矿产等原材料的生产率,主要体现为降低单位 GDP 能耗和物耗;另一方面表现为尽量减少由污染带来的外部不经济性,主要体现为降低单位 GDP 环境污染负荷。②

生态经济学的这些基本主张,是对传统经济学的重要修正和补充。它们同传统经济学的基本原理一道,构成循环经济的理论基础。循环经济承认自然承载力的限度,认为人类经济活动的总规模不能突破这个限度,只能在这个限度之内循环。循环经济承认人类经济系统与自然生态系统的统一性,接受生态系统规律对于人类经济活动的指导。循环经济将自然资本作为人类经济活动所获成就的成本看待,承认其经济价值,将其纳入人类经济活动的总资产负债表。循环经济讲求生态效率即降低单位 GDP 的能耗、物耗和污染负荷。

循环经济的立法活动以上述生态经济学的基本主张为指导思想,在为人类的经济活动制定规则和秩序时贯彻这些指导思想,通过立法程序使循环经济的基本主张体现在法律规则之中。

---

① 赫尔曼·E. 戴利:《经济发展的转折点——从虚无世界到实在世界》,转引自(美)莱斯特·R. 布朗著,林自新、戢守志等译:《生态经济》,东方出版社 2002 年版,第 21 页。

② 参见黄英娜、张天柱、颜辉武:《循环经济产生和发展的经济学基础》,《环境保护》2004 年第 8 期,第 35 页。

三、上海市发展循环经济的必要性

上海是一个人口密度大、资源相对匮乏的特大型城市。上海地处长江下游,东海之滨,为河口三角洲冲积平原,地势单一,资源有限。市城面积 6340 平方千米,2002 年全市常住人口已达 1560 万人,人口密度为 2460 人/平方公里。在外环线以内约 670 平方公里的中心城区地区,人口已经达到了 911 万,人口密度远远高于纽约、巴黎和伦敦。①

过高的人口密度和快速的城市发展使上海面临土地资源不足的问题。按照目前的发展状态,未来 10 至 15 年内上海的土地都将用完,连预留地和"子孙地"都无法考虑在内。②

上海市饮用水资源也严重不足。据环境部门对上海主要河道的断面监测,上海符合国家饮用水水源国家标准的地表水只剩下 1%,水质劣于 V 类的却占到 68.6%。上海有水,但缺好水,水质既受上游水污染的影响,又有本地污染源的危害,是典型的水质型缺水城市,目前联合国已将上海列为 21 世纪全球饮用水严重缺乏的六大城市之一。③

从能源消耗的角度上看,2002 年,上海工业能源消费占城市能源结构比例为 63%,而纽约仅占 7%。能源消费总量已从 1990 年的 3191 万吨标煤增长到 2003 年的 6750 万吨标煤,翻了一番多。以每生产万元人民币产值所消耗的能源量计算,上海为 0.583(吨/万元),而日本每万元产出的能耗只有 0.18(吨/万元),不足上海单位能耗的三分之一。④ 此外,随着经济的快速增长,工业用电和居民生活用电需求都在节节攀升,目前上海地区的装机容量和发电量不能满足电力消费的需求,存在相当大的缺口,短期内不可能实现电力自给自足,又不可能全部依靠外部电力。⑤

---

① 参见王泠一主编:《有限资源,无限活力——2005 年上海资源环境蓝皮书》,上海社会科学院出版社 2005 年版,第 8—9 页。
② 同上书,第 9—11 页。
③ 同上。
④ 同上书,第 15—16 页。
⑤ 同上书,第 9—11 页。

2002 年上海废水排放率为 78.73%,虽然比 1998 年 86.25% 的排放率有所下降,但与发达国家仍有相当差距。以工业用水为例,日本大阪 1981 年的水重复利用率为 81.7%;横滨市 1982 年水重复利用率达 92.7%。美国制造业 1978 年的需水量为 490 亿立方米,每立方米的水循环使用 3.42 次,相当于废水排放率仅为 29.24%,美国制造业的水重复利用次数,1985 年为 8.63 次,2002 年底达 17.08 次,因此到 2000 年底,美国制造业的需水量不但不增加,反而要比 1978 年的需水量减少 45%。①

在生活垃圾处理方面,以 2003 年为例,全市生活垃圾产生量已达 645 万吨,其中约 60 万吨通过废品回收系统分流,环卫清运处理量为 585 万吨(其中市区 434 万吨、郊区 152 万吨)。目前生活垃圾分类收集水平低、处理能力不足,导致上海生活垃圾处置减量化、无害化、资源化水平低。上海每天产生的近 1.4 万吨生活垃圾,约有 10% 因为处置能力不足不能送往老港填埋场,只能在郊区简易堆放。②

上海的环境状况和国外大城市相比,虽然经过几年的努力,少数环境指标已接近或将接近发达国家大城市的平均水平,但大部分指标的差距还非常明显。主要表现在水环境质量总体处于较低水平,大气环境质量中可吸入颗粒物浓度偏高,以及绿地系统生态功能未得到体现等问题。③

过去十几年间,上海 GDP 大大增加了,但上海快速的经济增长明显地伴随着水资源、能源、原材料等物质消耗和生活垃圾、城市废水废气等的大幅增长。目前资源消耗和废物排放的速度总体上趋于过大,例如 20 世纪 90 年代以来上海人均 GDP 以 12% 左右的年增长速度增长,而生活垃圾则以 7% 的年平均增长率增长。④

---

① 参见王泠一主编:《有限资源,无限活力——2005 年上海资源环境蓝皮书》,上海社会科学院出版社 2005 年版,第 16 页。

② 同上书,第 17 页。

③ 同上书,第 13—15 页。

④ 参见诸大建:《上海建设循环经济型国际大都市的思考》,《中国人口·资源与环境》2004 年第 1 期,第 68—69 页。

综上所述,如果上海未来的经济增长仍然伴随着高的物质消耗和污染排放,这样的经济增长,必然是难以为继的。这种发展模式是不符合将上海建设成为国际经济、金融、贸易、航运中心和社会主义现代化国际大都市的战略目标的。上海必须大力发展循环经济,在保证经济增长的同时降低物质消耗和污染排放。只有这样,上海的未来才是有国际竞争力的。上海和世界先进大城市的差距,不仅说明上海推进循环经济的必要性,也说明了上海发展循环经济空间很大,大有可为。

四、上海市发展循环经济的总体思路和主要任务

上海市有关部门目前已经初步形成关于发展循环经济的总体思路和主要任务的认识。上海市发展循环经济的初步总体思路可以用下面的"五个三"来表达:

一是"三管齐下",即结构性降耗、技术性降耗和制度性降耗三管齐下,探索资源节约的治本之策;二是"三个层面推进",即从小循环、中循环、大循环三个层面推进,构建从单体到系统的物质闭路循环体系;三是"抓好三个环节",即实行输入端、过程中、输出端三个环节的全过程管理,实现减量化、再利用、再循环的有机结合;四是"三方联动",即形成市场、社会、政府三方联动机制和全社会共同推动循环经济发展的格局;五是"三省市联手",即加强与江苏、浙江等周边省市的合作,构建区域循环经济体系。①

上海市有关部门提出了发展循环经济的八个重点领域和任务:

一是进一步推进产业结构调整,发展资源环境友好型产业;二是推进全社会节约能源,控制能源消耗的增长;三是提供土地集约化利用水平,减少经济社会发展和城市建设对土地的消耗;四是合理开发、高效利用,加快建设节水型城市;五是推进清洁生产,减少工业污染排放;六是发展生态型循环农业,控制农业的面源污染;七是加强可再生资源的回收和再生利用,提高输出端的资源化利用水平;八是推进产品适度包

---

① 详见蒋应时主编:《上海循环经济发展报告》(2005),上海人民出版社2005年版,第22—25页。

装,减少包装废弃物。①

上述总体思路和主要任务的提出,很好的体现了生态学和生态经济学的基本原理对于在上海市发展循环经济的指导作用。生态学关于自然界万事万物相互联系、相互依存的观点,生态经济学的关于人类经济活动的生态限度、人类经济体系是生态系统的一个组成部分、自然资本和生态效率的观点,都鲜明地体现在这个总体思路和这些主要任务之中。这个总体思路和这些主要任务的提出,不仅为上海市发展循环经济指出了方向和目标,而且对上海的循环经济法制建设具有重要的指导意义。上海市的循环经济法制建设应当依照这个总体思路,围绕这些主要任务来展开。

五、在循环经济社会理念指导下的
上海市循环经济法制建设

1. 上海市循环经济法制建设现状

上海市作为我国经济发展的领头羊,一直都比较注重资源的综合利用和环卫、环保工作。早在上个世纪 80 年代,上海市就制定了《上海市工业企业节约能源暂行规定》(1985 年)②、《上海市废纸回收管理办法》(1987 年)以及《上海市粉煤灰综合利用管理暂行办法》(1987年)③。

截至目前为止,上海市现行的有关循环经济的地方法规和规章主要有:《上海市节约能源条例》、《上海市粉煤灰综合利用管理规定》、《上海市一次性塑料饭盒管理暂行办法》、《上海市废纸回收管理办法》、《关于上海市贯彻〈中华人民共和国清洁生产促进法〉的实施意见》。此外《上海市危险废物污染防治办法》以及新近颁布的《上海市生活垃圾计划管理办法》和《上海市餐厨垃圾处理管理办法》中都有一

---

① 详见蒋应时主编:《上海循环经济发展报告》(2005),上海人民出版社2005 年版,第 25—28 页。

② 由于《上海市节约能源条例》的颁布实施,该暂行规定已被废止。

③ 由于《上海市粉煤灰综合利用管理规定》的颁布实施,该暂行规定已被废止。

些将废物减量化、资源化的规定。最近,上海市还颁布了《上海市建筑节能管理办法》和《上海市绿色电力认购营销试行办法》。

当前,上海有关部门正在修订《上海市节约能源条例》、《上海市节约用水管理办法》,计划出台《上海市节约用电管理办法》、《上海市集中供热管理办法》、《上海市重点用能单位管理办法》等政府规章。

从上海市的循环经济法制现状可见上海市的循环经济法制工作还是不错的,基本上所有的国家级循环经济方面的法律法规规章,上海市都有相应的地方法规、地方规章与之相配套,且还根据上海市自身的情况颁行了《上海市一次性塑料饭盒管理暂行办法》等非常有特色的地方规章。

上海市有些相关循环经济的地方法规或规章取得了不错的实施效果。以《上海市一次性塑料饭盒管理暂行办法》为例。通过该办法的施行,昔日严重的"白色污染",如今不仅在上海难见踪影,而且通过对回收的一次性塑料饭盒进行再生利用,将白色污染转换为"白色资源"。一次性塑料饭盒从生产、回收到处置,在上海已经形成了一条完整的产业链,产生了良好的经济效益。[①] 立法对发展循环经济的促进作用由此可见一斑。

通过在上海实施国家有关循环经济的法律、法规和制定并实施有关循环经济的地方法规和规章,上海市在循环经济法制建设方面取得了比较丰富的经验。这些经验对于下一步加强上海市的循环经济法制建设很有益处。

尽管上海在循环经济法制建设方面做了很多工作,取得了一些成绩。但由于我国现有的循环经济法律体系非常不健全,基本的框架尚未建立起来,因而无法为上海发展循环经济提供一个良好的法制基础。而上海市自身的循环经济立法,仅仅是相对于其他地方省市而言还比较好,但相对于上海市发展循环经济的需要而言,仍是非常不足。加之上海市本身是一个资源匮乏型的城市,又正在向国际化大都市的目标

---

① 参见《解放日报》2005 年 6 月 19 日报道,"三分钱撬动一个大产业 昔日'白色污染'今天走俏",http://sh.news.sina.com.cn,于 2005 年 6 月 22 日浏览。

迈进,因而通过加强循环经济法制建设来促进经济、环境与社会的和谐发展,仍然很有必要。

2. 上海市循环经济法制工作的总体思路

根据以上对于循环经济的概念、循环经济的理论依据、上海市发展循环经济的必要性、上海市发展循环经济的初步总体思路和主要任务、上海市循环经济法制建设的历史经验等方面的考察和研究,我们可以将上海市循环经济法制工作的总体思路概括如下:

吸取本地、国家、外地和外国关于循环经济法制建设的有益经验,依照国家法律、法规,依据生态学、生态经济学的原理和上海市发展循环经济的总体思路,以企业(包括企业链或工业园区)、公民和政府三种法律主体为对象,以节能、节水、节地、节材和废物循环利用为重点,整理、制定和修改上海市有关发展循环经济的法规、规章和标准,为上海市发展循环经济提供完善的法律规则和秩序。

这个总体思路包括八个要件。

一是学习和借鉴。上海的循环经济法制工作需要从本地、国家、外地和外国的有关立法实践中学习和借鉴。

二是依照国家法律、法规的规定。上海的循环经济法制工作必须在国家法律、法规的框架内进行。

三是依据科学原理。上海的循环经济法制工作必须依据生态学和生态经济学的基本原理和规律,按科学规律办事。

四是依据上海市发展循环经济的总体思路。上海市的循环经济法制工作必须遵循上海市发展循环经济的总体思路,联系上海的实际,为实现上海市发展循环经济的主要任务服务。

五是有明确的立法规制对象。上海市的循环经济法制工作主要针对企业(包括企业链或工业园区)、公民和政府三种不同的法律主体立法,为企业和公民从事循环经济的活动规定有关的权利和义务,为政府机关规定有关的权力和责任。为此,立法者需要对这三种法律主体在循环经济事业中的地位、作用和对循环经济立法的需求进行调查研究,有的放矢地立法。

六是有重点。根据上海市初步形成的关于发展循环经济的总体思路和主要任务的认识,节能、节水、节地、节材和废物循环利用应当成为当前循环经济立法工作的重点。

七是有明确、具体的任务。上海市循环经济法制工作的具体任务是整理、修订和制定上海市有关发展循环经济的法规、规章和标准。这包括整理和修订现行法和制定新法。这项工作要有系统性,需要对现行法律、法规、规章和标准做全面的梳理,形成对上海市循环经济立法体系的总体认识。

八是有明确的目的。上海市循环经济法制工作的目的是为上海市发展循环经济提供完善的法律规则和秩序,使各行各业的循环经济工作得以有序、高效的进行。

3. 上海市循环经济法制工作体系模式

立法应当从实际出发。立法的首要问题是搞清楚现实对立法提出的关键问题和要求是什么。[①] 上海市循环经济法制工作体系模式的选择,应当从实际出发,首先搞清楚现实对循环经济立法工作提出的关键问题和要求是什么。

立法要考虑立法成本。立法成本包括制定法律的过程中人力、财力、时间等资源的耗费和法律实施所引起的人力、财力、时间等各种资源的耗费。

立法还要考虑法律的可操作性和实施效果。

基于上述考虑,我认为上海市的循环经济立法体系可以选择"市人大常委会决定+专项法规、规章和标准"的模式。

如前所述,在循环经济法制建设方面,上海市有关部门多年来做了很多工作。这些工作虽然没有冠以"循环经济"的名称,但实际上都是发展循环经济的工作。上海市在节能、粉煤灰、废纸、塑料材质的一次性饭盒、清洁生产、生活垃圾、餐厨垃圾、月饼包装、建筑节能、绿色电力等方面制定了一批地方性法规或者部门规章。这些法规和规章都起到

---

① 王曦:"全面加强政府环境保护公共职能——从关于修订《环保法》的讨论所想到的",《经济界》,中国民主建国会中央委员会主办,2005 年第 3 期,第 35—36 页。

了比较好的效果,其中有一些效果显著。当前,上海市一方面正在积极地制定新的有关循环经济的法规和规章,另一方面正在积极地修订现行的法规和规章。同时,上海市有关部门已经初步形成了上海市发展循环经济的总体规划。我们对上海市循环经济发展现状的调研表明,现实对制定一部综合性的《上海市循环经济条例》没有急迫的要求。因此,制定一部关于循环经济的综合性的地方法规,不是上海市循环经济的实践对立法工作提出的关键性需求。此外,考虑到立法成本和综合性循环经济法规的可操作性和实施效果,当前把制定一部关于循环经济的综合性地方法规作为立法工作的优先事项,似乎更加没有必要。

然而,综合性地方法规有两项重要的功能,即政策宣示功能和体系统领功能,是专项法规和规章所难以代替的。为了推进循环经济,由立法机关对上海发展循环经济的政策和总体要求通过一定的法律形式予以宣示,是很有必要的。这项功能,可以由上海市人大常委会作出一项"《关于推进循环经济的决定》"来实现。该《决定》可以宣示上海市发展循环经济的总体目标、总体思路、主要任务和企业、公民和政府在发展循环经济中的地位和作用,向全市人民说明上海市发展循环经济的重要性,调度全社会关心、支持和投入循环经济建设事业。同时,该《决定》可在一定程度上起到综合性法规的统领作用,将现行的有关循环经济的各项专门法规、规章和标准统一起来,形成一个上有人大常委会决定,下有各项专门法规、规章和标准的关于循环经济的法律体系。相对于制定综合性法规,这项人大决定的立法成本要小得多,但其立法效果不亚于综合性法规。因此,它是一个合理选择。

4. 当前上海市循环经济法制工作的重点

现实对上海市循环经济立法工作所提出的关键性需求是什么呢?我们的调研表明,上海市发展循环经济的现实所急迫要求的,是从节能、节水、节地、节材和废物循环利用等方面进一步制定和完善专项的法规、规章和标准,以更多的、更完善的专项法规、规章和标准来保障和促进各行业和领域的循环经济活动取得更大效果。

基于上述论述,现提出当前上海市循环经济立法工作的重点,供有关部门参考。

(1)研究、制定循环经济立法规划。

循环经济立法规划的主要工作是确定上海市循环经济立法工作的目标、重点和实施方案。

上海市循环经济立法工作的目标是建立一个循环经济的法规、规章和标准体系,为循环经济的发展提供法律的保障。

上海市循环经济立法工作的重点是制定或修改关于节能、节地、节水、节材和废物循环利用的法规、规章和标准。这是由上海市的市情决定的。上海市经济规模大,发展速度快,人口多,土地供给量有限,资源消耗量大,资源自给量不足。抓好节能、节地、节水、节材和废物循环利用,发展循环经济,意义巨大。

上海市循环经济立法工作的实施方案可以概括地表述为:摸清上海市现行有关循环经济的各项法规、规章和标准的现状,提出需要制定、修改或者调整(包括合并、废除等)的法规、规章和标准的名单,并且按照"市人大常委会决定+专项法规、规章和标准"的立法模式,将有关法律文件按性质、位阶和所涉的行业、领域或部门排列组合成为一个有机联系的体系,对各项法律文件制定具体的立法工作计划(或新立、或修改、或废除)。

(2)以节能、节地、节水、节材、废物循环利用为重点,制定或修改有关的法规、规章和标准。

从上海市初步形成的发展循环经济的总体思路和主要任务中可以看见,当前上海市发展循环经济的"抓手"是节能、节地、节水、节材和加强废物的循环利用。因此,专项法规、规章和标准的制定和修改应该集中在涉及节能、节水、节地、节材和废物循环利用的事项上。市人大常委会可以组织人员对涉及节能、节地、节水、节材和废物循环利用的法规、规章和标准的情况做全面的调查,在对有关的现行法规、规章和标准进行梳理的基础上,根据对立法需求、立法成本、法律可操作性和实施效果的综合考虑,提出需要制定或修改的法规、规章和标准的名单,分期分批地有计划地进行这些制定或修改法规、规章和标准的工作。

(3)起草、制定《上海市人大常委会关于推进循环经济的决定》。

　　如前所述,市人大制定一个《关于推进循环经济的决定》很有必要。它可以较小的立法成本,起到综合性法规在循环经济法律体系中的"纲"的作用。正是由于它的这种统领作用,对它的主要内容要在比较系统、全面的调研基础上提出,使它能够密切结合上海市有关循环经济的法规、规章和标准的情况,为上海市发展循环经济作出一个宏观的、具有很强的指导作用的政策宣告,指引全市人民共同把上海市建设成为一个循环经济社会。

（王曦:上海交通大学法学院副院长、

环境资源法研究所所长）

环境友好设计与循环经济法

王 学 军

环境友好设计,也称绿色设计,可以定义为"在产品及生产工艺的设计中考虑环境和资源要素,以减少环境影响,并增加废物的重复利用和循环利用率"。这里所指的产品是广义的,不但包括工厂中生产的产品,也可以包括建筑物、构筑物等设施。考虑的因素可涉及产品本身以及与其相关的生产过程,包括材料选取、生产工序的选择以及产品设计本身等。环境友好设计还应该包括对产品的使用过程、报废过程和回收利用过程进行分析,包括产品组件和零部件的拆卸、循环利用和重复使用、有价值材料的回收以及对产品不可再利用部分进行恰当的处置等。

由于传统上企业总是侧重于从经济效益的角度进行产品和生产过程的设计,因此,在相关法律法规中进行适当的规范并给予经济激励,可以有效的促使企业开展环境友好设计,从而大大推动循环经济和环境保护工作的开展。

一、环境友好设计是实现 3R 的最佳途径之一

目前,广泛的观点是,循环经济立法应从 3R 的角度进行设计。而 3R 的思想中,无论是从源头进行削减,还是开展重复利用和循环利用,环境友好设计均可以发挥重要的作用,它很好地贯串了 3R 的全过程,意义十分重大。因此,环境友好设计,应当成为循环经济法的重要制度。

废物的循环利用或处置的等级结构可以用图 1 表示（Bishop，2000）。最高的优先等级应该是通过环境友好设计减少生产使用的材料量。当产品的使用寿命终结后，应最大程度地对产品部件进行回收以便于进行重复使用。产品的重复使用通常是对设计有一定要求的，它要求可以在不破坏产品的前提下对其进行拆卸。

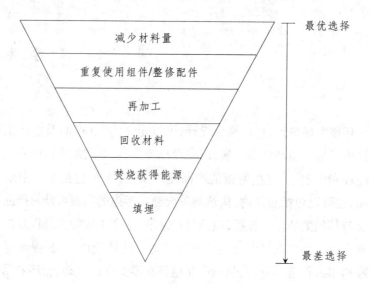

图 1　废物循环利用/处理的等级结构

对于产品中不能直接重复使用的部分，可以进行循环利用，只有那些没有回收价值的部分才作为垃圾进行适当处置。

二、环境友好设计的内容

传统的工程设计主要是通过采用合理的技术，使企业在最低成本的基础上获得高质量的产品。这里的"成本"通常只包括生产产品的经济成本。环境友好设计将环境和循环利用的考虑融入工程设计之中，采取多种途径实现环境友好的设计，这些途径可以包括：

将减少生产过程中的废物产生和排放作为目标来设计产品的生产程序；使用危害性较小的替代原料；合理设计产品使其易于循环利用或者更容易分解，以便于产品的重新利用或循环使用；合理进行产品设计或生产工序设计,以减少产品的生产或使用所消耗的能源;合理设计产品以延长产品的使用寿命;合理设计产品,使产品处置过程中产生的污染最少,处置成本最低。

这些选择方案在一些国家都有具体的名称,例如为环境而设计(DfE)或为拆卸而设计(DfD)等。表1列出了一些较为常用的名称,所有这些统称为 X 而设计(DfX),其中的 X 是指所选择的目标(Bishop, 2000)。

表1　为 X 而设计

类型	字母缩写	描述
环境	DfE	通过合理设计减少对人类健康和环境的不良影响
拆卸	DfD	设计的产品要在产品的使用寿命终结后方便拆卸和利于部件或材料的重复使用和循环利用
循环利用	DfR	产品的设计要利于产品的循环利用
服务	DfS	设计的产品要易于安装、服务或维修
遵守法规	DfC	设计的产品应满足各种法规的要求

引自 Bishop, 2000

产品的环境影响常常与它的最终处置方式有关,如果产品最终变成垃圾被填埋或焚烧,不仅是极大的浪费,而且可能对环境和公众健康造成损害。但如果其中的一部分组件或材料能被重复使用或循环利用到其他的产品中,则可能还有价值。

重复使用就是一件商品在其明确界定的使用功能完成之后的附加使用。重复使用的过程包括对到达使用期限的产品的有价值部分进行收集、拆卸、出售和重复使用。

产品所有者往往认为,这些产品或部件的价值太低,不值得花费时间和成本进行回收。然而,从产品生命周期成本的角度来考虑,实际上重复使用这些部件的费用往往更低。重复使用可能存在很多障碍,因为在最初设计时,往往较少考虑到易于拆卸的问题,或者技术的发展使这些部件可能已经过时,从而失去价值。尽管如此,很多产品中的材料或部件还是可能重新利用的。

循环利用与重复使用不同,它包括了对所回收材料的再加工过程(Keoleian,1995)。经过回收和再加工的材料可以重新利用,生产新产品。循环利用可以针对使用后的产品进行,也可能在工厂内的生产过程中进行,后者主要是指将未得到使用的生产材料回收到原来的生产过程中,如将造纸过程中回收的纸浆纤维又回用到原来的生产过程中。

在缺乏激励机制的情况下,一种物质能否被循环利用或重复使用主要取决于经济和市场因素。如果使用原始材料比使用再生材料的成本低,企业将会选择前者。更值得注意的是,即便是使用再生材料成本较低,企业也不一定愿意使用,因为再生材料的供应往往不够稳定,而且可能存在着环境和健康风险。

环境友好设计可以使产品的重复使用和再生利用变得可行。在环境友好设计中,产品被设计成为便于拆卸的形式,同时还预先考虑到其组成部件的循环利用和重复使用可能性。为了实现重复使用或循环利用,必须考虑许多因素,如:设计成易于拆卸的形式、接口的简化和标准化、零部件标准化、选择使用易于循环利用的材料、尽量减少使用的材料量、使用兼容材料、对材料和组件进行标记以便于分离、使用无毒无害原材料等。

比如,在产品设计时选择合理的材料可以大大地方便材料的重新使用和循环利用。选择材料的原则应当是:①在保持产品品质的同时使材料对环境的影响最小、材料的使用量最小;②选择容易进行循环利用的材料。在很多情况下,对设计进行改进可以减少产品使用的材料量,并促进循环利用。

材料的环境影响、毒性以及产品使用后进行处置等问题都需要仔细考虑,设计者应尽可能选择储量丰富、无毒的天然材料。如果有适合的再生材料可以利用,则应选择再生材料。根据各种不同的材料对于人类健康影响和环境影响的情况,可以选择使用对环境更为有益的原材料和生产过程。

三、环境友好设计的立法思路

在没有约束和激励手段的情况下,经济活动中的循环利用或重复使用主要受经济利益的驱动。如果企业认为利用再生材料在经济上是合理的,又没有一定的风险,那么该企业就会这么做。传统上没有法律条文要求企业必须使用再生材料或者将产品设计为易于回收的形式。

但近年来已有许多国家的立法开始在这方面提出要求,例如1994年通过的《欧共体包装及包装废物的法令》中要求,所有的塑料、钢铁、木材、玻璃及纸张的最低循环利用率为15%（Payamps,1997）。

在德国,法律要求生产商从消费者手中回收特定的废弃的产品,并对从产品上拆卸下的有用部件和材料进行循环利用。德国还立法规定了一整套应用于产品整个生命周期的原则。在这一原则中,首要的是避免垃圾的产生,可行的途径包括采用低废物产品设计,采用封闭循环的方法进行垃圾管理,以及通过公共教育形成购买低废物和低污染产品的意识等。

根据以上的分析和国外的经验,在我国,为推动循环经济的开展,有必要在循环经济法中针对环境友好设计进行法律规定,以推动循环经济工作的开展。推动环境友好设计可以从两个角度来实施:一个是制定相关的产品和生产工艺标准;一个是在相关的法律法规中纳入有关的制度性规定和激励措施。

制定相关的产品和生产工艺标准,意义十分重大,它可以促使企业主动的开展环境友好设计,促进循环经济工作的开展。

除了相关标准的制定,还应在法律中进行一些制度的规定,并对开展环境友好设计的行为给予一定的经济激励。

考虑到该法的特点,可以在循环经济法中进行概括性的规定,再依据循序渐进的原则,对特定的领域和产品逐步制定和实施相应的环境友好设计标准和法规。

开展环境友好设计,不仅具有很好的社会和环境、资源效益,而且对于企业来说,也有十分重要的意义,有助于企业占领国内国外市场,不断发展壮大。例如,对于欧盟的电子废物指令,一个合理的应对措施就是开展环境友好设计,这将大大减少产品销售后的废物回收利用和处置的压力。

主要参考文献

[1] Bishop, P. L. "*Pollution Prevention: Fundamentals and Practice*", New York: McGraw-Hill, 2000.

[2] Keoleian, G. A. "*Pollution Prevention through Life-Cycle Design.*" *In Industrial Pollution Prevention Handbook*, ed. H. Freeman. New York: McGraw-Hill, 1995.

[3] Payamps, M. "*Changes at Checkout.*" The Magazine of Environmental Management 19(4), 1997: 6-9.

（王学军:北京大学环境学院）

发展循环经济存在的问题与
优先制度安排

王　毅

一、循环经济的提出

循环经济一词的提出并得到认可主要是近些年的事,是严峻的资源环境问题引发人们思考如何提高资源利用率和减少污染排放所得出的技术解决方案。目前,循环经济概念在学界还存在很大争议,实际上,对于循环经济的理解并没有形成共识。从整个经济发展来看,利用可再生资源、提高资源的综合利用率、减少环境污染是一个基本方向,即所谓的"绿色发展"道路。但是,何谓循环经济,什么是循环经济模式,如何发展和实现循环经济,这些都还没有定论。

无论如何,近年来,中国政府开始反思单纯追求 GDP 所带来的种种弊端,面对越来越严重的资源环境问题,呼吁要实施战略性结构调整、根本转变增长方式,提出建设资源节约型、环境友好型社会,这对实现中国社会经济的可持续发展是新的机遇,也使循环经济模式成为实现未来中国发展与环境目标的一个重要选择。

众所周知,自 1994 年国务院通过《中国 21 世纪议程》之后,我国在可持续发展领域并没有取得突破性的进展,进入 21 世纪,实现可持续发展的综合协调能力甚至还相对下降。循环经济理念的提出并被各方面普遍接受,为实现可持续发展提供了一条新的探索途径,但也同时出现了一些新的问题,循环经济的作用被无限地扩大,并出现概念的泛化和口号化的趋势,似乎任何与资源环境问题相关的经济活动都被冠之以"循环经济"的名头,循环经济甚至成为"圈钱"和"圈项目"的工具。因此,如果不能及时采取措施加以正确引导,所谓的"发展循环经济"有可能造成巨大经济损失,贻误发展的机遇。

循环经济概念的产生和发展经历了一个过程。在 20 世纪 70 年代,当时的环境保护主要注重末端治理,即排放口的污染控制;随后人们发现只关注污染的处理并不能有效解决环境问题,所以环境保护开始向生产的前端延伸,因此提出"清洁生产"的概念,也就是重视在工艺过程中的节能、降耗、减污,采取更加清洁的技术、工艺和管理,开展污染物产生的全过程控制,从原料的准备到工艺的设计到最后产品的生产,使资源利用最大化、污染物产生最小化;之后,清洁生产的概念不断延伸,把"减量化、再利用、资源化"的原则在一个企业内部的应用扩展到整个产业链或一个区域,从生产领域扩展到消费领域,包括建立所谓工业生态园区,利用产业生态学和功能经济学的理念,前者希望工业系统能模拟自然生态系统的物质循环利用原理,后者则关注利用服务消费替代产品消费,从而构造所谓物质的"闭路循环"利用体系或"工业生态系统",这是循环经济理念提出的初衷。

不同国家对所谓循环经济的解释是不一样的。目前,在循环经济的用词上,中外也存在较大的差异。中国提出的"循环经济",英文用词是"Circular Economy"。刚开始,不光一般学者难以理解,就是专门搞环境研究的国外学者也不知道其本义,必须加以进一步解释。一般我们常说的德国 1996 年通过的"循环经济法"的德文翻译成英文是"Closed Substance Cycle and Waste Management Act",即"物质闭路循环和废物管理法";日本人则普遍用"循环型社会",英文是"Recycling-Based Economy"或"Recycling-Oriented Society";美国专家用得比较多的是 Closed-loop Economy 或 Recycling Economy。由此可见,国外发达国家所说的"循环经济"主要针对废物的管理和循环利用,而中国的"循环经济"范围更大,包括物质生产和消费的全过程。当然,这同发展阶段不同有很大关系。因为在发达国家,生产过程中的物质利用和最终的污染物治理已经得到有效控制,在"废物管理"方面,无论企业、社区、还是政府都可以发挥作用,实现"废物"的循环利用。

国外发展循环经济有这么几个特点:第一主要是围绕废物回收领域和一些大企业来开展所谓的循环经济,在管理上更容易实现;第二是立法先行,并通过建立"生产者责任延伸制度"和"消费者负担原则"来保证废物的回收利用;第三就是采取自下而上的模式,在家用电器、容器和包装物、建筑材料、食物、汽车等行业优先开展回收利用,其中行业协会发挥着重要作用;第四是在具体运作上,利用行业指令和标准、环境标志与标识、自愿协议、企业社会责任、绿色供应链管理、物质流分析、产品生命周期分析以及各种财税激励措施等综合性手段,比如在节能方面采取自愿协议,通过企业自愿的形式来实现节能目标;第五是通过绿色供应链的管理,一家企业不仅自己满足一定的环境标准,还要求其供应商必须同时满足相同的环境标准,否则就不采购其产品。

二、中国发展清洁生产和循环经济存在的问题

我国从 20 世纪 80 年代末期开始参与联合国环境规划署的《清洁生产计划》,并从 90 年代中期,大规模推进清洁生产,在 UNEP、CIDA 等国际组织的帮助下,开展了清洁生产审计、行业评价指标体系等多项工作。经过十多年的努力,我国清洁生产取得了一定的成绩,并于 2002 年实施《清洁生产促进法》。但由于配套措施不利,总体收效有限。2005 年,国务院还发布了《关于加快发展循环经济的若干意见》,为促进我国循环经济和清洁生产的发展奠定了良好的基础。

应该看到,在市场作用下,一些与循环经济相关的行业和领域发展迅速,保持着旺盛的生命力。例如,主要以非正规企业组织起来的废品、垃圾回收大军,通过低成本运作,把利润较低但有成熟回收处理技术的废纸、塑料瓶、废旧家电等通过各种形式集中收集处理,同时广东、浙江等地的拆解业发展迅速,但由于疏于良好管理,往往造成严重的二次污染。这些事实让我们反思中国的循环经济道路应该如何实施,才能走上良性循环的轨道。

我国开展清洁生产和循环经济存在着多方面的障碍。主要包括:

一是我国存在着发展清洁生产或循环经济的制度性障碍,资源无价或低价、环境成本没有计入生产成本,导致企业没有节约资源、减少排污的经济利益驱动,从事清洁生产或环境保护的企业因为增加了成本反而面临不公平的市场竞争;二是在管理上部门分割,不利于行业间的工艺耦合和产品的生命周期管理;三是缺少鼓励清洁生产、循环经济的配套政策措施,特别是对中小企业没有吸引力,增值税等财税政策不仅没有激励资源节约,反而限制了资源回收利用产业的发展;四是缺少相关的技术创新,分析方法概念化,清洁生产审计流于形式。可以说,我国的循环经济发展面临的问题是综合性的,包括循环型技术的有限性、产业链的计划经济思路与不稳定、企业规模的匹配、结构性创新动力不足等问题。

此外,循环经济在理论上也存在一些局限性,并不能解决所有问题。首先是在经济上可能不合理,因为工业生态系统追求的是物质的闭路循环,物质得到充分利用,但这在经济上可能是高成本的,从而在没有补偿的情况下,其产品在市场上没有竞争力。二是受共生关系的制约,系统的结构调整困难,这表现在,生产环节中的任何一个环节出现问题,如改变原料、供应商或增减产量,都可能导致系统的不稳定,而且系统的整体结构创新也更加困难和缺少动力,因此这样的系统容易在大企业中实现,而小企业很难被整合进取。三是化石能源和耗散性物质(如一些化学试剂、部分有毒重金属和有机物质)难以实现循环,还有些物质(如塑料、包装物等)在循环过程中性能递减、成本增加,必须降级使用并且不可能无限循环。四是受各地条件、行业和部门管理影响,难以找到统一的模式,不利于协调管理和降低运作成本、交易成本。五是推进循环经济存在着系统性障碍,如产权、价格、管理、财税政策、技术、基础物流信息、资金等。因此,发展循环经济如果片面强调闭路循环或"为循环而循环",不顾经济合理性与新增工艺的协调性,必然会增加经济和管理上的不确定性和风险,严重影响其今后的生命力。从某种意义上讲,循环经济的设计和实施主要是通过计划思路实现工艺、企业和行业耦合的,缺少市场导向的灵活性和内生的结构性创新。

三、正确引导中国的循环经济发展

中国目前的循环经济概念比较宽泛,这同中国面临的多方面的环境问题有关。尽管广义的循环经济理解给中国开创循环经济的新局面提供了机遇,但也给各方面统一认识和实施操作造成了困难。

我们必须认识到,循环经济是节约资源、保护环境的重要方式,但不是唯一方式。作为一个新生事物,我们在大力推行循环经济的同时,必须采取相对谨慎的态度,避免"概念炒作"。因为我们目前积累的经验太有限,许多问题有待进一步研究,又缺少宏观战略和规划指导,很容易在实践过程中产生偏差,出现"穿新鞋、走老路"的情况,甚至有可能造成新的重复建设,浪费有限的资金和发展机会。也正是因为如此,在国家"十一五"规划纲要和"国务院关于加快发展循环经济的若干意见"中,把循环经济放到建设资源节约型、环境友好型社会的框架下来推进,在现阶段重点解决节约降耗、推进清洁生产、开展资源综合利用、发展环保产业和开展循环经济试点。中央和国务院的意见是符合中国的实际情况的,我们在现阶段实践中应该按照这些原则来开展工作,不断总结经验,因地制宜、有条不紊地将循环经济引向深入。

发展循环经济是一项综合性很强的工作,它不仅仅是认识或观念上的改变,而且必须解决上述一系列尚未解决的理论和实践问题,在我国现阶段实施起来难度非常大。因此,必须有长远的规划、正确的导向和近期的优先领域,遵循"试点先行、谨慎评估、规划指导、循序渐进"的原则。为此,建议采取以下措施促进循环经济的发展:

(1)在确立"十一五"计划发展循环经济的指导原则基础上,实事求是地编制促进循环经济的专项规划。规划的总体思路应以通过战略性结构调整,促进建立资源节约型、环境友好型的生产和消费结构与方式,在高速增长过程中产生可持续的产业空间格局和基础设施;应明确未来我国战略性资源和主要矿产资源的回收利用目标,实施途径和保障措施;特别是应制定重点行业和地区的资源能源利用效率和回收利用目标。

(2)建立统一协调的循环经济管理机制。发展循环经济需要各部门、各行业的合作与协调,应建立循环经济主管部门(如发改委)统一领导,各部门共同参与的协调管理机制。同时,应该根据行业特点,建立政府、行业协会、企业的合作伙伴关系,并充分发展行业协会的重要作用。

(3)在建设节约型社会的框架下,稳步推进循环经济试点。由于循环经济在理论和实践上都还不成熟,大规模推广还缺少足够的经验积累。因此,我国目前发展循环经济应定位在全面试点阶段。在现阶段,应把继续推进企业清洁生产、提高资源能源利用效率、加强废旧物品回收利用作为最优先的发展任务来完成,不应片面追求物质闭路循环。没有这些工作基础,循环经济难以实现。

(4)制定发展循环经济的配套措施。如前所述,中国建设节约型社会、发展循环经济面临系统性障碍,要全面提高资源利用和环境保护水平,转变经济增长方式,必须采取根本性的变革和综合性配套措施。应在充分评估《清洁生产促进法》实施中的经验和存在问题的基础上,制定循环经济发展的发展战略、相应的制度安排和各项配套政策,尤其是更多利用市场经济的手段,如废旧物品回收和再利用企业的增值税减免政策。

(5)加强清洁生产和循环经济的技术培训,并把这一内容纳入相关计划。培训在实施循环经济中扮演重要作用,培训对象不仅仅是清洁生产的审计人员,而应包括企业领导和若干骨干;培训内容应更加详细,包括具体的分析方法和解决途径的选择;培训单位应是独立的,具有相关资质的专业技术咨询机构;要充分发挥国际组织和跨国公司在培训方面的积极作用。

四、发展循环经济的优先制度安排

中国发展循环经济,加快循环经济的立法工作,最重要的是全面推进现行制度的改革,消除节约资源的制度性障碍,建立健全有利于循环经济的制度安排。完善发展循环经济的制度安排主要包括两个方面:一是要改革和消除不利于循环经济的制度安排和相关政策,如资源产权和价格改革、废旧物品再利用的限制政策等。二是根据循环经济的

具体要求,系统设计鼓励循环经济发展的相应制度安排。为此建议,优先改革和制定以下八项制度:

(1)改革和完善资源产权管理制度。我国的资源产权管理主要遵循"谁开发谁受益"的原则,一是部分资源所有权不明晰,资源使用权配置不合理,政府行政权力过大,没有通过市场机制配置资源;二是资源税过低,资源开发者获取高额利润,而作为资源所有者的国家或集体没有得到应有的收益,社会弱势群体也未因资源开发或生态破坏得到相应补偿。因此,政府应通过改革,提高国家所有的资源的使用税费,完善资源初始产权分配、使用权市场配置和交易制度,加强资源开发的政府监管,建立资源开发的后转移支付机制。

(2)改革资源、环境定价制度,使资源价格反映其稀缺程度、供求关系和环境成本。"十一五"期间,应加快资源价格、环境税费的全面改革步伐,并结合财税政策的配套改革,彻底改变资源、能源、环境低价状况,使资源节约和环境保护成为自觉行动。当然,资源价格、环境税费及相关财税政策改革应同国家整体税制改革相协调,通过整体税负的平衡,尽量减少因资源环境成本上升有可能造成的企业竞争力下降的情况。

(3)建立生产者责任延伸制度。这是一项有利于节约资源、保护环境和发展循环经济的基本制度,应在相关循环经济法律法规中做出明确规定。同时,为了减少企业的负担,生产者责任延伸制度应考虑与"消费者付费原则"、"企业社会责任"有机结合,并根据不同产品制定差别政策。

(4)建立行业的资源环境绩效标准和标识制度。制定行业的单位产品能耗、物耗和污染排放标准,特别是优先考虑重点行业和产品的能源、水资源、土地和污染物绩效标准及实施时间表的制定。这项标准及对应的产品、技术目录应同相关财税政策结合起来,可以充分发挥制约和长期目标的导向作用。

(5)建立资源能源密集型、重污染行业及产品的市场准入制度。应根据资源、能源和环境的要求,以及行业资源环境绩效标准,规定更加严格的重点行业和产品的市场准入标准,并配套高能耗物耗落后技术、工艺、设备和产品的强制淘汰制度。

(6)建立绿色采购制度。该项制度通过政府或企业的绿色采购清单,鼓励企业清洁生产,引导和培育资源节约和环境友好产品的市场,提高其市场竞争力。同时,引入绿色供应链管理,使供应链上的企业符合相同的环境规范和标准。

(7)建立健全企业环境信息披露制度,特别是公开企业有毒有害物质清单,通过公众的压力促进企业的技术改造和环境保护,提高公众和社区的参与水平。

(8)建立有利于人力资源、知识资源、信息资源开发的相关制度和政策,特别是健全知识产权保护体系和建立资源共享机制,加大执法力度。

主要参考文献

[1] 中科院可持续发展战略研究组:《2006 中国可持续发展战略报告——建设资源节约型、环境友好型社会》,科学出版社 2006 年版。

[2] 王毅:《中国建设节约型社会与推进循环经济的战略选择》,在"第七届 3R 国际会议暨中国循环经济论坛"上的大会特邀报告,2005 年 10 月 25 日。

[3] 苏杨:《循环经济三大批判》,《新经济导刊》(100),2005 年 10 月 24 日。

[4] 姜伟新主编:《建设节约型社会》,中国发展出版社 2006 年版。

[5] 周宏春、刘燕华等著:《循环经济学》,中国发展出版社 2005 年版。

[6] 苏伦·埃尔克曼:《工业生态学》,徐兴元译,经济日报出版社 1999 年版。

[7] 推进循环经济与清洁生产的战略与机制课题组:《中国推进循环经济与清洁生产战略与机制研究》,见中国环境与发展国际合作委员会、国家环境保护总局编,《第三届中国环境与发展国际合作委员会第二次会议文件汇编》,中国环境科学出版社 2004 年版。

[8] Braden R. Allenby, *Industrial Ecology: Policy Framework and Implementation*, Prentice Hall, 1999.

[9] Suren Erkman and Ramesh Ramaswamy, *Applied Industrial Ecology*: *A New Platform for Planning Sustainable Societies*, Aicra Publishers, 2003.

（王毅：中科院科技政策与管理科学研究所）

以节能为切入点,推动
地方循环经济立法

吴祖强　肖磊

上海市人大常委会于 2006 年 4 月出台了《上海市人大常委会关于进一步加强节约能源工作的决定》(以下简称《决定》)。

一、《决定》出台的背景

上海是一个人口众多、自然资源匮乏的特大型城市,随着经济快速发展,能源的需求越来越大,能源已经成为制约经济和社会发展的瓶颈。节能降耗是上海率先转变经济增长方式、发展循环经济和建设节约型社会的突破口。上海市"十一五"规划纲要明确要求,到 2010 年单位生产总值综合能耗要比"十五"期末下降 20% 左右。这项指标综合反映结构优化、技术进步和节能管理的成效,是考核经济增长方式转变的一项极其重要的约束性指标。20 世纪 90 年代以来,上海经济在保持连续快速增长的同时,单位生产总值能耗不断下降,节能工作取得了明显进展,但与国际先进水平相比还有明显差距。从一定意义上说,完成节能降耗目标,绝不比完成 GDP 增长率的任务容易,必须下更大决心、倾全社会之力。

2006 年年初,上海市委决定,通过人大履行重大事项决定权,动员全市人民把节能工作做好。为此,上海市人大常委会成立了《决定》工作协调小组,研究部署《决定》调研、起草、审议等工作。常委会组成由市人大财经委员会、城建环保委员会、教科文卫委员会等专门委员会和部分市人大代表参加的专题调研组,由常委会领导带队,分别就结构节能、工业节能、建筑节能、科技节能等专题,组织开展了一系列专题调研。调研组分别赴上海卷烟厂、外高桥发电厂、高新铝质股份公司、国美电器公司、野桥菜场和新锦江酒店开展视察调研,先后听取了市发改委、市经委、市建设交通委、市节能监察中心、有关行业协会、部分产能和用能企业节能工作的情况汇报,并与部分市人大代表和有关节能专家进行了座谈。调研组先后开展了 18 次调研,计有 146 人次的市人大常委会组成人员、29 位市人大代表参加。4 月上旬,在广泛调研的基础上,在市政府提出的《上海市人民政府关于建议市人大常委会作出加强本市节能降耗工作重大决定的议案》基础上,市人大财经委组织起草了《决定》(草案),提请市人大常委会审议。

二、《决定》的起草思路和基本框架

起草的依据。一是依据国家和上海"十一五"规划纲要的相关要求,特别是根据上海"十一五"规划纲要所规定的"十一五"期末全市单位生产总值综合能耗比"十五"期末下降 20% 左右的目标要求,参照有关政策措施,加以整合;二是依据节能法律法规的相关规定,根据本市实际,加以重申和细化;三是依据市人大常委会组成人员、市政府相关部门和其他有关方面提出的意见建议,结合本市实际情况,提出有针对性的制度规定,体现上海地方特色。

起草的原则。一是按照宪法法律和相关地方性法规有关讨论决定重大事项的规定,把市委关于节能工作的决策转化为人大决定,努力形成社会共识,营造良好环境;二是要为政府加强节能工作提供法制依据,并为政府实施留有余地;三是要做到态度鲜明,原则概括,便于落实,可以检查。

《决定》的框架。除导语部分阐述节约能源的重要性和决定目的外,全文共分八条。

一是明确节能降耗目标。把"十一五"规划所确定的节能降耗目标单列一条,突出实现节能降耗目标的重要性。

二是加快产业结构调整。这是推进节能降耗工作的核心举措。主要包括产业结构调整的基本方向,以及综合运用经济、法律和行政手段,实行强制淘汰制度、固定资产投资项目能耗审核和节能论证制度等内容。

三是大力推进节能科技进步。这是实现节能目标的根本出路。主要包括重点支持节能科技的自主创新,推动节能科技的研究开发、推广运用和产业化,鼓励支持可再生能源和新能源的开发利用,制定和实施节能技术改造计划,实行主要用能产品能效标准和能效标识制度等内容。

四是实行对重点用能行业和单位的严格监管。这是节能工作的重点所在。主要包括推进重点用能行业的节能,强化对重点用能单位的监督检查和管理,完善能源统计体系,建立单位生产总值综合能耗公报和通报公示制度等内容。

五是发动社会力量推进节能工作。这是营造社会氛围的重要举措。主要包括认真组织节能宣传,发挥舆论引导和监督作用,增强全社会的节能意识,普及节能科学知识,开展节约型单位创建活动,各级国家机关带头节能等内容。

六是加强节能法制建设和政策引导。这是节能工作的制度保障。主要包括加大执法力度,发挥财税、价格政策的效用,加大资金投入,建立表彰和奖励制度,适时修订和制定节能法规等内容。

七是加强节能工作的领导。这是节能工作的组织保障。主要包括明确职责,完善规划,确定标准,分解指标,加强管理,实行单位能耗目标责任和考核制度等内容,强调落实。

八是加强节能工作的监督。这是实现节能工作目标的监督机制。主要包括加强人大监督工作、实行政府报告制度等内容。

三、《决定》的重点内容

1. 关于产业结构调整推进节能的问题

据分析,20世纪90年代以来,上海市单位生产总值能耗下降的因素中,产业结构调整和附加值率提高等因素占75%左右。因此,要实现"十一五"节能降耗的目标,核心是进一步转变经济增长方式,加快形成以服务经济为主的产业结构,提高产业附加值。为此,《决定》根据本市产业结构调整的方向,依据《节能法》等有关法律法规,进一步明确了实行强制淘汰高耗能、高污染、低效益的落后工艺、技术、设备和产品的制度,规定严格执行行业能耗准入标准、对固定资产投资项目进行能耗审核的制度。

2. 关于科技进步促进节能的问题

科技进步是实现节能目标的重要途径。上海在电力、冶金、化工、造纸、机械等行业有较大的技术节能潜力。推进节能科技进步,有利于发挥科技先导作用,促进产学研一体化,推广节能技术、设备、材料、可再生能源和新能源的开发和利用。鉴于国家对节能潜力大、使用面广的用能产品实行统一的能源效率标识制度,根据上海实际情况,《决定》规定,产品的国家能效标准实施阶段可以提前。尚未制定国家和行业能效标准的,本市可以组织制定地方标准。

3. 关于重点用能行业和单位节能管理的问题

做好节能工作必须充分发挥企业的主体作用。据统计,本市863家年综合能耗5000吨标准煤以上的重点用能企业耗能占全市能源消费总量的68%左右。抓好重点用能行业和单位的节能,将有利于本市能源利用总体水平提高和节能降耗目标的完成。为此,《决定》规定了对重点用能行业和单位实行严格监管。加强监管的基础是能源统计。按照国家"十一五"规划纲要的精神,《决定》提出了完善能源统计体系、建立单位生产总值综合能耗公报和通报公示制度等内容。

4. 关于财税和价格政策运用的问题

财税、价格政策是促进节能的重要调控手段,但是,涉及面比较广泛,为避免在各条款中分别表述带来的重复,所以《决定》对节能资金投入、财税和价格政策等集中作了表述。价格是市场配置资源的核心因素,价格杠杆也是政府调控的重要手段。为了发挥价格对节能的引导作用,《决定》规定了完善促进节能的价格形成机制和实施差别化价格政策等内容。

5. 关于节能工作的领导和监督的问题

为了保障加强节能工作各项措施的落实,便于对节能降耗目标完成情况进行检查,《决定》提出了分解指标、实行单位能耗目标责任和考核制度,要求本市各级人大及其常委会加强对节能工作的监督,并实行政府报告制度。

四、启 示

对循环经济立法从哪里入手,一直有不同的意见。有的认为要先立循环经济的基本法,确定发展循环经济的总方针,再推进专项立法;有的则认为应从专项立法着手,逐步形成框架。甚至有的学者总结出德国循环经济立法走的是专项立法模式,日本走的是基本法模式。姑且不论模式的争论有什么理论意义,仅从上海制定《决定》的实践来看,对地方循环经济立法来说或有些启示。

1. 地方循环经济立法从某一个专项入手是一个可行的途径

地方立法在确保国家已有法律统一实施的前提下,要充分体现地方特征,适应地方的具体情况和需求,有针对性地立法。所以地方循环经济立法,在初始阶段,特别是国家立法尚未到位时,在权限之内,发挥地方立法的先行性和自主性是非常必要的。

从节能入手,是发展循环经济的必然要求。循环经济的首要原则是减量,不只是减少废物的产生,更重要的是减少资源的投入。节省能源投入首当其冲。我国发展循环经济的一个重要目的就是摒弃高消耗、高污染、低产出的经济增长模式,特别是对于上海这样一个高速发展又能源缺乏且有巨大经济总量的城市,节能对于维持经济可持续增长来说,至关重要。上海市人大常委会抓住节能这个突破口,作出节能的重大事项决定,紧接着,上海市政府就出台了《关于进一步加强本市节能工作的若干意见》,对节能工作的方针和任务作了具体规定和部署。《决定》的出台,适应了上海的紧迫需要,有力地推动了上海节能立法和政策配套,对上海贯彻科学发展观、转变经济增长方式将会产生深远影响。

2. 制定《决定》有助于及时缓解立法滞后的矛盾和弥补立法的局限性

对重大事项行使决定权是宪法、法律赋予地方人大的职责之一,体现了人民代表大会这一国家权力机关的特性,反映了人民代表大会权力的广泛性。人大作出的重大事项决定虽然不是立法,但同样具有法律约束力。

在节能领域,国家和上海地方原有的立法相对滞后。《节约能源法》和《上海市节约能源条例》都是1998年实施的,立法观念明显滞后,在指导思想上以节约、补缺和缩减为主,没有突出可持续发展的理念,在内容上偏重于工业生产领域的节能,而当前建筑、交通以及消费等领域的节能问题日益突出;在制度设计上偏重于行政监管,而对市场机制涉及很少,实际工作中一些举措已经突破原有法规设定的制度。通过作出重大事项决定可以缓解因条件不完全成熟法规尚不能及时修改而实际工作又亟须规制的矛盾。

节能工作涉及面广泛,由一部专项地方性法规恐难以全部涵盖,有的问题甚至涉及法规以外的其他社会规范调整的领域。另外,节能工作的目标、重点、技术、手段等随着时间变化比较快。因此,与立法相比,人大就重大事项所作出的决定更适合规范类似于节能这样的具有广泛性、综合性而又动态性较强的事务。所以,《决定》的出台对立法的局限性也是一个很好的弥补。

(吴祖强、肖磊:上海市人大财经委办公室)

从现代环境法的发展阶段看
循环经济法的特点

徐 祥 民

　　循环经济法是个新生事物,但同时也是受到普遍关注的新事物,尤其是在我国的立法计划中出现了循环经济法的条目之后。由于它是新生事物,所以人们一时还难以准确把握其特点;由于它即将成为走进立法程序,所以我们必须尽快地认识它。从环境法发展过程中所呈现的阶段性变化中以及不同阶段的对比上,或许更容易发现循环经济法的特点。

　　现代环境法的历史并不漫长,[①]但却可以划分为三个阶段,尽管第三个阶段才刚刚开始。早在20世纪80年代初,日本环境法学者原田尚彦在对日本环境法的研究中便已注意到年轻的环境法所发生的阶段性变化。他把这个变化概括为"从……公害法向环境法的转变"[②]。1993年11月,日本颁布《环境基本法》。他注意到"日本的环境法及环

---

　　① 许多学者都曾做过环境法的历史考查,并对古代的、近代的环境法作过一些阐述,我本人曾考查过中国历史上的环境相关法,我主编的环境法学教材甚至追溯过18、19世纪以及更早历史上的"环境法"。(徐祥民主编《环境法学》,北京大学出版社2005年版,第44—58页)这些考查都是有益的,但这些考查所得出的结论却不能给环境法接续久远的"家族"史。环境法是现代社会的产物,它只属于现代,甚至只属于人类工业文明达到极度繁荣以后的现代。本文所考查的环境法的历史就是仅仅属于现代社会的环境法的历史。为了不至于与学者们讨论过的古代、近代的环境法相混淆,在这里特标现代二字。

　　② 〔日〕原田尚彦著:《环境法》序,法律出版社1999年版。

境行政的目标、理念发生很大转变"①,尽管他当时还不知道在日本《环境基本法》下的"环境法制将构成什么样的体制"②。我国环境法学者也感觉到了变化的发生。蔡守秋先生曾把现代环境法的历史分为两个阶段:一个叫做"斯德哥尔摩时期"的环境法;一个叫做"可持续发展时期"的环境法,并为第二个阶段的环境法总结出 10 个特点。③ 中外学者对变化的内容的理解可能不同,他们各自所作的阶段划分也不一致,但有一点是共同的,即他们都认为发生了变化,且为可以判为不同阶段的那种明显的变化。

那么,在环境法发展的历史上究竟发生了哪些变化? 经历了变化的环境法的历史究竟由哪几个阶段构成呢? 前辈学者已经为回答这个问题给了我们许多启发,这对我们是很有帮助的;处在成长过程中的环境法不断用它新增的年轮展示它的变化,而这是我们为环境法的发展历史"断代"的基本依据。

现代环境法自从产生以来经历了两次大的变化,度过了两个阶段并已进入第三阶段。第一阶段,污染防治法时期。这个时期环境法的基本特点是在为应对环境公害和其他环境损害而做"末端"治理。第二阶段,环境保全法时期。这个时期环境法的基本特点从人类环境行为这个"源头"并在产品的生产、流通、消费等的全过程中做保全环境的努力。第三阶段,循环经济法或循环型社会法时期。这个时期的环境法的基本特点是引导社会尊重自然,谋求人类与自然和谐相处。这三个阶段是环境法的发展"自然"形成的,不是人们事先规定好的;同时它又是人类不断探索环境问题的本质,寻找应对环境问题的办法的时间活动留下的,是人类能动创造的结果。许多国家的环境法都走过了第一阶段和第二阶段,一些国家的环境法开始进入第三阶段。日本环境法的第一阶段大致从 1958 年的《关于公用水域的水质保全的法

①　[日]原田尚彦著:《环境法》修订说明,法律出版社 1999 年版。
②　[日]原田尚彦著:《环境法》,法律出版社 1999 年版,第 18—20 页。
③　参见蔡守秋主编:《环境资源法学教程》,武汉大学出版社 2000 年版,第 82—117 页。

律》和《关于工厂排水等的限制的法律》等开始,到 1993 年,日本《环境基本法》颁布进入第二阶段。① 我国环境法的第一阶段开始于 1973 年8 月国务院批准下发《关于保护和改善环境的若干规定》,到 2002 年实施《中华人民共和国清洁生产促进法》进入第二阶段。荷兰从 1969 年制定《地表水污染法》为第一阶段的开始,1989 年荷兰《国家环境政策计划》的颁布为第二阶段的开始。② 根据国家经贸委对英国和挪威两国环境法的考察,这两个国家的环境法的发展也呈现了本文所说的阶段性变化。在英国,第一个阶段大致从 1972 年《有毒废物处置法》开始,第二阶段从 1990 年《环境保护法》开始。在挪威,第一阶段发生在20 世纪 70 年代中期到 80 年代末期。③ 环境法发展的第三阶段,从全世界范围来看也是刚刚开始。有的国家已经开始了这个阶段环境法建设的尝试。

到目前为止,第三个时期的环境法还只能说是初现端倪,其完整的形态是什么样子我们还不得而知,但它作为人类创造物必然反映人类的价值追求的社会规定性和它作为应对环境危机的人类工具必然反映环境的科学规定性以及它初现的端倪带给我们的那些信息,可以支持我们描述出它的某些特征。

一、注意到人类是自然的组成部分,以生态文明的基本理念,以环境友好为基本态度,以与自然和谐相处为价值取向

人类本来就是自然界的一部分,但人类在取得认识、利用、改造身

---

① 这个划分与原田尚彦先生所感觉到的变化是相同的。

② 汪劲先生曾把荷兰环境法的发展分为三个阶段,其中第一个阶段是从1968 年到 1980 年这个被称为"第一个环境保护浪潮"的期间。(参见汪劲著《荷兰环境法考察报告》,载吕忠梅、徐祥民主编:《环境资源法论丛》第四卷,法律出版社2004 年版)从环境法引起国家和社会的比较广泛的关注这一点来看,1968 年是这次"浪潮"的起点,但如果要找一个法律文件作为这个"浪潮"开始的标志,则应选1969 年的《地表水污染法》,后者既是"浪潮"的高潮点,也可以说是这次"浪潮"掀起的浪花之一。

③ 国家经贸委法规司、资源司:《英国、挪威清洁生产立法考察报告》,《中国经贸导刊》2001 年第 14 期。

外的自然的能力之后,渐渐忽视了自己对自然的倚赖关系,把自己变成了自然的征服者和敌人。以往的环境危机可以从这种"忽视"中找到根源。前两个时期的环境之所以帮助急于摆脱环境危机的人类达到目标也可以从这种"忽视"中找到一些管理。要结束环境危机,人类必从思想上让自己从自然的统治者、主宰者降低为自然的一部分,回归到自然之中来。作为大自然的一部分的人类应当与身外的自然保持友好的关系,与身外的自然和谐相处。当人类真的实现了这种"回归",或者意识到应当如此"回归"时,那么,曾经创造了物质文明、精神文明、政治文明等文明的人类,便应给自己提出一个新的文明目标——生态文明。这是"回归"后的人类在文明理念上的升华。《国务院关于落实科学发展观加强环境保护的决定》(以下简称《环保决定》)提出的"倡导生态文明"就是中国政府通过总结环境保护实践中的经验和教训而实现理念升华的结果,该《环保决定》所提到的"环境友好型社会"①是"生态文明"理念下人类对"环境"友好的社会。新近通过的《国民经济和社会发展第十一个五年规划纲要》(以下简称《十一五纲要》)再一次提出"环境友好型社会"。这一规定必将对我国的国民经济和社会发展规划的制定和实施产生良好的影响,推进环境法制向环境友好型方向发展。

二、以环境承载力为平衡环境保护和经济发展二者
关系的基本依据和环境友好的底线

人与自然的和谐从根本上来说以人类行为的影响不超出环境的承载力为条件。超出这个承载力,人类与自然之间的和谐关系就要被破坏。《环境决定》提出的加强环境保护工作的基本原则之一是"环境保护与经济和社会进步"两者之间的"互惠共赢"。② 这个原则的基本要求应是"经济和社会进步"给环境带来的消极影响不超出环境的承载力。《十一五纲要》在关于区域发展方面的"主体功能区"的规定中就

---

① 《国务院关于落实科学发展观　加强环境保护的决定》,第二条第五项。
② 同上书,第二条第六项。

把"资源环境承载能力"作为确定"优先开发区域"、"重点开发区域"和"限制开发区域"等"发展方向"的依据。① 《十一五纲要》关于环境保护的许多规定，其目的是建设"环境友好型社会"，实现人与自然的和谐相处，经济发展与环境保护的互惠共赢，而其直接的要求是国家的经济建设和社会发展不给环境造成超出其承载力的影响。比如，《十一五纲要》规定"实行用水总量控制"制度，而"总量控制"的依据是"生活、生产、生态用水"三者之间的"统筹" 建立在这个"统筹"基础上的"总量控制"就是水资源在满足"生态用水"最低要求基础上的"控制"使用。② 再如，《十一五纲要》要求在"限制开发区域""引导超载人口逐步有序转移"这里就是要消除人类加给一定区域的"超"出自然的"载"荷能力的环境压力，恢复人与自然和谐的状态。③

三、从生态的高度看待环境，保护环境，承认环境　保护的优先地位

前两个时期的环境法，不管保护环境的力度有多大，其所设定的环保任务和目标在与经济和社会发展的对照中总是处于次要地位。不管是学界对企业环境行为价值正当性的判断，还是人们提出的妥善环境保护与经济发展两者关系的看似公允、中道的选择，都决定了经济的优先地位。循环型社会法时期的环境法不再把注意力仅仅倾注在烟筒冒出来的黑烟、排污口吐出的污水等，而是从生态的高度理解环境，从环境（生态）"是人类健康的文化生活所不可缺少的基础条件，而环境（生态）一旦破坏便无法或难以恢复的高度看待环境保护。这样的认识高度，以"作为人类存续基础的环境"④与眼前的经济和社会发展需要相对照，使环境保护取得了优先的地位。日本《环境基本法》以"把作为人类存续基础的环境维持到永远的将来"作为自己的目标。这个目标

① 《国民经济和社会发展第十一个五年规划纲要》，第二十章。
② 同上书，第二十五章。
③ 同上书，第二十章。
④ 日本《环境基本法》第三条。

的价值显然大于日常生活中具体的经济或社会活动。《环保决定》虽然没有从总体上宣布环保优先于经济和社会发展,但在一些具体问题的处理上明确了环境保护的优先地位。比如,在关于地区经济与环境保护的协调方面,《环保决定》要求"在经济总量有限、自然资源供给不足而经济相对发达的地区""坚持环保优先"①,"在生态环境脆弱的地区和重要生态功能保护区实行限制开发,在坚持保护优先的前提下,合理选择发展方向,发展特色优势产业,确保生态功能的恢复和保育,逐步恢复生态平衡"。此外,《环保决定》规定的"不欠新账,多还旧账"的环保基本原则也体现了环保优先的精神。《十一五纲要》在关于"限制开发区域的发展方向"的规定中也提出"坚持保护优先、适度开发、点状发展"②的要求。

四、以保护生态为环境保护的重要任务,重视生态功能的保护与恢复

以生态环境与眼前发展相对照不仅突出了生态对于人类健康的文化生活的基础地位,从而使生态保护取得优先地位,而且也显示了生态保护在整个环境保护工作中的重要地位,因为生态对经济和社会发展的影响更巨大、更深重。环境危机给人们提出的协调经济发展和环境保护之间关系的任务,其核心是协调经济发展与生态保护之间的关系。国家环保总局前局长解振华曾提出"编制国土整治综合规划"的建议。他的建议的基本依据就是"生态环境已经成为制约经济社会发展的要素"③。他的这个建议实际上就是保护环境的一项积极措施。《环保决定》多处使用"生态功能"④、"生态系统"⑤、"生态环境"⑥、"生

---

① 《国民经济和社会发展第十一个五年规划纲要》,第三条第八项。
② 同上书,第二十章。
③ 解振华:《关于循环经济理论与政策的几点思考》,《中国环保产业》2003年第11期。
④ 《国务院关于落实科学发展观 加强环境保护的决定》,第三条第八项。
⑤ 同上书,第四条第十七项。
⑥ 同上书,第五条第二十二项。

态平衡"①等概念,从其全部内容看,它已经把生态系统当成了整个环境保护工作的重中之重。它规定的"环境目标"到 2020 年的要求是"环境质量和生态状况明显改善"②。如果把这个目标与"为子孙后代留下良好的生存和发展空间"这一更加长远的目标联系起来,那么,"生态状况"的改善比"环境质量"的改善更有意义。《环保决定》和《十一五纲要》这两份刚颁布不久的法律文件有一个共同的特点,即它们对环保的规定都有一个基础概念与生态相联系的区域概念。"环保目标"是与"生态功能保护区"③相联系的目标;经济与环境的"协调发展"是以"不同区域的功能定位"为依据的协调,是在把全国划分为"环境质量有限、自然资源系统不足而经济相对发达的地区","环境仍有一定容量、资源较为丰富、发展潜力较大的地区"、"生态环境脆弱的地区"等前提下的协调。《环保决定》要求"做好生态功能区划工作,确定不同地区的主导功能"④,这更是建立在生态区域概念之下的一种工作安排。《十一五纲要》把"国土空间划分为优化开发、重点开发、限制开发和进制开发四类主体功能区",给每一个主体功能区规定了"发展方向",并要求对不同主体功能区"实行分类管理的区域政策"⑤,这些都反映了生态保护的要求,也必将对我国的生态保护发挥重要的作用。

从《环保决定》和《十一五纲要》两份文件看,生态保护主要表现在两个方面:一是生态破坏的防止,也就是"事前保护"⑥。比如,在限制开发区域"发展特色产业,限制不符合主体功能定位的产业扩张"⑦等,就具有防止生态破坏的意义。二是对已遭破坏的生态的修复和保育。《环保决定》对"生态脆弱的地区和重要生态功能保护区"提出的任务

---

① 《国务院关于落实科学发展观 加强环境保护的决定》,第六条第三十一项。

② 同上书,第二条第七项。

③ 同上书,第一条第四项。

④ 同上书,第二条第七项。

⑤ 《国民经济和社会发展第十一个五年规划纲要》,第二十章。

⑥ 同上书,第二十三章。

⑦ 同上书,第二十章第五节。

之一是"确保生态功能的恢复和保育"①,《十一五纲要》为"生态功能的恢复与保育"规定的方略是"从人工建设为主向自然恢复为主转变"②。

五、以环境保护为基本任务,注意运用规划、宏观经济调控手段实现环保目的

循环社会法时期的环境法从生态的高度看待环境,以保护生态为环境保护的重要内容,以生态区域为考虑环境问题的基础性概念,这些都赋予环境法保护的对象一种宏观的特点,体现了环境本身所具有的宏观特点。要实现对这种宏观环境的有效保护,单靠企业、个人的个体行为是做不到的,简单地依靠企业、个人的群体行为也难以达到目的。必须由政府做出整体的安排,并把企业、个人的环保行为变成落实政府整体安排的行动。

日本《环境基本法》正是把环境理解为涉及当代人和后代人的"人类存续基础"———一种与人类整体相联系的环境,才把环境保护当成国家和地方的共同体的基本任务。该法不仅希望"综合而有计划地推进环境保护政策"③,而且规定"国家拥有制定和实施有关环境保护的基本的且综合性的政策和措施的职责"④,"地方和公共团体拥有制定和实施符合国家有关环境保护政策的地方政策,以及其他适应本地方公共团体区域自然社会条件的政策和措施"⑤,还与"谋求综合而有计划地推进有关环境保护的基本规划"⑥。我国《环保决定》意识到应"把环境保护摆在更加重要的战略位置",并表示要"痛下决心解决环境问题"⑦。该《环保决定》要求通过制定规划实现环境保护目的。

---

① 《国务院关于落实科学发展观 加强环境保护的决定》,第三条的第八项。
② 《国民经济和社会发展第十一个五年规划纲要》,第二十三章。
③ 日本《环境基本法》第一条。
④ 同上书,第六条。
⑤ 同上书,第七条。
⑥ 同上书,第八条。
⑦ 《国务院关于落实科学发展观 加强环境保护的决定》第一条第四项。

《环保决定》指出："各地区要根据资源禀赋、环境质量、生态状况、人口数量以及国家发展规划和产业政策,明确不同区域的功能定位和发展方向,将区域经济规划和环境保护财力有机结合起来。"《环保决定》为制定规划提出的原则性要求是依据环境容量资源存量等划分"生态功能区划"①,在不同的功能区采取不同的经济发展政策和环境保护措施。《十一五纲要》既是"国民经济和社会发展"规划,也是一份重要的环境保护规划。不仅它规定的"经济社会发展的重要目标",包含了与环境保护直接相关的目标,比如"可持续发展能力"②方面的指标;它关于"优化发展能源工业"的规定具有有效保护环境的意义,比如"大力发展可再生能源"③意味着不可再生能源消耗的减少,而且它在"促进区域协调发展"一篇做了一系列环保规划或与环保有关的规划:在西部地区"继续推进退牧还草、天然林保护等生态工作"、"加强青藏高原生态安全屏障保护和建设"等环保规划;在东部地区"加强耕地保护,发展现代农业","提高资源特别是土地、能源利用效率,加强生态环境保护"④,也是环保规划。除此之外,《十一五纲要》"将国土空间划分为优先开发、重点开发、限制开发和禁止开发四类主体功能区",并按照主体功能定位"实行分类管理政策"⑤更是充分反映了环境保护要求的一个重大规划。

《十一五纲要》不仅对环境保护工作做了规划安排,而且其规划是以相关财政政策、投资政策、产业政策、土地政策、人口管理政策、绩效评价政策等做保证的。《十一五纲要》第二十章第五节规定:"财政政策,要增加对限制开发区域、禁止开发区域用于公共服务和生态环境补偿的财政转移支付,逐步使当地居民享有均等化的基本公共服务。投资政策,要重点支持限制开发区域、禁止开发区域公共服务设施建设和生态环境保护,支持重点开发区域基础设施建设。产业政策,要引导优

---

① 《国务院关于落实科学发展观　加强环境保护的决定》第三条第八项。
② 《国民经济和社会发展第十一个五年规划纲要》第三章。
③ 同上书,第十二章第四节。
④ 同上书,第十九章。
⑤ 同上书,第二十章。

化开发区域转移占地多、消耗高地加工和劳动密集型产业,提升产业结构层次;引导重点开发区域加强产业配套能力建设;引导限制开发区域特色产业,限制不符合主体功能定位地产业扩张。土地政策,要对优化开发区域实行更严格地建设用地增量控制,在保证基本农田不减少的前提下适当扩大重点开发区域建设用地供给,对限制开发区域和禁止开发区域实行严格的土地用途管制,严禁生态用地改变用途。人口管理政策,要鼓励在优化开发区、重点开发区域有稳定就业和住所的外来人口定居落户,引导限制开发区域和禁止开发区域的人口逐步自愿平稳有序转移。绩效评价和政绩考核,对优化开发区域,要强化经济机构、资源消耗、自主创新等的评价,弱化经济增长的评价;对重点开发区域,要综合评价经济增长、质量效益、工业化和城镇化水平等;对限制开发区域,要突出生态环境保护等的评价,弱化经济增长,工业化和城镇化水平的评价;对禁止开发区域,主要评价生态环境保护。"这些政策对有关环保规划的落实无疑会发挥强有力的保障作用。

六、按照物质闭路循环的构想,促进降低人类活动对 环境的影响,追求人与自然的和谐

如果说末端治理时期的环境法是针对已产生和将产生的污染做"末端"的防治,做的是点上的工作,清洁生产法时期的环境法在生产、流通、消费、废物处置等的全过程采取预防措施,做的是一条线上的工作,那么,循环型社会法时期的环境法则把"生产—流通—消费—废物处理"这样一个线型过程规范为一个没有终点的循环往复的运动过程。[①] 循环经济是物质闭环流动型经济(Closing-Loop Materials Economy)的简称,是一种以物质闭环流动为特征的经济

---

① 周珂先生曾专门分辨清洁生产法与循环经济法。他认为不仅清洁生产法关心的人类经济活动的时段不如循环经济法长,而且二者在所规范的经济类型上也不相同。如果说清洁生产法注重工艺技术方面的提高,那么,循环经济法的规制目标是生态经济,也就是让人类经济活动服从生态规律的要求(参见周珂等著:《循环经济立法研究》,《武警学院学报》2005 年第 1 期)。

模式。① 循环经济法就是有关"调整因循环经济活动所形成的社会关系"②的法律。从经济过程的角度看,循环经济法通过减少资源消耗产品的再使用、废弃物的再循环(即所谓 3R 原则),最大限度地减少废物排放,减轻环境负荷。经济过程不只是一个物质流动过程,而是一个物质流动与社会生活相伴随的复合过程。也就是说,要实现经济过程中的物质闭环流动,必须有相应的社会过程相伴随。比如,经济过程中的再循环在经济上的实现以社会接受再循环产品为条件。循环型社会法就是从规范社会行为的方式确保物质闭环流动经济模式的顺利运行。日本于 2000 年 4 月制定《推进建立循环型社会基本法》。按照该法的规定,循环型社会指通过抑制产品成为废物,当产品成为可循环资源则促进产品的适当循环,并确保不可循环的回收资源得到适当处置,从而使自然资源的消耗受到抑制,环境负荷得以削减的社会形态。(第二条第一项)在这个社会里,不仅生产者对环境的保护负有责任而且国家机关、各种类型的消费者都负有保护环境的责任。所有社会主体都应按物质闭路循环的要求对实现物质的闭路循环负责任。《环保决定》专门规定"发展循环经济"一项,它要求"各部门"、各地区"把发展循环经济作为判断各项发展规划的重要指导原则,制定和实施循环经济推行计划,加快制定促进发展循环经济的政策、相关标准和评价体系,加强技术开发和创新体系建设。要按照"减量化、再利用、资源化"的原则,根据生态环境的要求,进行产品和工业区的设计与改造,促进循环经济的发展"。按照《环保决定》的规定,在生产阶段,生产者有"节能降耗,实行清洁生产"的责任,在废物产生环节,按照"生产者责任延伸"的原则,产品的生产者责任对"废物的循环利用"仍负有责任;在消费环节中,一般消费者有责任接受"环境友好的消费方式",政府有实行"绿色采购"的责任,全社会对"再生资源回收利用",都负有一定的责任。《环保决定》规定的"发展绿色建筑"、"建设节水型城市"

① 参见诸大建:《用科学发展观看待循环经济》,《文汇报》2004 年 3 月 22 日。

② 蔡守秋:《论循环经济立法》,《南阳师范学院学报》2005 年第 1 期。

等,都需要有消费者、政府管理部门、企业广泛参与。至于"生态省(市、县)、环境保护模范城市、环境友好企业和绿色社区、绿色学校等创建活动"①都需要相关社会主体付出努力。上述要求和活动等,其具体内容各不相同,但他们都处在物质闭路循环的一定环节上,都有利于物质闭路循环的实现。日本《推进建立循环型社会基本法》规定"垃圾生产者责任",是希望所有消费者做减少垃圾生产的努力,以便减少垃圾产生量。② 我国《十一五纲要》要求"规范并减少一次性用品生产和使用"。这一规定所追求的"节约材料"来自《纲要》所认可的"减量化、再利用、资源化的原则"。③

（徐祥民：中国海洋大学法学院院长）

① 《国务院关于落实科学发展观　加强环境保护的决定》第三条第九项。
② 参见柯坚著：《日本循环型社会立法的历史源流与理性架构》,载徐祥民主编《中国环境资源法学评论》第一卷,中国政法大学出版社 2006 年版。
③ 《国民经济和社会发展第十一个五年规划纲要》第二十二章。

自然资源价值及其评估方法研究

于丽英　窦义粟

国内外学者对自然资源定价的研究非常多,这也一直是自然资源价值研究的一个重点之一。自然资源定价就是根据价格理论确定自然资源价格,根据不同的理论有不同的定价方法。为了更好地研究自然资源的价值评估问题,本文认为首先理清自然资源的价值来源和价值内涵是非常有必要的。

一、自然资源有无价值的理论争议

在自然资源经济学中,已经被开发的资源应该被称为资源产品,未被开发的资源才应该被称为自然资源。自然资源是指在一定的时间地点条件下,能够产生经济价值以提高人类当前和未来福利的自然环境因素和条件。[1]从区域分布的角度,自然资源可分为陆地资源(淡水、森林、矿藏、动植物、土地等)、海洋资源(海洋矿产、生物、海水等)和空间大气资源(太阳辐射、风力、水力、地热、温泉等)。[2]

对于那些处于天然状态即未投入人类劳动而存在的自然资源是否有价值,学术界主要有两种自然资源的价值理论:一种认为马克思劳动价值论是自然资源价值的基础;另一种认为西方的效用价值论可以解决自然资源的价值问题。马克思在其政治经济学理论中,把价值定义为"抽象劳动的凝结",即物化在商品中的抽象劳动。一切天赋的自然资源,如水资源、土地、矿藏、森林,由于不是人类的劳动产品,也就不具有价值。在马克思劳动价值论中的价值定义中,自然资源的价值是缺失的。[3]边际效用价值论认为:价值并不是商品内在的客观属性,它表示人的欲望同商品满足这种欲望的能力的关系即效用。价值是人对物品满足人的欲望的主观估价。边际效用规律是价值的一般规律,边际效用决定价值,即将边际效用定义为价值。[4]

近年来,针对"自然资源是否有价值"这个问题,国内外学者们越来越倾向于认为自然资源有价值。承认自然资源的价值,实现从自然资源无价值论到有价值论的转变,对合理使用和有效保护自然资源,消除环境污染,营造有利于人类可持续发展的生态环境和社会环境,具有重大而深远的意义。[5]霍尔姆斯·罗尔斯顿提出并肯定了"自然中的价值",并将这种价值分类为:经济价值,生命支撑价值,科学价值,审美价值,生命价值,多样性和统一性价值,稳定性和自发性价值,辩证的价值,以及宗教象征价值等。[6]罗尔斯顿指出自然不仅具有"工具价值"和"内在价值",而且生态系统还具有超越前两者的"系统价值"。[7]大多数中国学者认为自然资源是有价值的,[8]并且觉得现在的价值理论很难对自然资源的价值作出非常好的解释,需要一套全新的价值理论。[3][9][10][11]罗丽艳认为自然资源的多样性、多功能性决定了自然资源价值的多元性。[3]晏智杰所赞成的是自然资源的供求价值论,即自然资源的稀缺效用和不断增长需求相结合的价值论。该理论认同大自然本身和人类需求共同创造和决定着自然资源的价值,因而也是一种天人合一价值论。[5]而吴新民等从理论上论述了自然资源和自然资源价值形成,并得出自然资源是有价值的,而且价值是可以计算的。[12]总之,学者们的研究从承认自然资源的价值,开始关注自然资源价值的多元性,并着手寻找定量的方法去衡量自然资源的价值。

二、自然资源价值的解析

学者们对自然资源价值的组成有不同看法,陈助君等认为自然资源的总价值,可以表达为存在价值、经济价值和环境价值的总和。[13]白玮等则认为自然资源的全部价值由经济价值、社会价值和生态价值三部分构成。[4]冯之浚、钟茂初等认为自然资源满足了人类的各种需求,其价值可归纳为五种:维生价值、经济价值、生态价值、精神价值和科学研究价值。[14][15]

1. 维生价值

有些自然资源具有维持人类生存的价值,即维生价值。如饮用水、动物性食品、植物性食品等维持人类生存的所必须的,它们的价值就体现了自然资源的维生价值。

2. 经济价值

自然资源的经济价值,即它作为生产要素被人类利用(重要为消耗性利用)所具有的价值。[16] 自然资源的经济价值遵循着具体的经济体制的价值规律,在市场经济中,它由资源的稀缺性、附加的劳动和消费者对产品的偏好等所决定。[16] 也即自然资源经济价值表现为都以成品、半成品、原材料等多种方式进入市场,为生产者或所有者取得经济效益。

3. 生态价值

自然资源(主要是森林、河流、土地等)的生态价值在于维护生态平衡,包括涵养水分、保持水土、提供氧气、保护野生动物、调节气候等,[17] 资源的有用性和稀缺性使其自身蕴涵着这种潜在价值,起着连接人与自然的作用。可见自然资源的生态价值是最基础,也是最重要的价值表现形式。

4. 精神价值

能满足人类精神文化和道德需求的资源价值,体现的是精神价值。例如自然景观、珍稀物种、自然遗产给人们带来的精神享受。随着人类社会的发展,人类文明的进步,人们的需求层次也不断提高,自然资源的精神价值也日益凸显出来。

5. 科学研究价值

大自然的神秘莫测、自然资源的丰富多彩是科学研究与探索的不竭源泉,奇妙的自然现象经常可以激发科学家灵感,引致重大的科学发明创造,因此自然资源具有不可替代的科学研究价值。

可见,自然资源的维生价值、经济价值、生态价值、精神价值和科学研究价值是统一的、不可分割的整体,五者相互牵制,互为存在的前提,取走任何一种价值的同时必然造成其他价值的流失和毁灭。

三、自然资源价值评估方法评价

在商品生产和市场经济条件下,自然资源的价值必然会表现为一定的价格。这种价格作为自然资源价值的表现,同样决定于它的供给和对它的需求,这应是我们确定自然资源价格的基本理论依据。[5] 自然资源价格的确定不能简单地套用马克思的劳动价值论。[18] 因为按照马克思的劳动价值论得出的由价值决定的价格只能是其经济价值的那一部分货币表现,而维生价值、生态价值、精神价值和科学研究价值就很难直接用货币计量,必须进行人为的定价研究。

自然资源价值的多元性带来了自然资源价值判断的复杂性,现已提出的自然资源价值评估方法有很多,各有所长,但都是着眼于评价自然资源的经济价值,都不能对自然资源的价值作出满意的解释。主要原因是自然资源的维生价值、生态价值、精神价值和科学研究价值很难量化,有待学者们继续探讨。A. Myrick. Freeman(美)将自然资源的定价方法分为四类:直接观察法、直接假定法、间接观察法、间接假定法。[19] 但随着自然资源定价理论的发展,这一分类方法已经不再适用。由于有些方法的定价基础离不开市场,而有些定价方法则与市场的关系较弱或没有关系。所以本文从这个角度出发,将定价自然资源的价值评估方法分为市场定价方法和非市场定价方法。

表1　自然资源价值的市场定价方法比较

方法	理论基础	优点	缺点	适用范围
直接市场法	直接市场法是可以直接运用市场价格对可以观察和度量的自然资源价值变动进行测量的一种方法。具体方法有:市场价格法[20]、成本费用法[20]、净价法[20]、供求定价法[12]、成本核算法等[13]。	直接市场法是建立在充分的信息和比较明确的因果关系基础上的,比较直观、客观,争议较少。	直接市场法需要足够的实物量数据和市场价格数据,而一部分自然资源根本没有相应的市场及市场价格,其局限性较大[21]。而现实中的自然资源利用远未市场化,这就为直接市场法的运用带来了困难。	①对于市场发育相当成熟和规范的自然资源,如土地、水产、矿产资源等,可采用市场价格法和供求定价法定价[12]。②净价法可用于矿产资源等的定价。③成本费用法可用于森林林木等的定价。④净价法可用于矿产资源等的定价。⑤成本核算法用于可开发为市场销售的资源产品的自然资源的定价[13]。

循环经济立法研究

方法	理论基础	优点	缺点	适用范围
间接市场法	当自然资源本身没有市场价格来直接衡量时,可以寻找替代物的市场价格来衡量,称为间接市场法。间接市场法包括边际成本法[20]、旅行费用法[20]、资产价值法[21]、房地产价值模型[19]、收益还原法[20]、维护成本法或重置成本法[20]、工资差额法[22]、内涵工资模型[19]等方法。	该法力图寻找那些能间接反映人们对自然资源价值评价的商品或劳务,并用它们的价格来衡量自然资源的价值。	与直接市场法相比,用该法得出结果的可信度偏低。	①旅行费用法用于估算自然风光、娱乐场所的价值。②资产价值法和房地产价值模型用于从房地产价格中分离出环境的价格。③收益还原法用于土地等价值的估算。④维护成本法或重置成本法可应用于环境、森林等的价格估算。⑤工资差额法来衡量环境污染造成的外部成本。⑥内涵工资模型可用于衡量环境、文化及社会舒适性的价值。
假想市场法	该法是人为地创造假想的市场来衡量自然资源的价值。其中主要的方法有支付意愿法[20][19]、权变排列法[19]、权变活动法[19]、权变投票法[19]等。	直接市场法和替代市场法都不能用的时候就只能用假想市场法。	由于该法受主观因素的影响,随意性较大,因此得出的结果与真实的结果会有不同程度的偏差,制约了此种方法的广泛运用。	这种方法可以用于环境服务、河流水质、自然景区等与环境相关的自然资源价值的评价。

　　这三类市场定价方法各有其长处和局限性。由于直接市场法是建立在充分的信息和比较明确的因果关系基础上的,所以用直接市场法进行的评估比较客观、争议较少。但是采用直接市场法,不仅需要足够的实物量数据,而且需要足够的市场价格数据,限制了直接市场法的应用。不能用直接市场法进行定价的自然资源,一般常用替代市场法和假想市场法进行定价。替代性市场法能够利用直接市场法所无法利用的信息,而有些有用的、稀缺的自然资源难以通过市场行为确定其价格,也无法通过间接市场法来定价,则只能采用假想市场法。与直接市

场法相比,间接市场法和假想市场法得出的结果可信度要低得多。

还有一些重要的方法从非市场角度出发进行定价,见表2。

表2　重要的非市场定价方法比较

定价方法	理论基础	优点	缺点	适用范围
影子价格模型	影子价格指的是在全社会资源有效配置的前提下,当其他生产要素、劳动投入和技术条件不变时,某一生产要素增加一单位所能够增加的社会净效益[12][23]。	反映了资源利用的社会总效益和损失,符合资源定价的基本准则,为资源的合理配置及有效利用提供了正确的价格信号和计量尺度。	①计算复杂,在实践上存在很大困难;②反映的只是一种静态的而不是动态的资源最优配置价格;③与生产价格、市场价格差别很大,不能代替资源本身的价值。	能有效应用于包括自然资源(如:水[23])和环境在内的各种商品价格的计算[24][25]。
可计算一般均衡模型	应用市场经济的一般均衡理论,分析自然资源供需达到均衡时的资源价格或自然资源边际贡献。[26]	克服了投入产出模型忽略市场作用等弊端,既反映了市场机制的相互作用,又突出了部门间的经济联系。	不仅需处理的数据量非常巨大,很多国家还没有把各类资源及开发状况进行统计,因而,无法把资源商品纳入模型,直接计算资源产品的相对价格。	①能有效应用于包括自然资源和环境在内的各种商品价格的计算;②能用来研究和计算某一区域的经济在均衡条件下各部门商品的相对价格。
能值定价模型	根据不同自然资源对能量吸收转换的效率差异,以能值转换率作为评价自然资源和环境价值的尺度。[27][28]	用能量这个统一标准,将自然环境系统和人类经济系统联系起来,解决了经济学家和资源经济学家在资源价值评估中所遇到的统一性和准确性问题。	对于一个低能量价值的自然资源来说,还可以有其他的功能,如景观等价值,但能量定价模型就不能真实地评价自然资源的价值。	可应用于矿产、森林等物质循环和能量交换显著的自然资源的定价。

定价方法	理论基础	优点	缺点	适用范围
模糊数学模型法	模糊数学模型法将影响自然资源价值的生态、环境、社会和经济因素归纳形成一个要素矩阵 R，再将评价要素的权重值与 R 进行复合运算，计算出资源综合价值。[29][30][31][32]	此法将影响自然资源价值的各种生态、环境、社会和经济因素都考虑在内，是一个比较全面的模型。而这些因素中有一部分难以定量且具有"模糊性"，模糊数学法解决了将模糊性定量化的问题。[33]	模型的有效性和可行性还需进一步优化。	可用于环境、森林、水等与人类生活息息相关的自然资源的定价。

以上就自然资源价值的评估方法进行了分析，不同的方法有不同的理论基础，应用的领域也就不同。在研究不同的资源价值问题上，不论是市场定价方法还是非市场定价方法在应用时都会受到一定的限制。实际核算中，由于各种条件的限制，往往需要多种方法结合起来使用。

四、总　结

自然资源的定价受到很多因素的影响，有一定的不确定性。现以一棵树的定价为例说明这一点。同一棵树作为木材或绿化用树在市场上出售，根据市场价格法可以得到不同的价格，因为这两个价格分别衡量的是树作为木材的使用价值以及用于绿化环境的使用价值。同一棵树生长在国家森林公园、苗圃或居民社区，它的价值随着它所处的环境而发生了变化。同一棵树，用直接市场法（如市场价格法）和间接市场法（如重置成本法）来定价，得到的价格同样不同，一般来说直接市场法比间接市场法得到的价格要低。若直接市场价格法和假想市场价格法相比，定出的价格差别会很大，若同非市场价格法相比，则价格差别会更大。

影响自然资源价格的因素很多,价值评估方法的选择是一个非常重要的影响因素。在实际评价中,要根据所要评价的自然资源的实际情况,选择合适的评估方法,最好几种方法综合起来应用,以一种方法为主,参考其他方法定出的价格,综合各种影响因素,从而确定自然资源价值的价格。现有的自然资源价值评估方法,大部分是对自然资源经济价值的定价,但对自然资源维生价值、生态价值、精神价值和科学研究价值的定价基本还是空白,还有待于深入研究。

致谢:论文得到全国人大环资委副主任冯之浚先生的指导,在此表示衷心感谢!

主要参考文献

[1]毛永文、李世涛:《中国可持续发展战略》,中国科学技术出版社 1994 年版。

[2]晏磊、赵虎、李国元:《可持续发展视角下自然资源的定量化动态分类研究》,《中国人口、资源与环境》2002,vol. 12(1):13—16。

[3]罗丽艳:《自然资源价值的理论思考——论劳动价值论中自然资源价值的缺失》,《中国人口、资源与环境》2003,Vol. 13(6):19—22。

[4]白玮、郝晋珉:《自然资源价值探讨》,《生态经济》2005,(10):5—12。

[5]晏智杰:《自然资源价值刍议》,《北京大学学报(哲学社会科学版)》2004 Vol. 41(6):70—77。

[6](美)霍尔姆斯·罗尔斯顿:《哲学走向荒野》,刘耳等译,吉林人民出版社 2000 年版,第 268 页。

[7](美)霍尔姆斯·罗尔斯顿:《环境伦理学:大自然的价值以及人对大自然的义务》,杨通进等译,中国社会科学出版社 2000 年版,第 268—269 页。

[8]于连生:《自然资源价值论及其应用》,化学工业出版社 2004 年版。

[9]杨艳琳:《自然资源价值论——劳动价值论角度的解释及其意义》,《经济评论》2002,(1):19—22。

[10]许劲、孙俊贻、罗平:《自然资源价值探讨》,《重庆建筑大学学报》,2003,Vol. 25(6):100—103。

[11]刘骏民、李宝伟:《劳动价值论与效用价值论比较》,《南开经济研究》,2001,(5):33—41。

[12]吴新民、潘根兴:《自然资源价值的形成与评价方法浅议》,《经济地理》,2003,Vol. 23(3):323—326。

[13]陈助君、丁勇:《自然资源价值新论——Ⅱ自然资源价值评估》,内蒙古科技与经济2005,(13):56—57。

[14]冯之俊:《循环经济导论》人民出版社2004年版。

[15]钟茂初:《可持续发展的理论阐释——物质需求、人文需求、生态需求相协调的经济学》,教育科学出版社2004年版。

[16]周海林:《经济增长理论与自然资源的可持续利用》,《经济评论》,2001,(2):35—38。

[17]钱俊生:《确立生态价值观:人与自然和谐的关键》,《中国人口、资源与环境》,2006,vol. 13(1):6—8。

[18]汤芳:《自然资源的价值与有偿使用研究,《经济论坛》,2004,(20):20—21。

[19](美)A. 迈里克·弗里曼:《环境与资源价值评估——理论与方法》,曾贤刚译,中国人民大学出版社2002年版,第498—501页。

[20]苏月中:《自然资源价值核算浅析》,《生态经济》,2001(9):42—44。

[21]葛京凤、郭爱请:《自然资源价值核算的理论与方法探讨》,《绿色经济》,2004(S1):70—72。

[22]王晶,刘翔:《边际机会成本与自然资源定价浅析》,《环境科学与管理》2005,vol. 30(3):54—56。

[23]胡序威、陈佳源、杨汝万等:《闽东南地区经济和人口空间集聚与扩散研究》,香港中文大学1997年版。

[24]陈为邦:《关于我国城市发展几个问题思考》,四川人民出版社1998年版。

[25]靳东晓:《城市是人类最经济的生存空间》,《城市发展研究》1997,(5)。

[26]何承耕、林忠、陈传明、李晓:《自然资源定价主要理论模型探析》,《福建地理》2002,vol. 17(3):1—5。

[27]李寒娥、蓝盛芳:《一种衡量财富的新思路——以资源能值取代商品价值》,《经济地理》.1997.17(4):259。

［28］蔡晓明:《生态系统生态学》,科学出版社 2002 年版。

［29］ Costanza Robert、d' Arge Ralph、de Groot Rudolf、Farber Stephen、Grasso Monica、Hannon Bruce、Limburg Karin、Naeem Shahid、O' Neill Robert V. 、Paruelo Jose、Raskin Robert G. 、Sutton Paul、van den Belt Marjan. *Ecological Economics*, Apr,25 ,1998.

［30］Mark T、Brown Sergio Ulgiati. *Emergy evaluation of the biosphere and natural capital*［J］. Ambio,1999, Vol. 28(6):486—494.

［31］李双成:《中国经济持续发展水平的能值分析》,《自然资源学报》2001 ,16 (4):297—304。

［32］蔡晓明:《自然资源生态学》,科学出版社 2000 年版。

［33］林启太:《资源综合利用的模糊层次综合评价》,《武汉工业大学学报》1999,vol. 21(2):56—59。

(于丽英:上海大学循环经济研究院

窦义粟:上海大学国际工商与管理学院)

山东省循环经济工作进展
情况及立法建议

张　凯

随着我国工业化、城市化和国际化进程的加快,传统的高投入、高消耗、高排放和低效益的粗放型经济增长方式在严重制约着经济社会的可持续发展。大力发展循环经济,建立资源节约型、环境友好型社会,是实现全面小康社会目标,统筹人与自然的和谐关系,实现我国社会经济可持续发展的必然选择。

山东省将发展循环经济作为生态省建设的核心内容,着力转变经济增长方式,加大结构调整力度,发展高新技术产业,促进资源的循环利用。从 2000 年开始对循环经济层次与模式不断探索和实践,逐步形成了地方特色的"点、线、面"系统推进模式,有力地推动了山东省循环经济的全面、快速发展。

一、山东省发展循环经济的历程

一是萌芽阶段。以 1987 年可持续发展概念的提出到 1992 年世界环发大会召开为标志。我省许多企业在快速发展的同时,承受着巨大的治污压力,开始反思过去的发展模式,从源头寻找治污之策。如兖矿为解决煤矸石和煤泥污染环境的问题,10 年累计投入 10 亿元,新建了 6 座综合利用热电厂,使废物得到有效利用,成为兖矿非煤产业的支柱,被国家能源部授予"优秀节能工程项目"称号。

二是点源推进阶段。以 1993 年国家召开第二次全国工业污染防治会议提出实行清洁生产到 2000 年中央人口资源环境工作座谈会提出"坚持污染防治与生态保护并重"的方针为标志。1994 年,我省成立了清洁生产中心,被国家环保总局列为全国第一批清洁生产审计机构试点单位之一。关闭、取缔了 4666 家污染严重的小企业,关停了 5 万吨及以下造纸企业草浆生产线 500 余条。推动了经济结构优化、经济增长方式转变。

三是系统探索阶段。21 世纪开始至今。我们在深度和广度上探索并积极推进循环经济和生态省建设。2001 年 12 月,省人大常委会通过的《关于修改〈山东省环境保护条例〉的决定》中指出:"各级人民政府及有关部门应当结合产业结构的调整、经济增长方式的转变制定优惠政策,发展循环经济,加强生态保护和生态建设,鼓励资源综合利用,推行环境管理系列标准和清洁生产。"2003 年《山东生态省建设规划纲要》通过论证,并经省政府批准实施。省人大作出了《关于建设生态省的决议》,该决议指出了"发展循环经济是建设生态省的核心"。省政府印发了《关于发展循环经济、建设资源节约型社会的意见》,坚持资源的减量利用、循环使用和合理开发,实施以节能、节水、节地、节约矿产资源和原材料为重点的资源节约战略,我省发展循环经济步入了快车道。

二、推进循环经济的主要做法

1. 积极开展循环经济的研究与探讨

我们在循环经济理论与方法、循环经济规划、关键节点技术、实施策略和模式方法等方面展开了研究,先后开展了"生态工业园与区域循环经济运行模式研究"、"区域循环经济与生态工业园模式及指标"、"生态工业园与区域循环经济评价方法与指标体系研究"、"生态工业园与区域循环经济综合效益分析研究"、"资源再生加工示范区建设研究"、"循环经济系统稳定性研究"、"循环经济基础理论与实例分析"、"固体废物资源化管理规划研究"、"水资源一体化规划研究"以及一系列废水、废气、固体废弃物循环利用及节能降耗关键技术的研究等。同时还编著出版了《发展循环经济 走可持续发展之路》、《循环经济理论研究与实践》、《清洁生产理论与方法》、《生态环境安全战略研究》、《山东生态省建设技术对策研究》、《固体废物循环经济管理与规划的方法和实践》等著作,并发表了多篇循环经济方面的学术论文,部分成果获得科技进步奖,研究成果的取得为循环经济发展提供了强有力的智力支持。

2. 系统推进循环经济"点、线、面"模式

我们经过对循环经济层次与方式的不断探索和总结,初步建立了具有山东特色的"点、线、面"循环经济综合试点体系。

"点"就是在企业,建立点上的小循环。推行清洁生产、ISO14000环境管理体系认证,按照生态效率的理念和清洁生产的要求,采用生态设计和现代技术,将单位产品的各项消耗和污染物排放量限定在先进标准许可的范围之内,实现企业内部的资源综合利用和循环利用。

"线"就是在行业,建立线上的中循环。分行业制定并实行引导性标准,优化产业和产品结构调整。运用生态经济原理,根据行业间的关联,通过物质及能量、信息、价值集成,拉长和扩大生态产业链,形成一个及多个行业组成的生态体系或园区,推进它们中的各个主体形成互补互动、共生共利的有机产业链网,转变经济增长方式,走新型工业化道路。

"面"就是在社会区域,建立面上的大循环。以循环经济理念为指导,以开展系列创建活动为载体,以建设循环型社会为目标,在社会各层面建立立体的生态体系,倡导生态文明,推行环境文化,打造环境友好型产业群,逐步建成循环型社会,实现经济社会环境科学发展。

目前,山东已经在造纸、化工、煤炭、电力、钢铁、建材、轻工、酿造、有色金属、再制造、静脉产业等十几个行业、300 多个企业、19 个开发区、6 个市和县(市)进行了发展循环经济的系统试点,其中有 3 个市和7 个园区完成了循环经济规划。与荷兰、德国、美国、瑞士、澳大利亚、联合国环境规划署开展了循环经济和清洁生产合作。

我们探索并深入开展的"点、线、面"循环经济系统试点,是一个循序递进、相互关联、共生共利的有机整体,成为全国的一种循环经济发展新模式。这种模式是以科学发展观为统领,以科学规划和标准体系建设为指导,以系列创建为载体,以建立资源节约型、环境友好型社会为目标,推进中加强生态文明和环境文化宣传力度。

三、推进循环经济实践中存在的问题

1. 循环经济的概念不一致

由于在循环经济概念上缺乏统一的法律解释,一些部门和单位对循环经济理念的理解有很大差异,造成对循环经济认识上的混乱,以致有的人把发展循环经济简单的理解为纯企业的经济行为,甚至认为是"三废"综合利用的延伸,认为仅是经济部门的事而忽略全社会参与的重要意义。认识不足影响了政府各部门的政策协调,造成力量分散,难以形成合力。

2. 政策制度配套体系滞后

国家政策制度配套相对滞后,现有的国民经济核算体系、价格体系、税收体系、财政金融规制等基本经济制度和部分宏观产业政策仍是服务于传统经济发展模式,在推行循环经济过程中遇到了不少阻力,如利用余热发电上网的现行政策与政府鼓励节能的要求不协调、已建电厂的脱硫缺乏政策扶持等。

3. 生态消费亟待加强

一是缺乏对城市市民的资源回收奖励制度,使城市难以形成生活垃圾分类投放、回收的生活方式,缺乏促进减量化和资源化的动力。二是绿色采购的政策引导。目前不少省还没有制定在政府采购中必须率先采购低环境负荷产品的规定。难以形成资源再生产品的良性循环和资源再生产业的良性发展。三是生活垃圾减量化需要加强。生活垃圾减量化是循环经济在消费领域的核心,而收费是减少城市生活垃圾最终处理量的最有效措施之一。

4. 缺乏有效的激励政策体制

发展循环经济在推动资源回收和循环利用方面的一个重要基础,是建立生产者责任延伸制度、再生资源分类回收制度、不易回收的废旧物资回收处理费用机制等,这些都属于市场失灵的领域,需要政府的宏观调控和政策激励。目前还没有建立起有效的激励政策和回收处理

体系和费用机制。政策与相关法规衔接不够、执行成本高、缺乏执行基础。同时,一些政策还存在执行走样的问题。

5. 公众参与机制不完善

我省经过不断努力,循环经济已在企业、行业层面逐步推开,但个人和社会团体的参与较少,推进社会层面的循环经济的力度尚需加强。原因是多方面的:一是在政府—企业—公众之间需要进一步建立一种信息公开、相互信任的关系。二是缺乏鼓励和扶持个人和团体参与循环经济的制度支撑体系。三是要加强宣传教育措施。

6. 循环经济的理论研究不够深入

科学的理论是指导循环经济实践的基础。目前我们对于循环经济推进中遇到的许多问题在理论方面的研究还很不够。循环经济是开放的,开放的东西才有活力;循环经济还应该具有稳定性;循环经济节点柔性问题;对库兹涅茨曲线在中国的认识等。法规应明确规定鼓励理论创新和探索。

四、对循环经济立法的建议

循环经济发展到今天,立法的时机已经成熟。《清洁生产促进法》等法律法规虽然规定了有关发展循环经济的内容,但法律依据仍不充分,制定推进循环经济的专门法律势在必行。根据我们对循环经济的探索和研究,结合山东实际,提出几点立法建议。

1. 关于循环经济的定义

建议循环经济定义为:"资源被充分利用,物质流动的全过程防治污染,人与自然和谐的生态经济模式。"循环经济是一种生态经济,是通过合理开发利用自然资源和环境容量来实现经济社会可持续发展的经济运行模式,发展循环经济的目的是提高资源利用率;减少环境污染物的排放并体现无害化;生态环境安全,人与自然和谐。建议在循环经济立法中对循环经济的概念和相关术语作出统一的法律解释。

2. 关于循环经济立法的定位

发展循环经济的重要意义在于树立和落实以人为本,全面协调可持续的科学发展观,努力建设资源节约型、环境友好型社会,这就决定了我国循环经济立法解决的核心问题应该是在工业、农业、社会、生活消费与生态文化等各个方面全面落实科学发展观,为建设资源节约型、环境友好型社会提供法律保障。

中国的循环经济立法应当以保障国家的资源可持续利用和环境安全为前提,立足于以科学发展观为统领和"两型"社会建设为目标,加快结构调整和经济增长方式转变,走新型工业化道路;立足于环境优先,加强生态环境保护和建设,充分发挥环境的基础和导向作用,在保护环境中求发展。社会进步,立足于节约发展、安全发展、清洁发展,建设生态文明,实现人与自然的和谐发展,人与生态环境的共同进化。

3. 关于立法的宏观性原则

我国人口众多,幅员辽阔,地区差异较大,环境问题复杂多样,因此循环经济立法应掌握宏观性原则。一是循环经济法应为指导性的政策性法律,为地方立法留出空间。二是在立法中应指令各省及具有地方立法权的城市结合当地发展实际,制定相应的地方法规与实施细则,满足地方立法需求和可操作性。

4. 关于明确职责分工问题

循环经济立法要明确国家和各级政府统一的协调管理职能,并明确各主要部门的职责分工,保障各部门间的工作协调,密切配合,做到全局一盘棋,从不同角度发挥积极作用,共同推进循环经济的发展。由于循环经济的最终落脚点还是在"经济"上,因此牵头单位应该是宏观经济管理部门。同时,这个经济是一种生态经济,生态管理部门则为主要的合作推进部门。同时各有关部门都要明确自己的责任和义务。工作分工中,只有部门利益最小化,社会利益才能最大化。

5. 关于规划的地位问题

规划的效益是最大的效益,规划的浪费是最大的浪费。我们必须充分重视规划,要以科学规划为指导做事情。应在循环经济立法中明确循环经济规划的法律地位,确立循环经济规划在国民经济、社会建设和企业发展的指导作用。循环经济规划应当作为国民经济中长期发展规划和所有专项规划的重要依据和基础。要将发展循环经济确立为国民经济和社会发展的基本要求,进行全面的规划。从国情实际出发,循序渐进,按照由点到面、由试点到普及的步骤逐步推进循环经济的实施。

6. 关于循环基本制度的确定问题

一是应制定强制性和自愿性循环名录。强制循环名录一般规定责任者的范围和再利用、回收产品及材料的类型或种类。自愿循环名录仅起一种示范性的指导作用;二是应制定循环目标。对需要再利用、回收或再循环的相关产品、材料的规格,应当实现的目标,包括重量、体积或其他内容作出明确规定;三是应确立循环程序。不合理的再次利用或再生利用程序往往会导致灾难性的经济和环境后果,在立法中应对物质的循环程序进行规定。

7. 关于制度体系的建立完善问题

一是建立经济激励制度。运用价格、信贷、税收、保险、经济奖励、绿色采购等手段来调节和调整市场主体的行为,协调经济发展和环境保护的关系。二是建立绿色经济核算体系和干部考核制度。将自然资源和生态环境的代价纳入到企业和国家的经济核算中。循环经济下的干部考核制度应将清洁生产、资源综合利用等循环经济发展目标纳入干部政绩考核体系。三是建立产品责任制度。应明确生产者、销售者、消费者对产品废物回收处理和利用的责任制度,推进资源的回收和利用。在条件成熟时实行循环经济标志制度,引导消费者进行绿色消费、文明消费。四是建立公众参与制度,逐步形成公众参与、公众受益、公众监督的良性机制。

8. 关于科技支撑问题

循环经济立法中应充分体现科技支撑在发展循环经济中的关键作用,促进各级政府及有关部门加大科技投入,把能源、水资源和环境保护技术放在优先位置,着力解决制约经济社会发展的重大瓶颈问题。培育和提高自主创新能力,支持开发循环经济中的关键技术和核心技术,鼓励高新技术的引进、消化、吸收和再创新,形成自主知识产权,提高国际竞争力。

9. 关于全局性和综合性问题

循环经济法要从全局的高度考虑区域性的基础设施共享、信息集成、能源和原材料的梯级利用和废弃物的循环利用。在循环经济的推进中,要淡化企业、行业、行政区划的自成体系概念,增强全局性和循环经济互补性的认识和实践。循环经济法中应该明确作出相关规定,建立行之有效的协调机制,促进上述目标的实现。

10. 关于强化法律责任问题

法律责任是法律有效贯彻执行的保障。为此,在循环经济法中应在明确各级政府、企业和公众权利、义务的基础上强化法律责任,加强对实施的监督和对违法行为的制裁力度。

(张凯:山东省环境保护局局长)

关于我国循环经济立法的一个设计思路

张 天 柱

　　发展循环经济,是贯彻落实科学发展观,走新型工业化道路的必然要求,加快节约与环境友好型社会建设,全面建设小康社会的战略选择。为了有效地促进我国的循环经济发展,2005 年 3 月 12 日,胡锦涛总书记在人口环境资源座谈会上指出,严峻的资源环境形势迫切要求转变经济增长方式,这是解决环境与发展之间矛盾的基本之策。其中,他特别强调提出要"加快制定循环经济法"。

　　一段时间来,我国一些地方已率先开始了循环经济的立法实践,例如:中国第一个循环经济试点城市贵阳,2004 年率先出台了《贵阳市建设循环经济生态城市条例》,深圳市也颁布了循环经济地方法规。伴随着循环经济立法正式列入立法计划,全国人大组织启动了国家发改委、国家环保总局等相关部门的立法起草工作。与此之前,2005 年 3 月,全国人大还利用意大利信托资金,实施了《循环经济立法研究》的世行项目,以支持循环经济的立法建设。

　　本文对《循环经济立法研究》项目的近期工作进展,重点就循环经济立法与相关法律的关系以及循环经济法基本框架等问题进行概括介绍。概述内容是项目组的共同研究成果,也是项目组研究过程中,多种立法思路、不同立法方案的认识之一。

一、背　景

我国循环经济的发展实践及其形势动态,是立法研究的基点。

2002 年后,伴随着我国由环保总局最早推动循环经济试点以及发改委展开的一系列发展循环经济的重大行动,中国循环经济经过了前期准备和理念倡导阶段,进入以试点示范推进循环经济的推进阶段。这一时期,也是我国在政府层面推动循环经济发展最快的时期。突出表现在以下几个方面:

(1)2005 年 7 月,国务院颁布了 21 号文件《国务院关于做好建设节约型社会近期重点工作的通知》和 22 号文件《国务院关于加快发展循环经济的若干意见》,标志着我国发展循环经济工作了进入了加速推进阶段。22 号文件明确提出了 2010 年的发展目标与主要任务:建立比较完善的发展循环经济法律法规体系、政策支持体系、体制与技术创新体系和激励约束机制;使资源利用效率大幅度提高,废物最终处置量明显减少;建成大批符合循环经济发展要求的典型企业;推进绿色消费,完善再生资源回收利用体系;建设一批符合循环经济发展要求的工业(农业)园区和资源节约型、环境友好型城市。

(2)2005 年 10 月,国家发改委等六部门"循环经济试点工作方案"出台,明确"开展循环经济试点工作,要紧紧围绕实现经济增长方式的根本性转变,以减少资源消耗、降低废物排放和提高资源生产率为目标,以技术创新和制度创新为动力,积极推进结构调整,加快技术进步,加强监督管理,完善政策措施,为建立比较完善的循环经济法律法规体系、政策支持体系、技术创新体系和有效的激励约束机制,制定循环经济发展中长期战略目标和分阶段推进计划奠定基础"。试点方案主要内容是在"在钢铁、有色、化工、建材等重点行业探索循环经济发展模式,树立一批循环经济的典型企业;在重点领域完善再生资源回收利用体系,建立资源循环利用机制;在开发区和产业园区试点,提出按循环经济模式规划、建设、改造产业园区的思路,形成一批循环经济产业示范园区;探索城市发展循环经济的思路,形成若干发展循环经济的示范城市"。

(3)2005 年 10 月,中共中央提出我国第十一个社会经济五年规划建议,并在 2006 年 3 月由全国人大与政协讨论通过发布了这一规划纲要。规划纲要,将循环经济作为转变经济增长方式,建设资源节约与环境友好社会的重要途径。

不难看出,当前我国循环经济的发展,一方面,迫切要求加快循环经济法律的立法进程,以为不断铺开的循环经济建设提供支持条件;另一方面,自上而下、快速掀起的循环经济实践,使得这一涉及面广的新生事物,也给循环经济立法带来了极大的挑战。

二、循环经济立法体系模式

在我国现有法律基础之上进行循环经济立法,从与相关法律制度、法律体系的衔接与配合上,整体来看,可考虑三种处理模式。

1. 模式一

采用目前国内较流行的广义"循环经济"概念,建立和完善以循环经济法为龙头的循环经济法律体系。主要优点在于符合当前国内(特别是政府)对于"循环经济"的广义理解,调整范围涵盖资源、能源以及环境等相关内容。

在该思路下,循环经济法律体系主要包括以下三个层次的立法:

第一层次,以循环经济法作为循环经济法律体系的龙头法、统率法;第二层次,以《节约能源法》、《资源有效利用促进法》、《清洁生产促进法》、《固体废物污染防治法》等作为循环经济法律体系的基干;第三层次,针对特定资源、产品制定的相关法律。

其中,循环经济法定位于政策性立法目标,其主要内容包括:循环经济定义、范围、发展循环经济的目标、原则、主管部门、规划、政府的推动责任与扶持措施、企业和公民个人的一般义务和责任等。

在基干法部分,需要新制定资源有效利用促进法,以填补我国在促进资源有效利用问题上的立法空白。对《节约能源法》、《清洁生产促进法》、《固体废物污染防治法》,需要在《循环经济法》出台后适时进行修改,解决其中立法内容的回归与复位,避免法律之间的冲突与重叠、增强可操作性。

在相关问题的立法上,针对我国的国情,可根据实际发展和具体条件,逐步开展相应立法工作,如:容器与包装物分类回收与利用法、家用电器循环利用法、报废汽车循环利用法等。

2. 模式二

采用较为狭义的"循环经济"概念,制定与现有的《清洁生产促进法》、《节约能源法》、《固体废物污染环境防治法》等有关法律处于同一层次的循环经济法。为此又可按照两种思路考虑:

(1)在循环经济法出台后,继续保留《清洁生产促进法》、《节约能源法》、《固体废物污染环境防治法》等相关法律,但应对相关法律的调整范围和主要制度进行修订,以便与相关法律制度的协调。

与现有《清洁生产促进法》的协调方面:可以考虑采用分离 3R 的方式,在制定循环经济法时,只关注 Reuse 和 Recycle 部分,即资源重复利用和循环利用;而待修订《清洁生产促进法》时,将"清洁生产"的概念"窄化",集中于源削减,即减量化问题。该方法的优点是:①清洁生产这个概念实际上已经广为国内所熟悉,相关的工作也已经开展多年,如清洁生产审核等,这些概念都可以加以保留;②与国外的循环经济和清洁生产概念更为接近;③形成源削减和循环利用、资源再生利用等侧重点不同的相应法律,目标指向更明确;④现行的《清洁生产审核暂行办法》等次级法规规章也不必大幅度修订。

与现有的《节约能源法》的协调方面,能源是发展循环经济的重要组成,但目前在法律中又是相对独立的问题,且国家也在考虑制定能源法等。如果在循环经济法中纳入能源问题,其结果是纳入的内容少则不完整,纳入的多会使该法过于庞大,因此循环经济法可考虑采用避开能源的方式,以便与现有和将来的能源立法减少重复。有关循环经济中对于能源有效利用和节能的一些问题,可以在修订《节约能源法》、《可再生能源法》以及制定能源法等时加以考虑。

与现有的《固体废物污染环境防治法》的协调方面,采取使《固体废物污染环境防治法》从更侧重环境保护的角度进行规范,如一些强制性的环境要求等,而循环经济法则主要考虑从经济角度进行规范。由于《固体废物污染环境防治法》刚修订不久,不宜近期再次修订。因此,对循环经济法中有关适当重叠的内容,待修订《固体废物污染环境防治法》时进行再调整。

在与现有的自然资源法律的协调方面,由于涉及面太广,包括水、矿产资源、土地、森林、草原等。因此,类似于能源,总体上采取避开自然资源问题,留由其他相关法律进行调整,但可以将共伴生矿产资源综合利用、木材综合利用等已经列入资源综合利用的内容纳入循环经济法。

(2)在循环经济法出台后,废止现行的《清洁生产促进法》,新的循环经济法涵盖清洁生产的内容,即将《清洁生产促进法》并入循环经济法。此外,修订《节约能源法》、《固体废物污染环境防治法》等相关法律,以保持整个循环经济相关法律体系的协调。

该思路的优点是:①可以利用较为广义的"循环经济"定义,将清洁生产纳入其中,整体上也显得更为完整;②有利于对《清洁生产促进法》中未能考虑到的一些新理念加以充实,且解决《清洁生产促进法》操作性不强的问题。但问题是不利于保持法律的稳定性等。

3. 模式三

采用较为广义的"循环经济"概念,但同时突出资源有效利用方面,制定与现有的《清洁生产促进法》、《节约能源法》、《固体废物污染环境防治法》等相关法律处于同一层次的《循环经济与资源有效利用法》。

该模式的优点是:①可以利用较为广义的"循环经济"定义,符合当前国内(特别是政府)对于"循环经济"的广义理解;②既可以对循环经济的基本原则、目标、监督管理体制和基本法律制度作出原则性规定,又可以针对我国资源利用问题进行更加明确、细致、具有更强操作性的制度安排,"点面"结合,既顾及广义循环经济的各种基本问题,又突出资源有效利用这一重点环节。

三、循环经济立法框架

1. 循环经济立法的主要框架

结合上述不同的模式,在循环经济立法中,具体可有以下几种立法的基本框架:

①按照权利义务主体设计的框架:指以政府、企业、公共团体、社会公众为线索进行法律起草的方式;②按照经济过程设计的框架:指以社

会经济活动中建设、生产、流通、消费各环节为线索进行法律起草的方式;③按照管理对象设计的框架:指以工业、农业、服务业等不同产业对象为线索进行法律起草的方式;④按照3R原则的基本顺序设计的框架:指以减量化、重复利用、循环利用为线索进行法律起草的方式。

2. 3R框架的分析

不同的立法框架各具长短,课题组也存在倾向不同方式框架的认识争论。以下以3R原则作主线的立法思路为例,阐述这一立法设计基本框架中的设想认识。

(1)循环经济在我国是新的事物,目前对循环经济的概念理解及其解释定义见仁见智。但各种表述中,一个普遍的认识是将3R作为循环经济的操作原则。特别是在国家十一五规划纲要中,明确将发展循环经济表达为:坚持开发节约并重、节约优先,按照减量化、再利用、资源化的原则,在资源开采、生产消耗、废物产生、消费等环节,逐步建立全社会的资源循环利用体系。在国务院关于发展循环经济的22号文件中,也将发展循环经济表述为:大力发展循环经济,按照"减量化、再利用、资源化"的原则,采取各种有效措施,以尽可能少的资源消耗和尽可能小的环境代价,取得最大的经济产出和最少的废物排放,实现经济、环境和社会效益相统一,建设资源节约和环境友好型社会。选择以3R为主要线索的立法起草框架,有利于体现国家发展循环经济的基本概念,反映不同经济活动阶段的共同要求,从循环经济的法律定义上明确表达3R原则,包括与国外3R的区别,从而反映对社会经济各项活动环节以及各对象的规范要求。

例如:这一立法框架下的循环经济的法律定义可表述为:本法所称循环经济,是指在资源开发、生产建设、流通消费和废物处置过程中所进行的减量化、重复利用和循环利用的社会经济活动。对于减量化,是指减少资源能源使用与废物产生数量,特别是降低不可再生资源、能源使用量,以及有毒有害物质的使用、产生量及其毒性的各种有关活动。重复使用,是指对废弃的物质或物品,以延长其利用寿命的各种有关活动。循环利用,是指对产生的废弃物质或物品,通过收集处理、加工制造等方式,作为再生资源使用的各种有关活动。

（2）以"3R"为线索的立法设计框架,有利于在推行实施循环经济中,强调该原则及其实施活动的先后顺序,突出在社会经济发展中,节约优先和环境预防原则。这可采取在循环经济法如下表述:发展循环经济应当在综合考虑技术可行、经济合理和环境友好的条件下,按照减量化、重复使用、循环利用的先后次序实施。

（3）出于目前中国在循环经济法律体系构建上的不确定性因素,同时又亟待一个循环经济法律出台的形势,对于循环经济法与现有法律,特别是清洁生产法、固体废物污染防治法等存在部分内容交叉重复的问题,采用以"3R"为线索的立法设计框架,易于根据所提议的三种循环经济立法体系模式,进行本法律与现有其他法律的协调调整,并有利于循环经济专项法的制定,进一步构筑循环经济法规体系。

四、循环经济立法框架

依 3R 为主线的循环经济法律起草框架如下:

（1）在循环经济法中,将 3R 划分为减量化和与重复使用、循环利用两大基本内容,以此贯穿于生产建设、流通消费、废物处理处置等社会经济活动过程中。

（2）对于循环经济涉及的三类活动对象,虽然企业是循环经济最主要的实施主体,但整体上将循环经济的运行机制考虑为:政府职责——制度（经济手段）——企业主体、社会公众的方式。考虑到循环经济实质上将资源环境融入社会经济过程的一体化的新发展模式,在现有体制条件下,加强多政府部门的统一、分工、协调的引导作用是适应循环经济发展的体制保障,同时,为确保循环经济法的有效实施,运用多种制度、手段（经济）是加强操作性所必须的,因而,对于这些内容,法律起草时可采取单辟专章进行表述。

（3）循环经济法的基本框架和内容要点:

第一章　总则:包括立法目的、定义、适用范围,对象:政府、企业、公众的要求

第二章　职责分工:管理体制与主要部门责任

第三章　综合管理:包括规划、标识、准入、淘汰、统计、信息制

度等

第四章　资源源利用的减量化：包括生态设计、可再生资源的替代、清洁生产、包装、基础设施、农业等

第五章　重复使用与循环利用：包括强制回收、分类、回收、拆解、有关行业活动等

第六章　扶持措施：包括价格、专项资金、投资、税收、采购、金融、自愿协议手段等

第七章　法律责任

第八章　附则

（张天柱：清华大学环境科学与工程系教授）

关于循环经济的立法思考

赵振铣

中共十六届五中全会通过的《中共中央关于制定国民经济和社会发展第十一个五年规划的建议》中提出"十一五"时期,我国要加快建设资源节约型、环境友好型社会,大力发展循环经济,加大环境保护力度,切实保护好自然生态,认真解决影响经济社会发展特别是严重危害人民健康的突出的环境问题,在全社会形成资源节约的增长方式和健康文明的消费模式。

我国的基本国情是人口众多,人均资源占有量少。长期以来,经济发展采用了传统的高消耗、高污染的增长方式,许多地方生态系统和环境状况都遭到了严重的破坏,生态环境问题对我国的经济发展和人民的身体健康已经产生了不利的影响,因此发展循环经济是我国实现可持续发展战略,建设资源节约、环境友好、经济高效、社会和谐的文明社会的基本途径和必然选择。

一、循环经济概述

"循环经济"(Recycle Economy)是人类发展的一种全新的生态型经济,它倡导的是一种人、社会与自然环境和谐的经济发展模式。

循环经济是一种物质闭环流动型经济,它要求运用生态学规律来指导人类社会的经济活动,彻底改变传统经济中由"资源—产品—污染排放"的线性经济增长模式,代之以"资源—产品—再生资源"的经济增长模式,在这种循环式的流程中,所有的物质和能量要在这个不断进行的经济循环中得到合理和持久的利用,以把经济活动对自然的影响降低到尽可能小的程度。本质上,循环经济是富有生态效率的经济,一方面,它克服了传统污染治理的"末端处理"模式,从源头上控制污染物的产生;另一方面,它强调资源的多次合理利用,变废弃物为原料,实行资源的有效节约。它体现了环境、资源、经济效益的多赢、共赢,是实现经济、社会可持续发展的必由之路。

循环经济是建设资源节约型、环境友好型社会和实现可持续发展的重要途径,但在当前,循环经济还处于起步阶段,实践中,发展循环经济仍然存在一些严重的障碍,其中有:

(1)思想障碍。有的地方领导干部一味追求本地区国内生产总值的增长速度,认为发展循环经济、保护环境成本高,划不来。有的高污染、高能耗企业是当地的财税大户,一些当地政府往往与其"密切配合","联手"对抗环保监督。

(2)体制障碍。在目前的体制下,凡有利的事情,各部门抢着管,反之则互相推托。企业有困难,难以找到部门有效解决;企业取得了一点成功,上门化缘赞助的,倒是门庭若市。

(3)机制障碍。我国目前还没有形成鼓励企业发展循环经济的良好机制,比如,废旧轮胎的处理可以解决废旧轮胎的污染问题,但废旧轮胎处理企业在现行的价格机制下不但不赢利还要赔钱,这就挫伤了企业发展循环经济的积极性。

(4)技术和成本障碍。资源的综合利用、产品的反复使用、报废后产品的再生利用资源化,都需要技术的支撑、需要技术突破后的低成本。但是,由于我国科技领域自主创新能力较弱,在发展循环经济方面存在很大的技术和成本障碍。

(5)违法行为的障碍。废物的资源化还涉及环境、卫生标准等问题,即必须遵守环境、卫生等法规。最近中央电视台报道,某省一个企业打着发展循环经济的旗号,回收手机的外壳等废旧塑料加工后做成婴儿奶瓶销售,这些废旧塑料毒性很大,严重损害婴儿的健康。还有的企业用废旧汽车零件非法组装汽车。对打着发展循环经济的旗号从事违法行为的,必须引起高度警觉。

（6）现行制度的障碍。发展循环经济还会与过去颁布的一些法律法规以及技术规范发生矛盾，形成制度方面的障碍。

要克服以上障碍，可以运用行政、经济、法律等手段。但是，法律手段具有规范性、稳定性、强制性、公开性和极大的权威性等特征，是国家调控政治、经济和社会发展的最高形式，其作用和力度是其他手段无法达到也不可替代的，因此，通过加强立法来推进循环经济的发展具有其他调控手段无可比拟的优越性。

二、国外循环经济立法的概况

目前国际社会（主要是发达国家）有关循环经济的立法模式大体上可分为两种：一种是污染预防型，如美国，将资源的回收利用纳入污染预防的法律范畴，属于广义上的环境法；另一种是循环经济型，德国1994年公布实施的《循环经济和废物处置法》，日本2000年公布实施的《建立循环型社会基本法》，将整个社会活动纳入循环经济轨道，建立循环型社会，已经超出了一般意义上环境法的范畴。虽然污染预防型立法比末端治理型前进了一大步，但仍然没有摆脱狭义上的环境保护理念，没有从根本上解决发展与环境保护之间的矛盾与冲突；循环经济型立法从社会经济运行的内部来协调发展与环境保护的关系，力求通过提高资源利用效率将污染物"吃干榨净"，以便从根本上杜绝污染物的产生，这是治本之策，具有更加主动、更加积极、更加彻底的革命意义。

当今世界许多国家，尤其是发达国家纷纷将循环经济纳入法制轨道，以立法的形式将循环经济这种先进的经济发展模式确定下来。

（1）德国型：德国是为循环经济立法最早的国家，早在1972年就制定了《废弃物处理法》，1986年通过对1972年《废弃物处理法》的修改，制定了《废弃物限制处理法》。该法扩展了前法提出的"处理生产消费中所产生的废弃物"这一目标，将控制污染的关口前移，强调要通过节省资源的工艺技术和可循环的包装系统，把避免废弃物产生作为废物管理的首选目标。可以讲，该法已具备了循环经济的基本要素。1991年德国制定《包装废弃物处理法》，在1996年又公布了《循环经济和废弃物管理法》,将循环经济的运用领域从包装废弃物管理扩展到全部废弃物的管理,明确了循环经济的范围。

(2)日本型:日本的情况则十分典型,日本在2001年颁布实施的《建立循环型社会基本法》,使资源少、人口多的日本迈入了循环经济型社会的征途。日本是发达国家中循环经济立法最完善的国家。日本要积极推动废弃型社会向循环型社会转变,其目标要在2010年前将日本建成"生态型循环经济和循环社会型国家"。

日本狭小的国土面积以及其国内自然资源的极度匮乏,对资源进口的高度依赖给日本朝野带来了普遍的危机感,因此,日本人一直十分重视对物质进行循环利用,提高资源的利用率,近年来日本各界更是提出了建立循环型社会的理念,确立环境立国的国家发展战略。并且,通过立法来推进建设循环经济社会,十余年来,日本的循环经济法规体系已经逐步完善。

目前,日本已经颁布了《建立循环型社会基本法》、《有效利用资源促进法》、《家用电器循环利用法》、《食品再生法》、《建设再生法》、《环保食品购买法》、《容器包装法》、《都市再生计划》等,这些法规均已在2001年4月之前相继付诸实施。另外,日本国会还通过了《汽车循环法案》,已于2004年付诸实施。日本从全社会循环的角度,规定65%以上的废旧产品必须回收处理,主张大力发展旧物调剂和回收产业(日本称之为静脉产业),只有这样才能在整个社会的范围内形成"自然资源—产品—再生资源"的循环经济环路。

在立法方式上,日本采用的是自上而下的立法程序,其循环经济立法分为两个层面:一是基本法,即《建立循环型社会基本法》,在其指导下建立各领域循环经济的法律法规。二是专项法,即为各行业和产品制定的具体法规,包括:《容器和包装物的分类收集与循环法》、《特种家用机器循环法》、《建筑材料循环法》、《可循环性食品资源循环法》等。《建立循环型社会基本法》首次将循环资源(废弃物等)利用、处置的政策顺序法定化。这类法律法规集中体现了"三个要素和一个目标",即减少废弃物、旧物品再利用、资源再利用以及最终实现建立循环型社会的目标。

日本循环经济法制体系是以《建立循环型社会基本法》为主体,将循环经济的理念融入相关法律,修订并完善了相关规定,如《再生资源利用促进法》、《家电再生利用法》等,同时制定了新的涉及循环经济建设相关方面的法律,如《绿色采购法》、《食品再生利用法》等,从而搭建出日本循环经济法制体系的基本框架。《建立循环型社会基本法》明确了循环经济的定义、基本原则、各行为主体的责任和义务并明确提出循环型社会的努力目标。其他相关法律的制定和修订都必须符合《建立循环型社会基本法》的法律精神,明确规范循环型社会建设的资源有效利用、废弃物处理等方面,特别是对特定的行业产品废弃物的利用,明确了国家、事业者、个人等的责任和具体实施措施及目标,如《家用电器再生利用法》规定生产者有回收义务,并需按照再商品化率对其进行再商品化。明确规定了电冰箱、洗衣机的再商品化率(资源回收)必须达到50%以上,电视机的再商品化率必须达到55%以上,空调器的再商品化率必须达到60%以上。日本对废旧物资进行有效回收利用的同时,还将大量的回收物资作为资源出口到其他国家,从而为国内经济的增长作出相当大的贡献。2003年日本向国外出口的废旧物资占外贸总出口的10%,而日本的废钢出口2004年达到世界首位。

日本循环经济法律体系框架的完整性和法律法规的制定使得日本循环型社会在建设过程中有法可依,特别是全面细致的规定使得执法过程中有十分明晰的法规作为指导,具有很强的可操作性,从而有效地保障了日本循环型社会建设的全面开展。日本虽然发展循环经济、制定建立循环型社会的法律起步较晚,但其起点高,采取的法律措施比较坚决也比较全面,所取得的环境和经济效果都比较明显,其经验对于我国发展循环经济具有更大的借鉴意义。

(3)美国型:美国尽管不是最早循环经济立法的国家,但美国主要采用制定单行法的做法却很有启示。现在美国半数以上的州制定了不同形式的再生循环单行法规。其生成背景是,美国环境立法的主要原因是人口增长和科学技术进步带来的不利影响的关注。世界上第一个由地方政府颁布实施的再生循环法规是美国的加利福尼亚州1989年颁布实施的《综合废弃物管理法令》。到现在为止,美国已有半数以上的州制定了不同形式的再生循环法规。

美国的循环经济立法主要体现为单行法,未彻底体现循环经济的要求,而德国、日本的立法可谓全面、丰富,其共同点都是先在各个行业单独立法,待条件成熟时再制定循环经济基本法以统领各单行法。比较可见,德、日立法模式更为可取,对其经验和做法我国更应加以吸收借鉴。

三、我国的循环经济立法现状与制度安排

1. 我国循环经济的立法现状

改革开放以来,我国从法律法规和政策上为循环经济的发展创造了基本的制度环境。从数量上看,有关环境污染方面的立法有 5 部,资源方面有 3 部,与可持续发展相关的法律有 11 部之多。从 1983 年国务院颁布的《关于结合技术改造防治工业污染的决定》到《环境保护法》、《固体废物污染环境防治法》、《噪声污染防治法》、《煤炭法》、《森林法》、《防沙治沙法》、《清洁生产促进法》、《节约能源法》、《环境影响评价法》、《可再生能源法》等法的颁布,均提出了发展循环经济相关方面的要求。

同时,1997 年在修改后的《刑法》中加入了破坏环境资源的相关罪名,这说明我国环境立法已从纯环境立法走向与刑法、民法融合的新阶段。同时,我国正抓紧制定发展循环经济的专项法规,加快制定发展循环经济的标准规范,通过健全法制促进循环经济发展。

此外,地方立法步伐明显加快。截至 2004 年,陕西、辽宁、江苏等省及贵阳、沈阳、太原、深圳等城市先后制定了地方清洁生产政策和法规,为各地依法推行循环经济的发展奠定了基础。例如,2004 年 9 月 26 日我国第一部循环经济领域的法规——《贵阳市建设循环经济生态城市条例》正式颁布。2005 年 9 月深圳市人大制定的《循环经济促进条例》(初稿)对促进循环经济发展的制度与措施、循环经济示范推广、发展过程的鼓励与处罚等方面作了规定,提出"政府应当把发展循环经济的成效纳入政绩考核制度的内容,对成效突出的政府部门和个人

进行表彰",将"不以 GDP 论英雄"的发展理念融人法规之中。但是,
与发达国家相比,我国的循环经济立法起步较晚,循环经济理念与法律
制度设计还存在滞后性的缺陷。

我国有关循环经济立法的现状不尽如人意,主要表现在无专门立
法、立法零散不完整、不彻底等。我国虽然较早地将环境保护确定为基
本国策,但目前还没有国家层面上推进循环经济的法律法规体系,这在
一定程度上制约了我国循环经济的发展。

自 1979 年以来,我国在环境资源保护立法方面已有由全国人大制
定的 19 部法律,由国务院颁布的 30 余部行政法规,由国家环保总局等
制定的 70 余件部门规章,由地方政府制定的 900 余件法规和规章,同
时还有 400 余个全国性的环保技术标准。

在基本法层面,我国宪法对环境保护的基本政策和原则作了一系
列的规定,如宪法第九、十、二十二、二十六条,其中第九条第二款是直
接针对环境资源的,明确提出:"国家保障自然资源的合理利用,保护
珍贵的动物和植物。禁止任何组织或者个人利用任何手段侵占或者破
坏自然资源。"这些条文是环境立法的基础,但并未将发展循环经济写
进去。

在综合法层面,1989 年颁布并实施了《中华人民共和国环境保护
法》。该法只是在个别条文中提到应对资源提高利用率,但并未确立
发展循环经济和建立循环型社会的思想。

在专项法层面上,主要包括:1986 年制定、1996 年修正的《中华人
民共和国矿产资源法》;1991 年的《中华人民共和国水土保持法》;1995
年的《中华人民共和国固体废物污染环境防治法》;1997 年的《中华人
民共和国环境噪声污染防治法》;2000 年的《中华人民共和国节约能源
法》、《中华人民共和国海洋环境保护法》、《中华人民共和国水污染防
治法实施细则》、《中华人民共和国大气污染防治法》、《中华人民共和
国环境影响评价法》;2002 年的《中华人民共和国水法》、《中华人民共
和国清洁生产促进法》、《中华人民共和国草原法》;2003 年的《中华人
民共和国放射性污染防治法》、《中华人民共和国防沙治沙法》等。这
些专项立法基本没有采取循环经济立法理念,仍然是污染防治型的立

法。虽然 2002 年颁布实施的《清洁生产促进法》是用循环经济理念立法的一次尝试,但该法还只是着眼于生产领域,主要还是定位在企业的生产管理层面上。而循环经济的建立涉及整个社会经济活动的循环过程,需要国家、地方政府、企业和公众的全面参与。

2. 我国循环经济立法存在的缺陷与不足

(1)在单个企业的循环经济方面,1989 年的《环境保护法》,1995年的《固体废物污染环境防治法》和 2002 年的《清洁生产促进法》,借鉴和总结了国内外污染防治、资源综合利用、废弃物回收利用、循环经济发展的经验,为企业层次上的循环经济的发展提供了一些法律解决机制。但关于废弃条件的设置、强制回收和回用名录的建立、回收和回用率的确定、经济激励机制的系统化和可操作性、工艺标准及技术性规范的设立、循环信息的公开等问题,还有待进一步的立法规制。

(2)在区域乃至全社会层次上的循环经济方面,虽然 1995 年的《固体废物污染环境防治法》第三条规定了固体废物的减量化、资源化和无害化原则,第十七条和第十八条分别规定了包装物和农用薄膜的回收利用问题,但在其他农业废物的循环利用方面,在行业内和跨行业的固体废物综合利用方面,如生产者把中介组织回收来的废旧电子产品委托给专业公司拆解回用的问题,缺乏相应的法律规定。2002 年的《清洁生产促进法》第九条、第十条、第十三条、第十六条、第三十五条,虽然规定了企业间和区域内的废物综合利用问题,但这些规定基本上是围绕企业的清洁生产而展开的,所以系统的循环经济效果难以提高。例如,行政区域的循环经济建设问题和生态工业园区的建设问题,工业、农业和第二产业间物质的良性循环和能量的梯级利用问题,该法缺乏规定,有必要制定专门的法律、法规加以系统化和明确化。

(3)有些循环经济法律问题,如主要工业废弃物、农业废弃物、废包装、废塑料、废玻璃、废旧电子产品、废电池、建筑废物、厨余垃圾、废旧汽车及其配件等大宗废物的专业化循环利用问题,既属于企业层次上的问题,又属于区域乃至全社会层次上的问题。现行的《环境保护法》、《清洁生产促进法》、《固体废物污染环境防治法》等法律和行政法规的规定零散而抽象且缺乏产业政策指导和系统的解决机制,因此有必要采取专门立法和完善现有立法相结合的方式,并依法制定相关产业政策加以解决。

3. 我国循环经济立法的基本思路

我国循环经济法制建设的目标是建立一个资源节约和循环型的社会,研究建立促进循环经济发展相关法律法规。而要做到这一点,有必要借鉴和参考国外的成熟立法经验。就法律本身而言,循环经济的立法应当加强系统性和协同性,构建完善的循环经济立法体系。

(1)立法价值取向应当调整。要注意到循环经济模式与末端治理模式二者在立法理念和立法方式上的显著区别。过去这个领域的立法主要针对的是自然资源的分配和利用,少量针对的是恶化环境的重大事件,属于被动性立法;现在应当强调有效运用法律和经济手段,以保护资源、防治污染、保护环境为主要目标,增强主动性和控制能力,通过立法确定政府的权利、义务与责任,引导和促进公众介入和参与循环经济建设。同时,国际环境法中为大多数国家认同的一些原则,如各国对其管辖范围内的自然资源享有永久主权的原则、全球合作精神原则、公平承担责任原则等,在循环经济立法中应当加以确定。

(2)构建科学的循环经济立法体系。国外成熟的立法经验说明,循环经济法律体系的建立,首先必须制定基本的或综合性的循环经济法律;其次要结合实际需要制定专门的循环经济法律、法规;再次要在其他法律法规中充实与循环经济配套或促进循环经济发展的规定。由于我国具有自己的法律体系结构和环境立法传统,因此,不能完全照搬国外循环经济的立法模式。

第一,修订宪法,承认环境权所具有的基本人权属性,并赋予其宪法权利的地位。事实上环境权既是生存权,又是发展权,是人类生存和发展所不能缺少的基本权利。整合现行宪法关于环境保护的规定,对循环经济的国家发展战略作出明确的宣告。修订《宪法》第九条第二款的规定,将"国家保障自然资源的合理利用"改为"国家保障自然资源的节约和合理利用,促进废旧物质的良性循环和能量的梯级利用",

把循环经济确定为与保护环境并重的基本国策。

第二,制定循环经济法。规定循环经济的基本目标、指导思想、基本原则、具体的法律制度和法律责任;明确政府、企业和公民的权利、责任和义务,规范促进循环经济发展的政策手段等;根据这一基础性法规制定发展循环经济的各个专项法规。

第三,修订《环境保护法》,将循环经济的理念纳入环境保护法等基本法律文件。在总则中对循环经济作出原则性规定,在分则中单列清洁生产和资源的回收、再用、再生利用等规定。

第四,修订《固体废物污染环境防治法》、《水污染防治法》、《矿产资源法》等专门性的环境法律,对资源的节约、回收、再用、再生利用作出特殊的规定;修订《政府采购法》、《税收征管法》和《商业银行法》等法律,在其中纳入政府扶持和经济激励的内容。

第五,制定和完善循环经济的专门条例和行政规章,包括《资源综合利用条例》、《包装物回收利用管理办法》、《重要生态功能区管理办法》、《资源开发生态保护管理办法》、《转基因活生物体进出口管理办法》、《能源标识管理办法》、《再生资源回收利用办法》、《废旧家电、废旧电脑回收利用办法》、《环境监测条例》等。

(3)制定基本法律——循环经济法。我国的《清洁生产促进法》具有循环经济萌芽的性质。而清洁生产和循环经济的含义并不一致。循环经济是更为科学的经济模式。考虑到我国社会经济发展的进程,我国可以与时俱进,一步到位,整合原有立法成就,直接转向循环经济立法的发展方向。

①立法体系:随着经验的积累,条件的成熟,我国应逐步推广立法,参考日本的做法,应按行业分别进行循环经济立法,形成一个以基本法为核心,各单行法具体落实的循环经济法律体系。

②立法顺序:我国完全可以先行制定循环经济基本法循环经济法,再在该法指导思想和基础上制定各单行法,实践证明,这是完全行得通的。

③立法技术:我们应注意立法语言的简洁明确,减少宣示性、口号性语言,注重逻辑结构的清晰合理,相关立法的衔接呼应,法律程序的

严谨规范,关键是切实保证法律的可实施性。同时,在立法过程中应克服我国在环境保护立法方面可操作性不强的弱点,尽量制定具体明确的法律条文,避免过于抽象和原则。在立法中引入公众参与机制,发挥人民群众的积极性、创造性,并监督法律的有效实施。

④基本法内容:循环经济法的总则部分,应包括循环经济的概念、立法宗旨、调整对象、基本原则、管理体制及术语解释等。循环经济法的分则部分,主要应包括国家、企业、个人及非政府组织的权利义务、法律责任。

一是国家职责主要应包括制定循环经济规划;建立国民经济绿色核算体系;加大循环经济宣传教育力度;建立环境产品标示制度;建立政府绿色采购制度;建立循环经济激励制度;实行环境税制度,征收资源使用税、排污税等;实行废旧物品强制回收处理制度;鼓励技术创新和管理创新及推广等。

二是企业的权利义务主要包括申请税费减免、基金奖励;申请循环产品和服务环境标识;实行企业内部循环;参与企业间循环及社会循环等。

三是个人的权利义务主要包括作出突出贡献的个人申请循环经济奖励基金;培养绿色消费意识,积极采购循环型产品;在生活消费中节约资源,支持资源回收等。

四是非政府组织(如中介组织、环保组织)的权利义务主要包括提供信息咨询、搭建交易平台;申请国家基金扶持;自身建立循环经济奖励基金,对作出突出贡献的企业和个人进行奖励、表彰;积极宣传循环经济内涵,推动循环型社会的建立等。

五是法律责任应明确循环经济法律关系的各个主体,如主管机关、企业、个人、非政府组织等在循环经济发展活动中因其违反法律规定、义务所应承担的责任。

总之,"循环经济"需要完整的经济技术流程,需要环环相扣的产业经济链条,需要各级政府及其职能部门协调统一的政策和监管运行。如何协调发展循环经济和现行政府职能条块分割的体制障碍的矛盾是呈现在当前循环经济立法面前的主要挑战。但是,通过循环经济立法构建制度性框架将循环经济纳入法治轨道;充分发挥法律的规范、指导、惩戒作用,引领全社会树立科学发展观,建立循环经济的发展理念,是大力促进循环经济发展的根本所在。

（赵振铣:四川省监察厅副厅长）

从综合利用到循环利用：
立法思路的变革

——以上海市为例对资源综合利用
法律法规效用的实证研究

郑少华　张其帆

一、背景分析

1. 资源压力

上海是一个常住人口超过 1700 万的特大型城市，工业化程度高，经济增长快，自然资源相对匮乏，是一个典型的能源资源消费和转化的大城市。

1990 年至 2003 年，上海市直接物质输入量和物质需求总量均呈递增趋势。物质总需求是衡量区域经济系统年度资源消耗的总量指标；物质消耗强度是衡量人均资源消耗量的指标。2003 年的直接物质输入量和物质总需求分别达到 3.47 亿吨和 14.53 亿吨，是 1990 年的 2.96 倍和 1.84 倍。与全国平均消耗强度相比，上海是其 1.5 倍；上海的物质消耗强度已相当接近于发达国家。

以物质生产力与世界发达国家相比，上海市的资源利用效率也相当低。物质生产力以每投入一吨物质量所创造的 GDP，反映一国或区域的资源使用效率。21 世纪初，上海市的物质生产力为 74.3 美元/吨，而 20 世纪 90 年代前期美国已达到 307 美元/吨，日本为 763.9 美元/吨，德国为 360.9 美元/吨，相当于上海市每创造 100 美元 GDP 需要消耗约 1346 千克的自然界物质和资源。

　　从生产消费的角度看,上海工业经济连续十多年以两位数的速度快速增长,同时,上海能源的消费总量和消费强度已名列全国城市之最。从历年的能源消耗来看,2004 年上海综合能源消耗比 1990 年翻了一番多(从 3191.06 万吨标准煤增加到 7266.85 万吨标准煤),工业能源消耗增长也将近翻了一番(从 2462.21 万吨标准煤增加到 4515.14 万吨标准煤)(见表 1)。

表 1　上海市 1990 年—2004 年能源消耗状况

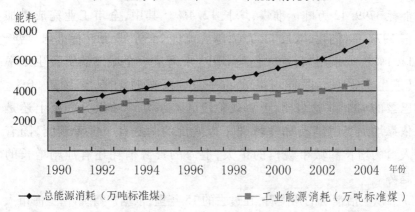

　　从全国范围内看,上海能源消耗在全国能源消耗中所占的比例总体呈上升趋势,从 1990 年的 3.23% 增长到 2003 年的 3.96%(见表 2)。

表 2　1990 年—2003 年上海与全国能源消耗总量比例

年份	上海能源消耗总量 (万吨标准煤)	全国能源消费总量 (万吨标准煤)	比例
1990	3191.06	98703	3.23%
1992	3656.92	109170	3.35%
1994	4176.64	122737	3.40%
1996	4626.21	138948	3.33%
1998	4874.11	132214	3.69%

年份	上海能源消耗总量 （万吨标准煤）	全国能源消费总量 （万吨标准煤）	比例
2000	5492.08	130297	4.22%
2002	6118.53	148222	4.13%
2003	6650.91	167800①	3.96%

另据上海市统计局最新公布的统计资料显示,2006 年上半年,上海市完成生产总值 3930.64 亿元,比去年同期增长 10.3%;综合能耗 3799.42 万吨标准煤,增长 12.4%。其中,全市工业完成增加值 1977.94 亿元,增长 11.7%;综合能耗 2459.52 万吨标准煤,增长 11.1%。如果用"每平方公里 GDP"来衡量一个城市的资源生产率(或生态效率),目前,上海的水平仅为汉城的 61%、纽约的 50%、巴黎的 43%。这表明,上海现阶段的经济发展在很大程度上还是依靠增加资源消费和环境破坏为代价的。据有关学者预测,随着人口的增长和城市规模的扩大,上海的资源消耗还有加剧增长的趋势。

从生活消费的角度看,在过去的 15 年里,依据户籍统计,上海市人口已由 1990 年的 1283.35 万人增长到 2004 年的 1352.39 万人,据不完全统计,常住人口更是达到 1700 万。庞大的人口数量直接影响到资源消耗的绝对值的增加。同时,人民的生活水平和生活质量也在不断的提高,要求有更好的生活条件来满足日益增长的物质生活和文化生活的需要,这就导致了人均资源消耗的相对值的不断扩大。生活消费的发展在资源方面的作用一方面表现在对各类消费品的直接需求量的增大,另一方面则体现为刺激和促进了生产的发展,导致对原材料、能源等资源的需求增大。

具体说来,从总量上看,上海市生活消费所消耗的能源亦呈上升趋势,从 1990 年的 248.98 万吨标准煤上涨到 2004 年的 573.24 万

---

① 2003 年全国能源消费量为估算数。具体参见国家统计总局网站:http://www.stats.gov.cn。

吨标准煤,在能源终端总量消费量中的比重从 1990 年的 8.03% 增长到 2004 年的 8.29%,并曾在 1998 年达到 9.27% 的高峰。从人均消费上看,上海年人均生活能源到 2004 年已达到 423.87 千克标准煤,是 1990 年的年人均消耗量(191.53 千克标准煤)的两倍多。

鉴于经济发展、人口增长等原因,上海市的资源需求量还将很可能继续呈增长势态。然而,由于地缘因素的作用,上海是个自身资源相对匮乏的地区。以 2004 年为例,上海市可供本地区消费的能源量为 7252.90 万吨标准煤,库存差为 - 59.97 万吨标准煤,外省(市)调入量为 130.64 万吨标准煤,进口量为 2793.69 万吨标准煤,本市调出量为 6982.70 万吨标准煤,出口量为 217.13 万吨标准煤。可见,上海市的资源利用有较为明显的对外依赖性,这就形成了一种资源压力。如果资源利用的问题解决不好,将会在很大程度上直接影响到上海的经济增长质量和效益以及人民生活水平的提高。

2. 环境压力

除了资源本身压力之外,资源在经历了生产和消费过程之后所产生的各类废弃物也给上海带来了巨大的环境压力。

上海废弃物总量大,品种多,产生量还在逐年增加。具体地说:上海工业废弃物的增长与其经济的高速发展是成正比的。在上海的经济中心地位逐步确立和加强的同时,大量的工厂也不可避免的产生数量巨大的废弃物,给上海有限的环境容量带来越来越大的压力。自 2000 年以来,工业固体废物的生产量基本成增长趋势,年增长速度以百万吨计。工业废气的排放总量由 1991 年的 4000 亿标立方米增长到 2004 年的 8834 亿标立方米,在上海市废弃排放总量中的比重由 1991 年的 86.64% 增长到 2004 年的 93.32%,自 2000 年来,更是近乎以每年 1000 亿标立方米递增。在工业废水排放方面,由于上海积极进行节水技术、工艺改造,取得了明显的成效,十余年来,工业废水排放量逐年下降,由 1991 年的 13.25 亿吨下降到 2004 年的 5.64 亿吨。

表3　2000年—2004年上海工业"三废"排放情况

年份	工业固体废弃物排放量(万吨)	工业废气排放量(亿标立方米)	工业废水排放量(亿吨)
2000	1354.74	5755	7.25
2001	1605.09	6964	6.80
2002	1595.25	7440	6.49
2002	1659.38	7799	6.11
2004	1810.80	8834	5.64

　　在农业和农村的发展过程中也产生了大量的畜禽粪便等废弃物,由此所产生的环境问题严重的影响了上海市的环境质量。据上海市对上海黄浦江上游污染源调查表明,畜禽废弃物污染已占污染总负荷的36%,并分别超过了居民生活、农业、乡镇工业和餐饮业对环境的影响,是造成黄浦江严重污染的主要原因之一,并严重威胁和影响上海的环境质量。

　　城市的不断发展扩大和人口的膨胀亦导致上海城市垃圾排放量的上升。根据上海市容环境管理局的统计,生活垃圾日产量从1990年8620吨/日增加到2003年16040吨/日。2003年上海市餐厨垃圾产生量为1100吨/日。预计到2010年,上海生活垃圾年产生量约为657万吨,平均日产生量为18000吨,人均垃圾产生量将从目前的0.84千克/日增至1.12千克/日。上海市环卫部门每年清运的垃圾数量已由1990年的382万吨增长到2004年的802万吨,其中建筑垃圾由103万吨增长到192万吨,生活垃圾由279万吨增长到610万吨。同时,生活水平的提高使得上海市人均占有的耐用生活消费品比过去大大增加(见表5),许多电器都是在20世纪80年代中后期进入家庭的,按正常的使用寿命10—15年计算,将很快迎来一个家电废弃的高峰。若对这些二次资源不善加利用和处理,就会对环境造成不同程度的危害。

表4:1994年—2003年上海市垃圾产生量

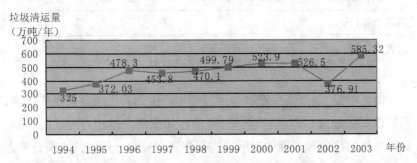

表5 主要年份平均每百户城市居民家庭年末耐用消费品拥有量

商品名称	1990年	2000年	2003年	2004年
彩色电视机(台)	77	147	168	178
照相机(架)	44	71	70	80
摄像机(架)		3	6	8
家用电脑(台)		26	60	70
健身器材(台)		6	7	8
移动电话(部)		29	133	161
录放像机(台)	14	52	33	31
影碟机(台)		50	74	86
钢琴(架)		3	3	6
组合音响(台)	1	32	40	45
家用空调器(台)		96	136	159
洗衣机(台)	72	93	94	96
电冰箱(台)	88	102	102	104
热水淋浴器(台)		64	81	88
饮水机(台)		33	56	59
微波炉(台)		78	88	93

商品名称	1990 年	2000 年	2003 年	2004 年
消毒碗柜(台)			11	14
洗碗机(台)			1	1

由上可见,上海市生产和生活过程中产生的各类废弃物逐年扩增,不加以妥善处理,一旦造成污染,要治理和恢复都是相当困难的,需要付出高昂的代价和长期的时间来进行清理和补救。传统的末端处置方式无法从源头上、从机制上抑止废弃物的产生,并且,在上海有限的环境容量下也无法长期推行。因此,改善资源的综合利用,削减废弃物的产生,强化对二次资源的再利用对于防止环境破坏、提高环境质量具有重要意义。

开展资源综合利用,是我国一项重大的技术经济政策,也是国民经济和社会发展中一项长远的战略方针,对于节约资源,改善环境,提高经济效益,促进经济增长方式由粗放型向集约型转变,实现资源优化配置和可持续发展,都具有重要的意义。上海面临着沉重的资源压力和环境压力,自身资源匮乏,而全国范围内资源相对不足的矛盾也日益突出,在生产、建设、流通、消费等各领域内广泛开展资源综合利用已经刻不容缓。必须在坚持资源开发与节约并举的大前提下,必须将节约放在首位,节约和合理利用各种资源,千方百计的减少资源的占用和消耗。同时,尽管上海的资源利用率与全国相比处于领先水平,但是与国际上的发达国家相比则还处于较低的位置,提高能源利用效率的潜力还很大。上海 480万户家庭,每户每天少用一个塑料袋,一年可少丢 17 亿个塑料袋;所有家庭空调夏天调温提高 1 摄氏度,全市可减少 24 万千瓦用电负荷;上海每年产生废品 400 万吨,如充分利用,潜在价值 17 亿元。因此,在上海开展资源综合利用具有充分的必要性、紧迫性与可行性。

二、现行法律法规

1. 国家法规性文件

（1）法律 ①。

①《宪法》（2004 年修正）。

《宪法》第九条第二款规定："国家保障自然资源的合理利用,保护珍贵的动物和植物。禁止任何组织或者个人用任何手段侵占或者破坏自然资源。"

这就以基本法的形式保障对自然资源合理利用的重要地位,成为其他法律法规制定资源综合利用相关内容的立法依据和基本准则。

②《节约能源法》（1997 年）。

《节约能源法》第三条规定："本法所称节能,是指加强用能管理,采取技术上可行、经济上合理以及环境和社会可以承受的措施,减少从能源生产到消费各个环节中的损失和浪费,更加有效、合理地利用能源。"第四条第二款规定："国务院和省、自治区、直辖市人民政府应当加强节能工作,合理调整产业结构、企业结构、产品结构和能源消费结构,推进节能技术进步,降低单位产值能耗和单位产品能耗,改善能源的开发、加工转换、输送和供应,逐步提高能源利用效率,促进国民经济向节能型发展。"另外,从节能管理、合理使用能源、节能技术进步等角度对合理利用和节约能源方面进行了较为详细的规定。

③《清洁生产促进法》（2002 年）。

《清洁生产促进法》第二条规定："本法所称清洁生产,是指不断采

---

① 其他有关资源综合利用的规定还散见于其他诸部法律中,如《草原法》、《防沙治沙法》、《海洋环境保护法》、《矿产资源法》、《煤炭法》、《水土保持法》、《渔业法》、《土地管理法》等,但由于相关规定与上海市资源综合利用的重心关系较为薄弱,故不在此详细说明。

依据《国务院批转国家经贸委等部门关于进一步开展资源综合利用意见的通知》的规定,资源综合利用包括:在矿产资源开采过程中对共生、伴生矿进行综合开发与合理利用;对生产过程中产生的废渣、废水（液）、废气、余热、余压等进行回收和合理利用;对社会生产和消费过程中产生的各种废旧物资进行回收和再生利用。

取改进设计、使用清洁的能源和原料、采用先进的工艺技术与设备、改善管理、综合利用等措施,从源头削减污染,提高资源利用效率,减少或者避免生产、服务和产品使用过程中污染物的产生和排放,以减轻或者消除对人类健康和环境的危害。"该法以对清洁生产进行引导、鼓励和支持保障的法律规范为主要内容,从各个不同的角度规定了对资源的综合有效利用,以减少废弃物的产生,实现清洁生产。

④《固体废物污染环境防治法》(2004 年修正)。

《固体废物污染环境防治法》总则第三条规定:"国家对固体废物污染环境的防治,实行减少固体废物的产生、充分合理利用固体废物和无害化处置固体废物的原则。"第四条第二款规定:"国家鼓励、支持综合利用资源,对固体废物实行充分回收和合理利用,并采取有利于固体废物综合利用活动的经济、技术政策和措施。"这样从总体上确立了国家处理固体废物的原则和政策。其余各章中分别有相关条款规定了有关工业固体废物、城市生活垃圾、危险废物等的回收利用问题。

⑤《可再生能源法》(2005 年)。

以保障能源安全、防止因能源利用造成的环境污染和生态破坏为目的所制定的《可再生能源法》于 2005 年 2 月 28 日十届全国人大常委会第十四次会议顺利通过表决,并将于 2006 年 1 月 1 日起正式施行。

《可再生能源法》明确规范政府和社会在可再生能源开发利用方面的责任与义务,确立一系列制度和措施,包括中长期总量目标与发展规划,鼓励可再生能源产业发展和技术开发,支持可再生能源并网,优惠上网电价和全社会分摊费用,设立可再生能源财政专项资金等。

⑥《水法》(2002 年修正)。

《水法》第八条第一款规定:"国家厉行节约用水,大力推行节约用水措施,推广节约用水新技术、新工艺,发展节水型工业、农业和服务业,建立节水型社会。"第五十一条第一款规定:"工业用水应当采用先进技术、工艺和设备,增加循环用水次数,提高水的重复利用率。"第五十二条规定:"城市人民政府应当因地制宜采取有效措施,推广节水型生活用水器具,降低城市供水管网漏失率,提高生活用水效率;加强城市污水集中处理,鼓励使用再生水,提高污水再生利用率。"

⑦《森林法》(1998 年修正)。

《森林法》第八条第三款规定:"国家对森林资源实行以下保护性措施:……(三)提倡木材综合利用和节约使用木材,鼓励开发、利用木材代用品。"

(2)国务院发布的规范性文件。

①《国务院批转国家经贸委等部关于进一步开展资源综合利用意见的通知》(1996 年)。

该文件主要包括了以下内容:资源综合利用的范围;实行优惠政策,鼓励和扶持企业积极开展资源综合利用;加强资源的综合开发和合理利用,防止资源浪费和环境污染;采取措施,支持综合利用电厂生产电力、热力;严格管理,搞好废旧物资的回收和再生利用;加快立法步伐,建立健全管理制度,推动资源综合利用工作;依靠科技进步,提高资源综合利用技术水平。

②《国务院关于进一步加强环境保护工作的决定》(1990 年)。

《国务院关于进一步加强环境保护工作的决定》中在"依法采取有效措施防治工业污染"相关章节中规定:"凡产生环境污染和其他公害的企事业单位,必须把消除污染、改善环境、节约资源和综合利用作为技术改造和经营管理的重要内容,建立环境保护责任制度和考核制度,有关部门应将保护环境作为考核企业升级和评选先进文明单位的必备条件之一。"

③《国务院关于环境保护若干问题的决定》(1996 年)。

《国务院关于环境保护若干问题的决定》中规定:"六、维护生态平衡,保护和合理开发自然资源。地方各级人民政府要切实加强淡水、土地、森林、草原、矿产、海洋、动植物、气候等自然资源和国土生态环境的保护,在维护生态平衡的前提下合理进行开发利用。"

④《国务院关于加强城市供水节水和水污染防治工作的通知》(2000 年)。

该通知从提高认识、加强规划、节约用水、健全机制和完善法规等不同角度,对加强城市水资源的综合利用加以规定。如:"要依据流域和区域水资源规划,尽快组织制定城市水资源综合利用规划,并将其作为城市总体规划的组成部分,纳入城市经济和社会发展规划。""大力提倡城市污水回用等非传统水资源的开发利用,并纳入水资源的统一管理和调配。"

（3）部门规章。

①《建设项目环境保护设计规定》（1987年）。

《建设项目环境保护设计规定》第二条规定:"环境保护设计必须遵循国家有关环境保护法律、法规,合理开发和充分利用各种自然资源,严格控制环境污染,保护和改善生态环境。"第十九条规定:"工艺设计应积极采用无毒无害或低毒低害的原料,采用不产生或少产生污染的新技术、新工艺、新设备,最大限度地提高资源、能源利用率,尽可能在生产过程只能把污染物减少到最低限度。"

同时,还对建设项目所产生的各类废弃物的综合利用进行了规定,如:"第三十二条 建设项目的设计必须坚持节约用水的原则,生产装置排除的非水应合理回收重复利用。"第三十五条规定:"拟定废水处理工艺时,应优先考虑利用废水、废气、废渣（液）等进行'以废治废'的综合治理。"

②《城市生活垃圾管理办法》（1993年）。

《城市生活垃圾管理办法》第三条规定:"国家鼓励发展城市生活垃圾的回收利用。城市生活垃圾应当逐步实行分类收集、运输和处理,逐步实行城市生活垃圾治理的无害化、资源化和减量化,搞好综合利用。"此外,该办法还对城市生活垃圾的收集、运输等内容作出了相关规定。

③《城市建筑垃圾管理规定》（2005年）。

《城市建筑垃圾管理规定》第四条规定:"建筑垃圾处置实行减量化、资源化、无害化和谁产生、谁承担处置责任的原则。国家鼓励建筑垃圾综合利用,鼓励建设单位、施工单位优先采用建筑垃圾综合利用产品。"并对城市规划区内建筑垃圾的倾倒、运输、中转、回填、消纳、利用等处置活动进行了规定,实现建筑垃圾的收集、利用、处置等问题的全过程控制。

（4）部门发布的规范性文件。

①《关于印发〈资源综合利用认定管理办法〉的通知》(1998 年)。

该文件对享受资源综合利用优惠政策的企业(分厂、车间)或者资源综合利用产品、项目的认定的申报条件和认定内容、认定及申诉程序、监督管理、罚则等内容进行了规定。

②《关于印发〈资源综合利用目录(2003 年修订)〉的通知》(2004年)。

修订后的《资源综合利用目录》共 46 条,主要包括了在矿产资源开采加工过程中综合利用共生、伴生资源生产的产品,综合利用"三废"生产的产品,回收、综合利用再生资源生产的产品以及综合利用农林水产废弃物及其他废弃资源生产的产品四大部分的内容。

③《城市生活垃圾处理及污染防治技术政策》(2000 年)。

该技术政策适用于垃圾从收集、运输,到处置全过程的管理和技术选择应用,指导垃圾处理设施的规划、立项、设计、建设、运行和管理,引导相关产业的发展。从垃圾的减量、综合利用、收集、运输、处理等多角度全面的规定了城市生活垃圾在回收、利用、处置等各环节的内容。

④《关于发布〈废电池污染防治技术政策〉的通知》(2003 年)。

该技术政策适用于废电池的分类、收集、运输、综合利用、贮存和处理处置等全过程污染防治的技术选择,并指导相应设施的规划、立项、选址、设计、施工、运营和管理,引导相关产业的发展。并以专章分别对电池的生产与使用、收集、运输、贮存、资源再生和处理处置进行了规定。

⑤其他。

其他有关资源综合利用的规定还见于以下规范性文件之中:

国家计委《关于资源综合利用项目与新建和扩建工程实行"三同时"的若干规定和通知》(1989 年)、国务院《关于加强再生资源回收利用管理的通知》(1991 年)、国家经贸委、电力部、财政部、建设部、交通部、国家税务总局《关于印发粉煤灰综合利用管理办法的通知》(1994年)、国家税务总局、国家计委《关于印发固定资产投资方向调节税"资源综合利用、仓储设施"税目税率注释的通知》(1994 年)、财政部、国家税务总局《关于企业所得税若干优惠政策的通知》(1994 年)、财政部、国家税务总局《关于继续对部分资源综合利用产品等实行增值税优惠政策的通知》(1996年)、财政部、国家税务总局《关于继续对废旧物资回收经营企业实行增值税优惠政策的通知》(1996年);以及《关于发布〈草浆造纸工业废水污染防治技术政策〉的通知》(1999年)、《城市污水处理及污染防治技术政策》(2000年)、《关于发布〈印染行业废水污染防治技术政策〉的通知》(2001年)、《国家环境保护总局、建设部关于印发〈小城镇环境规划编制导则(试行)〉的通知》(2002年)、《国家计委、国家经贸委、国家科委关于印发〈中国节能技术政策大纲〉的通知》(2004年)。

2. 地方法规性文件

(1)地方性法规。

①《上海市环境保护条例》(2005年)。

该条例第三条规定:"本市坚持环境保护与经济、社会发展并重的方针,实行环境与发展综合决策,促进循环经济发展,实现经济效益、社会效益和环境效益的统一。"第三十六条第一款和第二款规定:"本市鼓励和促进企业采用资源利用率高、污染物产生量少的生产工艺和设备,实行清洁生产。本市鼓励对固体废物进行资源化利用,不能资源化利用的固体废物应当进行无害化处置。"第三十七条第一款规定:"生产、销售被列入强制回收目录的产品和包装物的企业,必须在产品报废和包装物使用后对该产品和包装物进行回收。"

②《上海市市容环境卫生管理条例》(2003年修正)。

该条例设专章对废弃物管理加以规定。第三十七条规定了上海废弃物管理的总体方针:"本市按照资源化、无害化的原则对废弃物进行处置,鼓励废弃物的回收利用,并采取措施逐步减少废弃物的产生。"并对生活垃圾、餐厨垃圾、建筑垃圾、工业垃圾和医疗卫生垃圾等的收集和处置作了详细规定。

③《上海市工业企业节约能源暂行规定》(1997年修正)。

该规定分别设专章规定了能源合理利用和节约能源技术改造。如:第十二条规定:"工业企业应根据生产任务、生产工艺和用能设备的特点,合理组织生产,合理使用能源。"第二十条规定:"工业企业应按照本市调整产业结构和产品结构的规划,努力提高能源利用效益,逐步限制和改造高能耗产品的生产。新建的工厂、车间、生产装置或老企业的技术改造,均应采用节约能源的新技术、新工艺、新设备、新材料。"

（2）市政府规章。

①《上海市餐厨垃圾处理管理办法》（2005年）。

《上海市餐厨垃圾处理管理办法》第五条规定:"本市倡导通过净菜上市、改进加工工艺等方式,减少餐厨垃圾的产生量。本市鼓励对餐厨垃圾进行资源化利用。"此外,该办法还对餐厨垃圾的收运和处置进行了规定。

②《上海市畜禽养殖管理办法》（2004年）。

《上海市畜禽养殖管理办法》第二十条规定:"本市鼓励畜禽养殖场将畜禽粪便生态还田,或者用以生产沼气、有机肥料等物质。畜禽养殖场按照规范实施畜禽粪便还田的,视作达标排放。畜禽粪便生态还田的具体规范,由市环保局会同市农委制定并公布。"

③《上海市一次性塑料饭盒管理暂行办法》（2000年）。

该办法第三条规定了管理原则:"一次性塑料饭盒管理实行源头控制、回收利用、逐步禁止、鼓励替代的原则。"并由第九条到第十三条分别从对使用单位的要求,生产、销售单位的回收、专门单位的回收、处置、财政和审计监督等方面对回收利用一次性塑料饭盒作出规定。

（3）市局级规范性文件。

①《上海市经委、市电力工业局关于印发〈上海市企业资源综合利用发电认证管理办法〉的通知》（1998年）。

该办法是为了贯彻执行国务院批转国家经贸委等部门《关于进一步开展资源综合利用意见的通知》,节约能源,保护环境而制定的。主要规定了本市管理的企业资源综合利用发电认证的申报条件、监督管理、申报与审批,并规定了相应的优惠政策。

②《上海市经济委员会关于禁止拍卖报废汽车的通知》（2003年）。

该文件中规定:"报废汽车和拼装车辆不得拍卖。报废汽车是一种特殊商品,按有关规定报废汽车(包括拼装汽车)不得出售、赠与或者以其他方式转让给非报废汽车回收企业的单位和个人。针对我国对报废汽车已实行的特殊管理办法本市已明确报废汽车只能由依法设立的报废汽车拆解企业进行专业拆解、综合利用的状况,即一种类型的报废汽车只能由一家报废汽车拆解企业进行专业处理,现重申本市拍卖企业不得进行各类报废汽车、拼装车辆的拍卖活动。"

③《关于加强本市木质大件生活废弃物管理的意见》(2003 年)。

该意见在管理要求中规定:"综合利用资源。积极做好木质大件生活废弃物资源综合利用工作,不断提高综合利用木质大件生活废弃物资源能力,引导资源利用企业充分利用木质大件生活废弃物资源特性和材料大小,生产各种再循环利用产品。对难以生产利用的物料,发挥其助燃、热值资源效能。"

三、实施效果分析

1. 工业废弃物处置情况

上海市十分重视环境保护工作,自 20 世纪 90 年代以来,环境保护投资逐年增长,从 1991 年的 7.60 亿元猛增至 2004 年的 225.40 亿元,在国民生产总值中的比重也相应地从 0.90% 增长到 3.03%。环保保护投资加大的意义除了体现在污染治理、环境基础设施建设加强、环境质量提高等方面以外还表现在"三废"综合利用产品产值的增长上,从 1991 年的 2.67 亿元增长到 2004 年的 13.04 亿元(见表6)。

表6　环保投入和"三废"综合利用(1990 年—2004 年)

年份	环境保护投资	城市环境基础设施建设投资	环境保护投资相当于 GDP(%)	"三废"综合利用产品产值
1991	7.60		0.90	2.67
1992	15.20		1.40	3.94
1993	32.13		2.10	5.36
1994	39.09		2.00	5.95
1995	46.49		1.90	6.63

年份	环境保护投资	城市环境基础设施建设投资	环境保护投资相当于 GDP(%)	"三废"综合利用产品产值
1996	68.83		2.40	7.55
1997	82.35		2.50	12.15
1998	102.13		2.80	8.01
1999	111.57		2.80	8.69
2000	141.91		3.10	9.16
2001	152.93		3.10	5.00
2002	162.39	126.99	3.00	7.25
2003	191.53	144.05	3.10	7.13
2004	225.40	166.90	3.03	13.04

　　上海市早在 1995 年,就开展了中英合作建立清洁生产的项目。1999 年,上海市又确定了冶金、化工、医药、纺织、船舶、机电、建材 7 大行业为上海市的试点行业,加强清洁生产的技术开发利用,从工艺源头开始,研究产品生命周期中实施低消耗、少污染的有效途径。2003 年,为配合《清洁生产促进法》的实施,设立了推进清洁生产联席会议制度。2004 年,联席会议下设的上海市推进清洁生产办公室正式成立,负责权势清洁生产推进的日常管理工作,其主要职责是,统一部署全市推进《清洁生产促进法》工作,贯彻落实国家清洁生产政策,制定全市清洁生产实施计划、技术指南、指标体系及相关政策等,组织、协调和指导企业开展清洁生产示范、审核。市经委负责组织、协调全市清洁生产促进工作,会同有关方面制定清洁生产推进规划;市环保局负责对清洁生产的实施进行监督;市科委负责清洁生产的科学研究和技术开发。

　　上海的工业、企业和有关行业以清洁生产理念为指导,在节能、降耗、减污、增效方面做了大量工作,并取得了显著的成绩。经有关控股(集团)公司和区县经委推荐,企业自愿申报,由上海市推进清洁生产办公室预审,上海氯碱化工股份有限公司的绿色建材、上海吴泾化工有限公司的醋酸改造装置等分布上海化工、轻工、家电、有色、电力等行业的 22 家企业成为上海市第一批清洁生产试点示范企业,其中清洁工艺、清洁设备改造的有 9 家,过程控制 3 家,清洁产品 2 家,清洁能源余热利用 3 家,废弃物循环利用 3 家,替代有毒有害原料 2 家。22 家试点企业提出的清洁生产中高费方案经初步评估,投资在 500 万元以上的高费方案 13 家,50 万元—500 万元以上的中费方案 9 家。据不完全统计,预测 22 个项目总投入 29572 万元,年税利 13595 万元,投入效益比约为 46%;其总体环境效益:每年可节水 4.02 万吨,节煤气 3600 万立方米,节煤 1.76 万吨,节蒸汽量折合为 2.6 万吨标煤,削减废气 2841.76 万立方米,削减 SO_2 205 吨,削减 COD900 吨,减少废塑料的白色污染 3 万吨,削减铅蒸汽 200 吨,减少木质废弃物 15000 吨。到 2005 年,第一批清洁生产试点示范企业清洁生产工业项目完成。

(1)工业固体废弃物。

由于上海经济发达,工业门类齐全,自 20 世纪 60 年代以后,工业固体废物的产生量和种类不断增加。它主要包括来源于金属冶炼厂的冶炼渣,发电厂的粉煤灰,炉、窑、灶的煤渣,化工厂的化工渣等。

这些废渣在相当长一段时间内,主要以堆放、倒入长江口或填海为处理方式。1958 年—1961 年,上钢三厂在厂内堆存 1 座 280 多万吨的钢渣山,20 世纪 50 年代至 80 年代,电厂粉煤灰大量倾倒在长江口。对工业固体废物的综合利用开始于 20 世纪 60 年代,其中冶炼渣、粉煤灰、煤渣、废酸、废碱、废油、废有机溶剂等综合利用率比较高,总的废物利用率 60 年代为 41.7%,70 年代为 50.5%,90 年代上升至 83.4%。

冶炼渣经水淬后用作水泥掺和料,生产水泥,其破碎粉渣用于筑路。冶炼渣中铍渣(属危险废物)毒性较大,大部分送浙江一废物库堆存,1985 年封洞,1988 年对洞周围环境监测,未发现铍对环境的污染。粉煤灰用于地基回填,路基及高路堤工程应用和用作混凝土掺和料等。煤渣用于制砖和以渣代煤再燃烧。化工渣中硫铁矿渣制砖,电石渣用于筑路和中和酸性废水。化工渣中铬渣(属危险废物)毒性较大,除一部分用于玻璃着色剂外,大部分堆存在广粤路靶子场和上海浦江化工厂内。废酸和废碱是危险废物中综合利用率最高的一宗,主要通过废物交换作为废水处理药剂加以利用,其利用率在 90% 以上。

到 20 世纪 90 年代,全市每年产生工业固体废物 1000 多万吨。其综合利用率 83.4%。通过综合利用,使工业固体废物资源化、减量化,避免对环境造成危害。

进入 21 世纪后,上海市进一步加大了工业固体废物管理力度,于 2002 年启动了固体废物污染防治规划的编制工作,建立了危险废物收集系统。从 2000 年到 2004 年,上海市工业废弃物综合利用量的 1515.90 万吨增加到 1777.84 万吨,综合利用率从 93.26% 增长到 97.19%。工业固体废物处置量从 90.96 万吨降低到 44.29 万吨。

(2)工业废水。

自 20 世纪 90 年代以来,上海市将水资源的节约和综合利用作为长期坚持的战略方针,通过转变思想观念、强化综合管理,加快科技进步,取得了较大成绩。

作为上海市节水工程内容的一部分,上海的工业结构进行了重大调整,通过合理工业布局、调整产品结构、采用先进生产工艺、综合利用等途径,许多污染严重的耗水型企业如制纸、制革、酒精等大量关闭,大大减少了工业废水的排放量,现有的工业企业积极推行节水技术,提高了水的回收利用率,并且建造了不少废水处理装置,又使工业废水的排放量大幅度减少。

从 1980 年—1993 年,上海焦化总厂、宏文造纸厂、上钢三厂、中药制药三厂、第二冶炼厂、上海电机厂等 2500 多家企业通过产品结构调整、工艺改革、综合利用和安排各类治理措施,共完成治理项目 3100 项,每天处理废水量达 300 万立方米,废水处理率从 1982 年的 23% 提高到 90%,每日废水排放量比 1980 年减少了 30 万立方米,万元产值废水排放量从 1982 年的 271 立方米下降到 57 立方米,工业废水治理达标率达 75%,废水循环利用率达 70%。

自 20 世纪 90 年代后期开始,上海市工业废水排放达标量逐年呈递减趋势,在 1996 年,排放达标量为 99721 万吨,到了 2004 年,这一数据已降低至 54255 万吨,达标率从 87.4% 提高到 96.3%。在达标排放减少污染的同时,水资源的综合利用也得到了进一步的提升。工业重复用水量自 1992 年的 384830 万吨增加到 2004 年 750803 万吨,工业重复用水率从 1992 年的 41.3% 提高到 2004 年的 56.4%。与全国的其他地方相比,上海市的工业废水重复利用状况基本处于领先水平。

然而,应该看到的是,上海市的工业用水综合利用程度与国际水平相比仍有一定的差距。

(3)工业废气。

上海市工业废气的回收利用亦始于 20 世纪 60 年代。各方面在中共上海市委领导下,因地制宜,就地回收,适当处理,充分利用,以无用为有用,变有害为有利,做了不少工作,但由于"三废"数量较大,可以利用而还未利用的物质尚多。20 世纪 90 年代后,上海深入开展城市环境综合整治,通过经济结构调整和企业技术改造,工业废气的回收利用得到了进一步的发展。

2. 城市垃圾处置情况

根据《城市生活垃圾管理办法》、《上海市市容环境卫生管理条例》等国家和地方性法律法规的规定,上海市积极开展了城市垃圾的分类收集、处置和综合利用工作,按照资源化、无害化的原则对废弃物进行处置,并采取措施逐步减少废弃物的产生,已取得了一定的成效。

(1)城市生活垃圾。

1999 年 9 月 15 日,上海市人民政府颁布了《关于加强本市环境保护和建设若干问题的决定》,指出我市推进生活垃圾减量化、资源化和分类收集工作的总体目标是:加快实施固体废物处置资源化,积极推进市区生活垃圾分类收集。按照"源头减量、资源回收、分类收集"的原则和要求,2000 年 6 月上海市第一批垃圾分类试点小区正式确立,由此开始了全面推行生活垃圾分类收集的工作。2000 年,中心城区生活垃圾分类收集的地区达到 20%。依据"2003 年—2005 年环保三年行动计划",生活垃圾分类收集和资源化利用成为工作重点。2003 年,上海市在固体废物资源化工作方面,在浦东新区、黄浦、徐汇等 16 个区建立社区废品回收利用交投站 150 多个。

截止到 2004 年底,全市累计建成 2230 个生活垃圾分类收集小区,覆盖率为 60.2%;设立了 250 个废旧物资交投站和 127 座生活垃圾压缩站;焚烧厂服务地区分类覆盖率为 90.3%;郊区政府所在地城镇分类覆盖率为 40%;老港生活垃圾填埋场四期和江桥生活垃圾焚烧厂二期等垃圾无害化设施建设有序推进,努力提高生活垃圾资源化和无害化水平;生活垃圾的资源化和无害化水平逐年提高,苏州河上游和郊区生活垃圾临时堆点的撤除,改善了苏州河两岸和郊区的公共卫生及生态环境,基本控制了生活垃圾无序堆放对环境造成的污染;共回收各类资源 14.2 万吨,各类可利用物资约 99443 吨,其中,累计分类回收废玻璃 13840 吨、废纸张 46245 吨、废塑料 20437 吨、废金属 18921 吨,另外回收有害垃圾 333 吨,其中废电池 311.5 吨(1163 万节),过期药品22.3 吨。

进入环卫系统的生活垃圾的资源化利用主要包括了生物转化利用和能源转化利用。前者通过生活垃圾综合处理设施(堆肥、生化处理)以及小型生化处理机就地消纳来实现,后者通过焚烧法典来实现。从2002 年下半年开始,上海浦东新区 100 多万城区居民每天产生的 1000吨生活垃圾不再送往深埋场深埋,而是进入中国大陆第一座大型现代化生活垃圾处理厂焚烧发电。这座发电厂位于上海浦东新区御桥工业区,上海每天产生的生活垃圾有 1.4 万吨,它每天处理 1000—1100 吨,占其中的十四分之一,每天发电 30 万—35 万千瓦小时,则可以供 10万户上海市民使用。

上海市垃圾回收处置已由单一处置模式向多元处置模式转化,回收利用、卫生填埋、焚烧和生化处理的固体废弃物处置系统已初步形成。为配合垃圾分类处置,上海在浦东、浦西分别建成了处理能力1000 吨/日的大型生活垃圾焚烧厂;浦东还建成 1000 吨/日的生活垃圾生化处理厂;卢湾区建成了 50 吨/日的生活垃圾分拣中心;安亭有害垃圾分拣处置站保障了有害垃圾从收集到运输到分拣存放的过渡性系统。分类设施配套的不断完善,为垃圾分类工作提供了硬件保障。在开展生活垃圾分类工作的基础上,按照垃圾的产生源、自身特性等因素逐步建立专项回收系统,使垃圾分类工作向深度发展。如率先在全国建成从产生单位付费、社会回收、专业处置、政府监管的回收网络,实现了一次性塑料饭盒从产生到处置的良性循环管理模式,到 2004 年上半年,共回收一次性塑料饭盒 7.2 亿只。从 2000 年开始,由上海市市容环卫局牵头,向各生产厂家征收"废物处置费"。按每个饭盒3分钱的标准收取,这3分钱中,1分钱用于收购废塑料饭盒,1分钱用于收集、运输废塑料饭盒的中间环节,1分钱贴给政府管理费用。又如餐厨垃圾专项回收系统,经过三年的探索,基本建立了餐厨垃圾的收集、运输、处置系统,处置能力有较大突破,目前全市餐厨垃圾处置能力已经达到600吨/天,初步满足餐厨垃圾处置的需要。同时塑料废弃物、电子垃圾、废弃食用油脂等生活垃圾的专项分类回收和资源利用也正在研究之中。

同时,上海市的生活垃圾处置仍存在一定的问题,如资源化利用水平不高,目前,上海市进行生物转化和能源转化的垃圾量不到20%,资源化利用水平还有待提高;无害化处理能力不足,2002年上海市生活垃圾无害化处理率仅为10.4%,远低于58%的全国平均水平;缺乏系统规范的市场运作机制,属地化管理的区县作业服务模式难以打破地域路段,缺乏竞争和激励机制。

(2)建筑领域的废弃物。

20世纪90年代以来,上海城市建设迅猛发展,平均每年有6000个建设工地,加上大规模的旧城区改造工程,产生了大量的建筑废弃物和垃圾。

建筑领域产生的废弃物基本可分为工程渣土、工程泥浆和建筑垃圾三大类。目前,工程渣土每年的产生量为1800万吨左右;工程泥浆每年的产生量在300万吨左右;建筑垃圾由于申报管理模式不同没有相对准确的数据,据估计全市每年的产生量约为200万吨至300百万吨;综合上述数据,全市每年建筑领域的废弃物产生量在2350万吨左右。2004年1月至8月,上海建设领域废弃物产生总量为1431万吨,其中渣土1201万吨,占84.%;泥浆168万吨,占11.7%;建筑垃圾62万吨,占4.3%。

上海建设领域废弃物利用率较高,其处置方式以标高回填为主,每年有需回填的场地3000个左右。由于处置难度不高,渣土和泥浆处置利用工作开展的较好,以原级利用和初级利用为主,泥浆的利用率已达到100%,渣土的利用率也较高。大部分的工程泥浆和少量深层盾构土通过管道运输到海边围海造田或吹泥还田;一部分工程泥浆运至固定滩地堆放或再利用。大部分的渣土用于基础回填。建筑垃圾的利用率相对较低,少量的建筑垃圾混入生活垃圾收运系统进行处置(处置费用较高),大部分装潢垃圾运至卸点简单填埋或用于场地平整和绿地建设;有部分建筑垃圾运至加工厂作为砌块或建筑骨料。

虽然全市的建筑垃圾通过市场调节基本做到产生和消纳的平衡,但应该看到,由于管理体制、运行机制、法律保障等方面的问题,上海市对建设领域废弃物的处置利用基本上还停留在相对粗放的初级阶段。

四、问题分析

1. 立法零散,缺乏统一立法

现有的与资源综合利用相关的法律法规纷繁复杂,较为零散,缺乏一部有关资源综合利用的统一的法律。上海市的地方性立法中,有关资源综合利用的内容散见在环境保护、市容卫生管理、节能等不同的地方性法规之中,不论是在形式上还是立法目的的一致性上都是有所欠缺的。

形成这种零散的立法模式的原因是多方面的。一方面,资源综合利用源起于资源战略与环境保护的需要,必然涉及资源开发、利用和环境保护的方方面面,因此有关资源综合利用的立法也相应的散见于各类的法律法规之中。另一方面,只有在实践的基础上,人们才能对事物有整体性的把握和认知。人们对资源的开发、利用和环境保护的认识是不断深入、发展的,资源综合利用工作也是逐步展开的,相关的立法也是随着客观条件的变化和工作的推进而逐步进行的。

但是,在现阶段,不论是从实践角度还是理论角度看,资源综合利用的零散的立法现状已经不再适应现实发展的需要。从实践方面看,资源综合利用是一项全局性较为明显的工作,它涉及社会生活的多个领域,要求对资源或二次资源进行系统的、合理的利用或再利用。零散的立法模式,加上制定有关规章的部门的不同,极有可能出现制定出来的法律法规在实际操作中不相协调或者难以衔接的情况,导致市场管理无序、资源浪费等问题,这样就与资源综合利用的本意相违背。从理论方面看,一个健全、完善的立法体系应该是统一严谨的。应该有统筹全局的有关资源综合利用基本法对各个环节加以协调,以保证立法目的的实现。由于资源综合利用的外延较广,内容多样,有必要配之以相关的单性法规制度不同的对象。加上针对解决具体问题的各类法规和规章,形成一个协调、完整的法律体系。

2. 现行有关资源综合利用的专项法律法规的效力等级偏低

如上所述,我国暂时还没有一部统一的资源综合利用方面的法律,亦无统一的行政法规。各类专项立法一般都是国务院各部门单独或联合办法的规章或规范性文件,并且大多是以"通知"的形式下达,效力等级相对偏低。上海市关于资源综合利用专项立法的只有少部分关于城市生活垃圾方面的政府规章以及市局级规范性文件,地方性法规中只有零散的条文规定。无论是在国家立法还是在地方立法中,有关资源综合利用的法律法规都呈现出效力等级偏低的状况。

目前,我国正在大力推行循环经济,上海更是走在全国循环经济发展的前列。资源综合利用是循环经济发展的必然选择,如此的立法状况和效力等级在很大程度上会影响资源综合利用的严肃性、权威性和强制性,不利于资源综合利用工作的有效展开,从而不利于循环经济的顺利推行。

3. 各政府主管部门之间的职能未能理顺,缺乏统一协调性

许多政府职能部门在履行管理职责中都多少涉及资源综合利用问题。依据《上海市市容环境卫生管理条例》的相关规定,城市生活垃圾、废弃物等的收集、运输和处置,由市容环境卫生管理部门统一组织实施。依据《上海市节约能源条例》的相关规定,上海市经济委员会是本市节能工作的行政主管部门,负责全市节能工作的监督和管理。节能与清洁市场、废弃物的处置有密切关系。而废弃物的处置又涉及污染防治、污染物总量控制等方面的问题,这些又属于上海环保局的职能范围。这样,仅就这三个部门之间的关系就难以明晰。

资源综合利用不但与资源问题相关还与环境保护联系密切。现行的法律法规只是各自规定了某一部门在某一领域具有某些职能,对各部门之间的职权范围划分并不明晰,形成部门间的权利不确定性,造成多头管理或者是相互推诿的局面。另外,上海市经济委员会、上海市环保局和上海市市容卫生管理局这三个职能部门的工作重点各不相同,各自有所偏向,即使有关法律法规规定了某一职能部门在某项工作上起统一协调作用也可能因其专项职能的导向性而使得在实现其他部门的职权目标上有所偏差,不利于统一的立法目的的实现。此外,由于不同的职能部门都基本是立足于本部门职责独立施政,这样就难免是从自身利益角度出发来处理问题,从而容易忽视整体利益,无法从总体上形成规范和促进资源综合利用的协调管理体制。

4. 在不同领域中市场机制作用有限

上海城市生活垃圾的废旧物资回收已经初步形成多种经济成分和多种回收渠道并存的市场体系。进行生活废旧物资回收的企业除了国有的、集体的,还包括股份合作制的、有限责任公司、个体户以及一些非正规就业组织。

资源综合利用的其他方面,尤其是工业废弃物的综合利用上,由于需要的投资较大,许多企业因为经营生产不善,很难展开相关活动。针对资源综合利用企业出现的税负增加、亏损严重的新情况、新问题,国家制定了一些优惠政策,明确了国家对资源综合利用实行鼓励和扶持政策。依据《国务院批转国家经贸委等部门关于进一步开展资源综合利用意见的通知》的规定,国家"实行优惠政策,鼓励和扶持企业积极开展资源综合利用"。享受优惠政策的范围,按照《资源综合利用目录》执行,主要是包括三个方面:增值税减免、所得税减免和消费税减免。① 即主要是通过税收的减免来扶持资源综合利用的开展。

然而,国家这一政策有其一定的局限性。首先,有关税收减免的具体项目比较少,仅十余项,范围窄,效果比较有限,只能对某些行业进行

---

① 国家现行的有关资源综合利用税收优惠政策主要体现在以下文件:《关于企业所得税若干优惠政策的通知》(财税字〔1994〕001 号)、《关于继续对部分资源综合利用产品等实行增值税优惠政策的通知》(财税字〔1996〕20 号)、《关于继续对废旧物资回收经营企业等实行增值税优惠政策的通知》(财税字〔1996〕21 号)、《关于印发固定资产投资方向调节税"资源综合利用、仓储设施"税目税率注释的通知》(国税发〔1994〕008 号)等。

扶持。资源综合利用往往投资大,收效周期较长,这样的政策扶持的经济作用的效果不够明显。其次,形式较为单一。虽然依项目的不同可分为免征、即征即退、减半征收等不同情况,但都是有关税收方面的调控手段,而未能综合运用财政等其他多种措施加以调节,为资源综合利用的开展提供足够的经济利益驱动。这样一来,就很难真正发挥市场机制的作用。

5. 法律责任规制的问题

无论是国家立法还是上海市立法,有关资源综合利用的条款中大多都使用了"鼓励"、"倡导"、"支持"等字眼,相应的在法律责任的归置中也往往不涉及相关条款的内容。也就是说,即使法律法规规定了资源综合利用的内容,但大多都属于鼓励和倡导性质,选择权掌握在企业手中。他们可以因为政策的扶持和激励而选择进行资源综合利用,也可以选择为了自身的短期利益而不进行资源综合利用,并且不需要为此承担法律后果。同时,在对于那些违反资源综合利用立法所造成的资源流失和浪费的法律责任这个问题上也存在着明显的缺失。比如对违反资源综合利用"三同时"规定的,擅自挪用资源综合利用资金的行为都没有规定相应的法律责任。这样不仅无法对违反法律规定者进行制裁,也会打击那些进行资源综合利用的生产者的积极性。这样一来,现有的有关资源综合利用的法律法规的权威性和强制力就受到了极大的挑战。

的确,如同在《清洁生产促进法》中大多规定的是鼓励性而非强制性条款一样,在资源综合利用领域并不适合采用过多的强制性规定。毕竟,发展是一个渐进的过程。资源综合利用的全面展开需要一定的社会、经济和政策基础。为了实现目的而盲目的采用强制性规定则极有可能因为缺乏法律实施的现实土壤而最终无法推行,造成立法资源的浪费和不良的社会效果。但是,随着循环经济的发展,对资源的合理利用和环境保护的重要性的需要越发迫切的时候,为了保障实施效果,设定一定的强制性规定便成为了必要,能有效的维护资源综合利用的权威性,保障资源综合利用的切实推行。

五、建 议

1. 统一立法，将资源综合利用的内容纳入循环经济立法范畴

资源综合利用涉及清洁生产、废弃物回收、利用和处置的各个环节，而任一环节实施状况的好坏都将影响到该领域整体运行的效果。要处理好各环节的关系就必须有一部统一的立法来进行统筹规划。目前，我国以及上海市有关资源综合利用的法律法规尚未形成一个统一的体系，相关条款分布零散，且效力等级相对偏低，统一立法将有助于保障资源综合利用的顺利推进，突显资源综合利用的重要意义。

所谓循环经济，是指一种运用生态学规律来指导人类社会的经济活动，建立在物质不断循环利用基础上的新型经济发展模式。它要求把经济活动组织成为"资源利用—绿色工业—资源再生"的封闭式流程，所有的资源和能源要能在不断进行的经济循环中得到合理利用，从而把经济活动对自然环境的影响控制在尽可能小的程度，以实现"低开采、高利用、低排放"的发展模式。开展资源综合利用，是我国一项重大的技术经济政策，也是国民经济和社会发展中一项长远的战略方针，对于节约资源，改善环境，提高经济效益，促进经济增长方式由粗放型向集约型转变，实现资源优化配置和可持续发展都具有重要的意义。它要求通过改善工艺、提高技术等多种方式和手段从源头上削减废弃物的产生，对产生的废弃物加以合理的收集、利用和处置，尽可能的减少对环境的负荷，提高资源利用效率。可见，资源综合利用是与循环经济"减量化、再使用、再循环"的要求相符的，是循环经济模式在推行中的实际的技术体现。资源综合利用是建立循环经济的必然途径。它有利于引导社会对资源的合理开采和再生利用，有利于以较小的代价取得较高的效益和效率，保证资源的永续利用。

正是鉴于资源综合利用和循环经济之间的这种关系，可以将资源综合利用的立法纳入循环经济立法的范畴之内。这种模式一方面有利于法律的连续性和统一性，避免不同法律之间的冲突，保证其得以顺利实施，另一方面有利于节约立法资源和立法成本。

党中央国务院提出建立节约型社会和循环经济，为中国社会经济发展建立了新的目标。上海市循环经济发展已经取得了一定的成绩，并正以科学发展观为指导，以优化资源利用方式为核心，以提高资源产生率为目的，以技术和制度创新为动力，积极转变经济增长方式，走新型工业化道路，探索符合上海实际的循环经济发展模式，加快建设资源节约型城市。循环经济的发展有赖于循环经济法律体系的建立。上海既存在进行循环经济立法的必要性和现实紧迫性，也具备相关的理论和实践基础。在国家尚未出台统一的循环经济立法的情况下，作为走在全国循环经济发展道路前列的上海可以根据自身客观的经济发展情况、资源与环境状况，先进行循环经济立法的尝试，并把资源综合利用这一经济技术政策统一于该立法之中，为以后各项具体的资源综合利用立法提供法律依据，并把资源综合利用的管理真正纳入法制的轨道。

2. 进行各专项立法，完善循环经济法律体系

由于资源综合利用涉及的范围非常广，其本身也包含了合理利用、废弃物的利用和再生资源的利用等多个方面的内容，这就决定了处于统领地位的统一立法只能是较为综合性的，主要起主导资源综合利用方向和协调具体各环节工作的作用，实际可操作性相对较弱，属于理念性立法。

针对具体情况，有必要建立具有较强可操作性的单行法，对不同的对象进行归置。在不与上位法和其他现有法律冲突的前提下，可以借鉴循环经济发展程度较高的国家的先进的立法经验，制定一系列的单行法律法规来保障资源综合利用的各项主要内容的实施。

考虑到上海市资源综合利用的范围主要涉及的是工业废弃物的处置、城市生活垃圾和建筑垃圾的处置等方面的内容，上海现已制定的各专项法规、规章以及上海的环境现状和即将面对的环境问题，建议可进行以下几个方面的单项立法：《建筑循环利用条例》；《家用电器循环利用条例》；《包装物循环利用条例》和《汽车循环利用条例》。

3. 确立指导思想，明确政府职能部门的分工，统一协调开展资源综合利用

资源的综合利用、循环经济的发展最初萌芽于人类对工业社会环境危机的警醒。对自然资源的过度开发将超过环境的承载能力而导致发展的停滞乃至毁灭。环境保护不单纯的是防治污染的问题,还包括了对资源的合理开发利用和对生态平衡的维护。也就是说,循环经济的发展是与环境保护密切相关的。虽然它作为一种经济发展模式不可避免地会涉及经济利益问题,但是从出发点角度看,它之所以存在是为了维护人类适宜生存的环境之平衡,使社会能够持续的发展下去。因而,在发展循环经济的过程中应当以环境保护作为指导思想,资源的综合利用应当以保障环境承载力、维护生态平衡、保护环境为主要目的。

一方面,在统一立法中明确各政府职能部门在资源循环利用领域内的权限。通过合理的分工合作和资源配置,有利于提高行政效率,避免职责空缺和相互推诿现象。各部门各司其职,有效的保证了经济效益和环境效益的实现。另一方面,统一的立法也能保证以统一的指导思想来对职能部门的职权进行划分,在分工合作的基础上协调好各部门的权力分配,保证立法目的的实现。

4. 在适当的领域规制强制性条款,保障资源综合利用的有效推行

法律依靠国家的强制力保障其实施,具有强制作用。如果一部法律不对责任加以规制或是设立的法律责任不恰当,就会导致不公平现象的产生,从而使法律丧失其应有的权威与效果。资源综合利用立法也不例外。在保证政府鼓励、扶持资源综合利用的前提下,有关资源综合利用的法律应当设立一些强制性条款,对某些方面违反法律规定的行为进行制裁,以维护法律的权威性。

考虑到经济发展的实际状况以及资源综合利用工作发展的阶段性,规定强制性条款的范围不宜过宽。对于那些由于企业因为资金实力有限而无法实行资源综合利用的方面不适宜设定强制性条款,而应当通过采取政府出台优惠政策,以诱导、激励的方式来实现资源综合利用。而对于那些具备条件却为谋取短期、眼前之个人利益、小团体利益而拒绝遵守资源综合利用相关规定的方面就必须进行制裁。这些方面主要体现在有些相关的程序性规定上,如违反有关认可管理的规定,或是违反了三同时制度的规定等。

5. 强化政府职能,运用多种手段促进资源综合利用的发展

(1)提供优惠政策,扶持和鼓励企业开展资源综合利用。

政府所提供的优惠政策应该包括财政、信贷、税费等多个领域,在范围上应对现已设立的范围有所突破,做到既能达到扶持的目的,又能调动企业的积极性,使之符合市场经济的市场化要求。

由于社会形势和经济发展状况都在发生飞速的变化,需要及时地对各项优惠措施进行研究和分析,对那些不合时宜的或收效甚微的优惠措施应当及时进行废止,并制定适应现实发展需要的相关政策。

(2)综合运用环境行政合同、环境行政指导等柔性手段,激励和诱导企业行为。

行政合同与行政指导都是十分有效地现代行政管理方式,由于其具有非权力性、可协商性等特点,有效地避免了传统的行政命令手段所带来的一些弊端,有利于形成公意的合法化,平衡和协调行政主体与行政管理相对人之间的矛盾等。环境行政合同和环境行政指导分别是行政合同与行政指导在环境保护领域的体现。

在资源开发利用领域,除了政府出台优惠政策之外还需要综合运用环境行政合同、环境行政指导等柔性手段。政府依据具体实际情况在自由裁量权范围内与生产者签订资源综合利用的环境行政合同,能够提供比普遍适用的优惠政策更具有吸引力的条件,从而更好地吸引生产者主动的进行资源综合利用。由于能较好的缓解政府与生产者之间的矛盾与对立,加上生产者本身往往不愿意与政府冲突,环境行政指导虽然不具有强制力,却也能在引导企业行为上有不错的效果。这样,通过不同的手段和方式就能多渠道地促进资源综合利用的发展。

(3)加大政府扶持力度,建立专项基金。

资源综合利用资金不足,一直是困扰综合利用的重大问题之一。建立固定的资源综合利用基金制度,有利于解决资源综合利用前提投资较大的困难。然而,专项基金的发放应当设立比较严格的申报条件,只能针对那些对环境影响特别显著而自身又确实缺乏相应的处置能力的生产者。对于其他生产者的扶持,还是主要以一般性激励诱导方式为主。

6. 推进市场化进程,充分发挥市场机制的作用

(1)在税费政策、信贷政策等给予倾斜的基础上,要确立生态效率原则。

资源性产品的稀缺性不仅体现在经济价值方面,也表现在生态价值之上。单纯的经济价格未必能切实的反映出资源性产品的真实价值。在进行资源的开发利用过程中不但要考虑经济成本,还要考虑进行资源综合利用的环境成本和社会成本。这样就扩大了资源循环利用的利润空间,有益于保护环境、提高资源利用效率的目的之实现。

(2)通过建立绿色标识制度,推进资源性产品的市场化进程。

在生产者方面,一方面要强化生产者责任的延伸,明确其在源头预防责任之外还需要负担起最终产品处置的责任,有义务对其生产的产品进行回收、再利用和处置;另一方面还要通过政府制定相关的优惠政策,使生产者能从资源综合利用的行为中获得足够的利润,只有这样才真正的能使资源综合利用成为企业行为的导向。

在消费者方面,通过建立绿色识别标志等制度,引导消费行为。而消费者的消费取向的变化将能在很大程度上影响生产者的行为方向。

在政府方面,为推进资源综合利用的市场化进程,其有责任建立绿色采购制度,支持再生产品的市场竞争力。强化优惠政策引导企业经营的鼓励与支持作用,以及各类专项资金资助企业绿色技术改造和先进循环技术的导向与示范作用,构建资源再利用和再循环及节约的赢利模式,从而形成促进生态产业发展的自发机制。同时,还应该严格实施市场准入制度和推行产品标准以提高产品生态化水平。

(3)建立、健全各类协会及其他中介组织建设。

各类社会团体和中介组织具有沟通政府与企业和公众的桥梁作用,能够缓解政府传统的行政强制手段所带来的不利影响,从而有利于政府职能目标的实现。因此,政府应当给予充分的政策支持,包括组织登记、优惠政策,以及让渡部分环境管理权限等。这样有利于调动社会各方面的力量,最大程度的缓和各类矛盾,从全社会范围内推进资源综合利用的开展。

(郑少华、张其帆:华东政法学院循环经济法研究中心)

循环经济立法的制约因素分析

周　珂

　　循环经济的思想源于美国经济学家鲍尔丁于 20 世纪 60 年代提出的"宇宙飞船理论",他将地球比做一艘在宇宙中飞行的宇宙飞船,必须依靠自身有限的资源才能生存。如果对飞船的有限资源进行过度的索取,就会加速飞船的灭亡;反之,如果对飞船的资源加以循环利用,则会延长飞船的寿命。但在 80 年代之前,循环经济的思想都未能引起人们足够的重视,当时盛行的仍然是末端治理的模式。宇宙飞船的理论代表了现代科学技术,它意味着循环经济的建设需要足够的资金投入,它的操作需要高超的技术,它的产出却相对有限。另一方面,如果不是宇宙飞船面临的资源极度紧缺,这种资源利用模式是不会产生,也没有必要施行。因此,这一理论 60 年代在西方产生以来,并未立即得到人们的响应,只是在 90 年代以后,随着全球性环境问题的急剧恶化,这种理论才在少数发达国家得到立法上的认可。1991 年德国《包装废弃物处理法》和日本《资源有效利用促进法》标志着循环经济进入了法制化的阶段。这些国家既是经济和科技最发达的国家,也是能源和资源最紧缺的国家,日本还曾是环境问题最严峻的国家。

　　循环经济之所以只在少数发达国家实施,表明原版的循环经济理论和制度处于一种阳春白雪的境地,从另一个角度来说,在客观上存在着实施循环经济的限制性条件或门槛,制约着这一事物在全球特别是在发展中国家的推广。这些制约因素包括经济上的、技术上的、体制上的和法律上的诸多方面,如果我们缺乏应有的重视,很有可能使循环经济在我国产生水土不服的问题。虽然循环经济的实施及其立法有以上制约因素,但在我国通过立法推动实施循环经济已日益成为人们的共识。

一、经济上的制约因素分析

虽然实施循环经济在理论上肯定会带来长远的和宏观上的经济效益增长,但在近期则必然要求环境保护方面投入的增大,以垃圾处理为例,非循环的填埋处理成本肯定大大低于分类处理和购入焚烧设备进行处理的成本。这种成本的增大,对于我国经济发达地区可能是可以承受的,但对于经济欠发达地区却是难以承受的负担。而在我国,以西部地区为代表的经济欠发达地区,本来其环境成本的压力就很大,由于其自然地理的原因,环境对污染的自净能力差,因而单位污染物的处理成本往往高于沿海经济发达地区。实施循环经济,加大政府和企业的环保投入,对于经济欠发达地区来说可能是一种新的难以承受的负担。在这种格局下,原版循环经济在我国的实施很可能会局限于少数经济发达地区,其功能会大大降低。因为在事实上我国最需要实施循环经济的地区,恰恰是那些经济欠发达、环保成本高、环保水平很低的“下里巴人”地区。

经济上的制约因素首先要求我国在循环经济立法时必须考虑我国不同地区的实施能力。在经济较发达地区,推行的力度应加大,而在经济欠发达地区,应以鼓励为主,并在财政支持上适度倾斜。其次是在空间上,循环经济在不同的领域其经济性是有差异的,例如,在农业领域实施循环经济投入较少而成效较大,在工业领域可能就需要较高的投入,结合我国的国情,农业循环经济应当是优先行动领域。再次是在时间上,所谓“三R”原则中的减量化原则即节约的原则,投入较少而见效较明显,我国循环经济应当首先着力于节约型社会的构建,待这种观念深入人心,再循序渐进地推行再利用和再循环等较“奢侈”的技术与行动。事实上,节约型社会与循环经济就好像算盘与计算机的关系,它们的功能和原理是一致的,而成本和难度有很大差异,二者合理搭配才能产生最大的效益。基于以上经济因素的分析,循环经济在我国的本土化首要任务是将其改造成为以节约优先、生态农业优先为标志的中国版循环经济。

二、技术上的制约因素分析

循环经济的建立需要大量现代科技的有力支撑,这些现代科技应当包括清洁生产技术、信息技术、能源综合利用技术、回收和再循环技术、资源重复利用和替代技术、环境监测技术等。[①] 而这些现代科技活动的普遍化、复杂化又要求它就是一种高度组织化、规则化和程序化的活动,是排除更多偶然性、任意性和专断性的活动。近年来,我国虽然高度重视运用现代科技力量促进环境保护事业的发展,但在这方面我们与西方环保先进国相比确实还存在较大差距,尤其是环保先进技术在经济欠发达地区的推广不够有力。与之相关的另一个问题是人们对环保技术的接受程度,在我国许多地方尤其是经济欠发达地区,拒绝环保技术,甚至擅自拆除环保设施的情况屡见不鲜。我国引进循环经济时必须正视在这个软实力方面的不匹配因素。

我国循环经济进行立法,应有效地建立循环经济科技管理体制和科技运行机制,组织、协调和管理这些科技活动,包括通过立法规定循环经济科技研究和管理机构的设置、组织原则、权限职能和活动程序,确定循环经济科技研究计划、投资方向和基金预算,规定循环经济科技组织制度、科技人员管理制度、科技发展计划的编制、审批和监督制度、科技经费管理制度、科技情报与档案管理制度、科技标准化制度、科技进步奖励制度等,并设置这一系列制度运作的具体程序。对循环经济进行立法,可以将国家发展循环经济的战略法定化,并将这一战略具体化、细则化、程序化,确定循环经济科技发展的合理布局和人、财、物的合理分配。另外,立法还可以调节发展循环经济科技过程中所产生的各种利益关系,使国家为发展循环经济所建立的奖励与处罚机制以法的形式得以公示并落到实处,使科技成果等到合理的使用和推广,为我

---

① 参见王成新、李昌峰:《循环经济:全面建设小康社会的时代抉择》,《理论学刊》2003 年第 1 期。

国循环经济的发展服务。此外,我国的环境教育立法应当提到日程,从长远来看,政府的推动是一时的,循环经济主要靠人们的自觉行动,没有全社会高度发达的环境意识,循环经济的实施必定会落空。

三、体制上的制约因素分析

体制上的制约因素表现在许多方面,值得关注的是国外的经验教训。德国非常重视环境保护的创新包括循环经济,与美国、日本不同的是,德国循环经济的实施过度依赖政府的行政管理,因而实施的成本较高,效益较差。在欧共体国家中,德国近年来经济增长不理想,已经有人将此归咎于环保拖累和政府在环保方面行政管理的低效率。这本身是一个矛盾:一方面循环经济的实施特别是初期的建设因其投入产出比较低,难以成为企业的自觉选择,因而客观上需要政府的推动和主导,另一方面循环经济的本质并不是行政管理,主要是企业和全社会的自觉行动。而我国的环境保护恰恰是带有强烈的行政主导色彩,循环经济立法在我国很可能是行政主导性的促进法,因此我们有必要借鉴国外的经验,重视体制上的问题并有针对性地制定对策。

首先,政府在实施循环经济的过程中应当是有所为而又有所不为。有所为是指管理和服务,例如,节约和减量应当是政府的强制性作为,建立循环经济科技支撑体系也是政府的积极作为,还包括推广循环经济技术及对环境污染防治重点地区和经济欠发达地区实施循环经济的必要财政支持等服务行为。但不应强制性推广和一刀切,诸如绿色 GDP、绿色消费、环境税、排污权交易、环境审计等,应量力而行,循序渐进。

其次,管理体制应当理顺。经济、科技、环保各部门齐抓共管,各负其责,管理、服务、监督相结合,总体看来,循环经济的实施应当是由经济主管部门综合协调,科技主管部门提供服务,环保主管部门监督检查。我国的清洁生产法基本上贯彻了"政府对企业等市场主体的清洁生产活动进行引导、促进和必要的行政强制,同时强化社会公众对环境污染、清洁生产状况的知情与监督"这一大多数国家清洁生产法所共有的原则,该原则是"既使'看不见的手',又使'看得见的手'有效调节"以及"以社会制约权力"等清洁生产指导思想和利益基础在法律上的具体表现。① 这是我国进行循环经济立法时所闪现的一个亮点。循环经济虽然是一种先进的经济运行模式,但它对科技与资金的要求却不是一般经济活动主体所不能够独立完成的。

再次,应当充分发挥各行业组织的自律作用和公众的积极参与作用。事实上,循环经济最理想的状态应当是成为企业的自觉行动,是企业利益、社会公共利益和国家利益的高度一致。促进法应当主要是在特定的阶段由国家来积极地推动,而从长远看,不应当总是促进,而应当是逐步走向良性的自我协调、自我约束、自我完善的正轨,在这方面,行业组织的自律作用不可忽视。欧洲现行环保新型机制正逐步走向企业的自我约束,例如著名的 ISO 14000 标准就是源于企业的自我约束标准,瑞士等国家的电子垃圾处理并不是依赖国家立法,而是相关企业联合起来,主动地制定行业规范。实施循环经济对公众参与提出了新要求,相对政府行为来说,公众参与不需要什么成本,而效果却是明显的。在循环经济立法中,可以扩大公众参与的范围与程度。循环经济的建立需要政府的主导与各经济活动主体的积极参与才能够共同完成,需要"有形之手"与"无形之手"共同发挥作用,而且更主要的是"无形之手"的作用。因此,我国的循环经济立法,应当更注重政府对市场主体清洁生产行为的引导、鼓励和支持保障,而不应当对企业清洁生产过程进行过多的直接行政控制。

四、法律上的制约因素分析

法律上的制约主要表现在两个方面,一是促进法的立法定位。《清洁生产促进法》是我国首部以促进机制为标志的立法,法学界对促进法的法律属性颇有微词,主要是认为该法在法律的强制性方面不够,只局限于一般性号召等。有学者指出:"有关清洁生产的规定虽然涉及政府在清洁生产方面的某些职责以及企业在清洁生产方面的某些权

---

① 参见王明远著:《清洁生产法论》,清华大学出版社 2004 年版,第 222—223 页。

利义务,但过于抽象、笼统,缺乏协调与配合,可操作性差,政策宣示的性质较为明显而法律意义不突出。易言之,原有立法并未为企业开展清洁生产提供切实可行的法律支持与保障措施。"①二是立法成本问题,目前国外尚无任何一个国家同时制定清洁生产法和循环经济法,以清洁生产法为多,只有少数几个国家如日本、德国制定有循环经济法,而且学者们也往往将这类循环经济法纳入清洁生产法之列。② 相应地,有些国家的清洁生产立法在学术界也被视为循环经济法。因此理论界有人主张为降低立法成本,现行清洁生产法可以代替循环经济立法。

循环经济依据的是生态学原理,与热力学、物理学原理基础上的清洁生产或节约型经济系统功能和机制均有所不同,不可替代,但可以互为补充。事实上,我国目前关于循环经济的概念也旨在强调它的生态性特征,这种特定意义上的循环经济概念已经将其与我国清洁生产法的概念区分开来。日本在对循环经济进行立法(《循环型社会形成推进基本法》)时,"推进"二字便有促进之意。德国的《循环经济和废物处置法》从形式上看并无"促进"字样,但在其第一条"本法的目的"之中也明确说明"本法律的目的是促进循环经济"。所以我国的循环经济基本法应直接采用"促进法"的形式。

清洁生产和循环经济的含义并不一致。两者主要区别点在于:第一,清洁生产的进步,在于变末端治污为源头治污,着眼于生产、服务领域,而循环经济活动过程是资源—生产—分配—交换—消费—再生资源,囊括经济活动的全过程,更有利于解决生产、资源、环境之间的矛盾。第二,清洁生产虽然也强调改进设计,采用先进的工艺技术、设备与综合利用,但它不同于循环经济的内涵为生态经济,根据生态科学来利用自然资源和环境价值,使经济活动同生态系统、生态平衡相结合,走社会经济发展生态系统内在化的路子。第三,两者事实的客观条件不同。实施循环经济比清洁生产需要更高的科技创新水平,更雄厚的

---

① 王明远著:《清洁生产法论》,清华大学出版社 2004 年版,第 220 页。
② 参见王明远:《清洁生产法论》,清华大学出版社 2004 年版,第 34、192 页。

经济实力,更成熟的政府宏观经济调控手段,更健全的市场机制,更正常的资源配置秩序,更多的科技与管理人才,更强的民众意识和普遍的绿色消费倾向等。① 也就是说,清洁生产是循环经济的第一阶段、初级阶段,循环经济是清洁生产的第二阶段、高级阶段。清洁生产是循环经济形态的基础,而循环经济则是清洁生产的最终发展目标,清洁生产是循环经济的内容之一,是循环经济在企业层面的实现形式。因此,循环经济是更为科学的经济模式,更能促进经济的良性循环。因此,我们更应积极致力于发展循环经济,这也是符合我国可持续发展的战略要求的。近年来,我国各届领导人及广大人民群众已就发展循环经济达成共识。如江泽民同志 2002 年 10 月 16 日在全球环境基金第二届成员国大会上指出:"只有走以最有效利用资源和保护环境为基础的循环经济之路,可持续发展才能得到实现。"胡锦涛总书记 2003 年 3 月 9 日在中央人口资源环境工作座谈会上强调指出:"要加快转变经济增长方式,将循环经济的发展理念贯穿到区域经济发展、城乡建设和产品生产中,使资源得到最有效地利用。最大限度地减少废弃物排放,逐步使生态步入良性循环,努力建设环境保护模范城市、生态示范区、生态省。"第十届全国人大一次会议 2003 年 3 月 18 日批准的《政府工作报告》明确提出,"支持发展循环经济"。这些为我国发展循环经济和加强循环经济立法提供了政治、法律和行政基础。②

实践证明,循环经济是最终走向可持续发展,实现经济与环境双赢的唯一道路。我国在经济上既有发展循环经济的迫切需要,在立法上又有一定的立法成就可作铺垫,而且外国已有比较先进的循环经济立法经验可资借鉴,因此,我国制定循环经济法的时机已经成熟。事实上,我国的《清洁生产促进法》实际上含有循环经济所要求的大量条文。如该法第十九条规定:企业在进行技术改造过程中,应当对生产过

---

① 参见唐荣智、于杨曜、刘金祥:《论循环经济及其法律调整》,《北京市政法管理干部学院学报》2001 年第 4 期,第 5 页。

② 参见谢振华:《序言》,国家环境保护总局政策法规司编译:《国外环境法规选译丛书·循环经济立法选译》,中国科学技术出版社 2003 年版。

程中产生的废物、废水和余热等进行综合利用或者循环使用;第二十六条规定:企业应当在经济技术可行的条件下对生产和服务过程中产生的废物、余热等自行回收利用或者转让给有条件的其他企业和个人利用;第九条进一步指出:县级以上地方人民政府应当合理规划本行政区域的经济布局,调整产业结构,发展循环经济,促进企业在资源和废物综合利用等领域进行合作,实现资源的高效利用和循环使用。由此可见,我国的《清洁生产促进法》在循环经济所要求的企业内部层次、企业之间层次及社会整体层次方面都有不同程度的体现。至于 3R 原则所要求的内容在《清洁生产促进法》中也是随处可见,只是还不够系统、和谐。因此,我国的《清洁生产促进法》在实质上孕育了、甚至包括了循环经济的内在要求,具有循环经济萌芽的性质。

在制定循环经济基本法之后,应及时在已经有成熟的科技与实践支撑的领域制定循环经济特别法,以加强循环经济法体系整体的可操作性。也就是说,"提供切实可行的法律支持与保障措施"的任务应落在各特别法之上,而不是由循环经济基本法来完成,如《再生资源回收管理条例》、《废旧家电回收利用管理条例》、《强制回收产品和包装物管理条例》等。

(周珂:人民大学法学院副院长)

宜昌三峡磷化工产业
循环经济发展对策研究

周赟鸿

一、引言[1~3]

湖北宜昌高新区三峡磷化工产业循环经济试点园区,为湖北省政府首批命名的省级循环经济试点园区,紧扼渝东鄂西咽喉,处于东进武汉、西出重庆的战略支点,三峡区域的中心地带。三峡工程这一举世瞩目的世界级工程催生出继长三角、珠三角、环渤海及东北经济圈之后的新的增长极——以宜昌为中心的三峡经济圈,辐射范围包括湖北的荆门、荆州、恩施、神农架和重庆的万州、涪陵等地。

区内磷矿资源丰富,属全国八大矿区之一,保有磷矿储量 8.27 亿吨。共有磷化企业 50 余家,为全国磷化工较为集中的区域。中国最大的化肥生产企业宜化集团,中国最大的无机盐企业兴发集团,中国最大的酵母生产基地安琪集团均位于试点园区,各企业结合各自产业特点,大力发展循环经济,取得了卓有成效的成绩。

经济发展的外部制约因素导致了物质线性流动向物质循环的发展,资源的稀缺性进而引发了资源反馈与循环机制的构建。循环经济的提出,是人类对难以为继的传统经济模式反思之后的创新,是对人与自然关系在认识上不断演进的结果。循环经济就是要借助于对生态系统与生物圈的认识,特别是产业代谢研究,找出经济与自然生态系统相匹配的运行途径,最终建立理想的经济生态系统。

人类从地球获取资源制造产品,如果多数产品使用后被丢弃,那么资源将不断减少,废物则相应增加。与此相反,循环经济型产业链则使所有的物料和能量能在适度的循环中得以利用,从而把人类活动对环境的影响控制在尽可能小的程度,因此循环的物流是一种排放足够小的物流,它既不有悖于发展,又不危害环境,真正在技术层面、社会层面和生态层面体现了可持续化。因此,从长远角度看,循环经济型产业链是高新区发展的必然趋势。

二、宜昌高新区三峡磷化工产业现状剖析

1. 三峡磷化工产业发展循环经济的基础

宜昌高新区包括东山园区和猇亭园区,面积33.6平方公里,经过近二十年的发展,已初步形成化工、生物医药、新材料、机械电子等主导产业。

猇亭园区为重要化工园区,目前已形成以宜化、新洋丰、三新、兴发等集团为主的磷化工企业群。2005年磷化企业实现生产总值90亿元,产品涵盖磷复肥、黄磷、五钠、工业级食品级和电子级磷酸及其他深加工产品。园区内各企业通过大力发展循环经济,推行清洁生产,注重采用高新技术和先进适用技术改造传统产业,在短短几年内取得飞速的发展。主要是由于:其一,注重产品结构的调整,根据公司资源条件和产业布局,延长和拓宽了生产链条、促进了产业间的共生耦合;其二,通过节能降耗、技术改造、比较管理等,减少资源的消耗和废弃物的产生;其三,通过国际合作、技术创新等使废弃物最大限度地转化为资源,变废为宝,提高资源的再利用率和综合利用率。

2. 三峡磷化工产业发展循环经济的实践

以宜化集团为例,在生产中,宜化通过原料路线的调整和比较管理减少了煤炭资源的消耗,通过技术改造和创新节约了磷矿、水、电、油等资源的消耗,并使资源的利用率得到有效提升。2001年宜化公司合成氨生产能力35万吨/年,年消耗优质块煤68万吨,而块煤在运输和转运过程中造成的粉煤率高达15%—20%,即10.2万吨/年—13.6万吨/年,这部分粉煤不能应用于公司造气炉生产,只能以低廉的价格外

售,每年直接给公司带来 2000 多万元的经济损失,大大降低了企业经济效益,同时由于块煤资源紧张,采购越来越困难。2001 年公司通过粉煤成型气化取代原有的块煤直接气化,用相对廉价的粉煤经过破碎、配制、输送、沤化等工序后成型以代替价格较高的块煤为原料生产合成氨,提高了资源的利用率。按 2004 年宜化集团 80 万吨/年合成氨生产能力计算,年可以为国家节约块煤资源 104 万吨,减少原料成本约12400 万元/年(以粉煤和块煤的差价 200 元/吨计算),而且还提高了对本地粉煤资源的综合利用率,同时缓解了国内煤炭交通运输的局部压力。

兴发集团是一个矿电结合、以磷化工为主业的生产企业,集团考虑采用高附加值、低耗能的生产方式。对于磷矿开采采用选矿技术,优质磷矿生产高附加值的精细化工产品,对大量的粉矿和低品位磷矿实行综合开发利用。在生产的各个环节把资源的经济利用、综合利用放在首位,最大限度地减少消耗,发挥效益。采用循环经济的发展模式,把生产中的废弃物"资源化",将废弃物最大限度的转化为资源,如黄磷尾气生产甲酸,磷泥生产次磷酸钠,磷渣制水泥,磷石膏制建材,次磷酸钠残渣回收制亚磷酸盐,次磷酸钠尾气生产有机磷阻燃剂等。兴发与中化集团联合开发 120 万吨/年磷复肥项目,通过"矿化"、"矿肥"相结合,综合利用了低品位磷矿和粉矿,充分利用了磷矿资源。为解决在黄磷生产过程中产生的磷泥,公司通过技术攻关,新上项目将磷泥转化生产次磷酸钠,既节约了资源,减少了环境污染,又取得了可观的经济效益。

3. 三峡磷化工产业发展拟解决的关键问题

通过创建循环经济试点园区,推进园区循环经济发展,加强对企业循环经济工作的指导,促进企业开展清洁生产,节能降耗,加强资源综合利用,减少乃至消除对环境的污染。宜昌高新区三峡磷化工产业循环经济发展拟解决的关键问题为:

(1)进一步减少磷化工业对资源、能源、水等的消耗。(2)解决困扰园区的每年数百万工业废渣堆放、对环境的污染问题,并将其资源化。(3)通过完善工业链、生态链,将磷化工业废气充分利用,进行资源化,实现工业生产经济效益最大化。(4)通过创建磷化工循环经济示范区、建成循环经济示范企业,为宜昌乃至全国解决该行业废物综合利用、消除环境污染探求出一条新路。

三、构建宜昌高新区三峡磷化工循环经济产业链的基本构想

要实现循环经济的减量化、资源化和再利用目标,必须调整产业结构,改变经济增长方式,变大量消耗资源的简单加工生产向充分利用资源的深度加工转变,大力发展精细化工,提高产品附加值,促进经济的良性发展。

所谓符合循环经济理念的磷化工产业链,就是一种以确保环境质量和可持续发展为目标的有选择性的循环利用过程。宜化集团循环经济产业"横"、"纵"向链简图如图1、图2所示。

四、构筑宜昌高新区三峡磷化工循环经济产业链的支撑体系

1. 三峡磷化工循环经济产业链的技术支撑体系

高新区应针对推进循环经济和环境保护过程中存在的问题,依托高校和科研院所,积极开发循环经济所倚重的各类技术,推广成熟技术,鼓励企业根据各自情况,采用及研发新型适用技术。

按照循环经济理念统筹规划、科学建设。构筑三峡磷化工循环经济产业链的技术支撑体系的重点包括:一要加快引进高新技术和先进适用技术或者技术创新提升循环经济发展的技术水平;二要组织重大技术示范项目,以解决三峡磷化工循环经济发展中的共性和关键技术,推动固废处置技术的研究和实施。加强对磷渣、磷石膏等综合利用技术的研究;三要加快先进适用技术的推广,如宜化的粉煤成型气化技术等。

2. 三峡磷化工循环经济产业链的经济支撑体系

经济手段,主要包括收费、税收、补贴、价格等,经济手段是市场经济条件下高新区管理的必要手段,对缓解财政负担,保证循环经济型磷化工产业链的构建具有重要意义。

加强有针对性招商,插缺补遗,完善"链接"。针对有的企业废物

循环经济立法研究

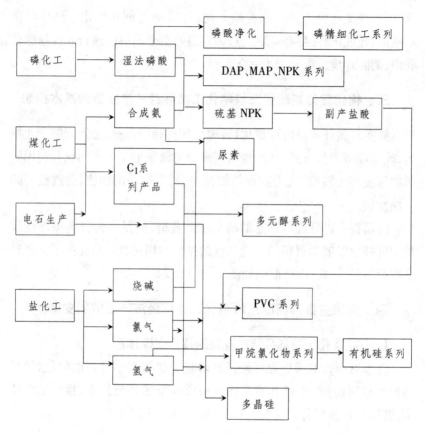

图1 宜化集团循环经济产业"横"向链简图

产生量大,而企业因资金、技术、场地等原因无法消化掉这些废物,招商部门可以开展有针对性的招商,使那些有技术、有资金的企业能将这些废物变废为宝,进行资源化利用,从而帮助消除可能造成的污染,完善区域内"生态链"。

3. 三峡磷化工循环经济产业链的法律支撑体系

美国 1990 年通过了《污染预防法》;德国 1994 年公布了《循环经济和废物清除法》;日本 1991 年以来先后制定了比较健全的促进循环经济发展的法律法规体系,可以分成 3 个层面,基础层面是 1 部基本法,即《促进建立循环社会基本法》;第二层面是循环性的两部法律,分别是《固体废弃物管理和公共清洁法》和《促进资源有效利用法》;第三

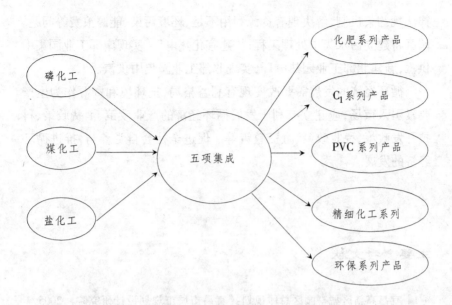

图2 宜化集团循环经济产业"纵"向链简图

层面是根据各种产品性质制定的几部具体法律法规,分别是《促进容器与包装分类回收法》、《家用电器回收法》、《建筑及材料回收法》、《食品回收法》、《绿色采购法》、《化学物质排出管理促进法》等;加拿大和许多欧盟国家也在其原有的环境和资源立法中增加了推行循环经济、清洁生产的法律规范和政策规定。

借鉴国内外经验,结合宜昌高新区的特点,制定高新区促进循环经济发展相关管理办法,推动循环经济发展。①加强执法力度,提高执法水平,通过贯彻执行国家有关环境保护、清洁生产、循环经济等法律法规,推进循环工作开展。②建立项目环保准入制度。凡进入开发区的项目,不但要符合国家产业政策和导向,还需要产品的技术含量,企业有没有环境保护和清洁生产的能力、技术、设备和措施。

五、结　论

循环经济型磷化工产业链应大力发展替代技术、减量技术、再利用技术、资源化技术和系统技术,通过技术支撑体系、经济支撑体系和法律法规约束机制,解决现有资源利用不足、环境污染、能源浪费等问题。园区将建立污水集中处理工程;扩建宜化热电厂,实现南部工业园集中供汽;新建北部工业园热电厂,实现北部工业园集中供汽。

循环经济的发展需要改变现有利益格局,把环境和资源作为生产要素引入市场,应建立有利于发展循环经济的产业政策、消费政策、科技开发政策、税收政策、融资政策等。促进全社会自觉参与,推进循环经济的发展。

主要参考文献

[1] 宜昌高新区猇亭园区总体规划:《宜昌市城市规划设计研究院》,2005 年4 月。

[2] 毛如柏、冯之浚主编:《论循环经济》,经济科学出版社 2003 年版。

[3] T. E. Graedel, B. R. Allenby 著, 施涵译:《产业生态学》,清华大学出版社 2004 年版。

[4] 《宜昌高新区猇亭园区分区规划》,《宜昌市城市规划设计研究院》2005 年版。

[5] 《宜昌高新区猇亭园区基础设施(控制性规划)说明书》,宜昌市城市规划设计研究院 2005 年版。

[6] 《兴发集团楚磷公司循环经济发展基本情况》,兴发集团 2006 年版。

[7] 《湖北洋丰集团十一五规划纲要》,湖北洋丰集团 2006 年版。

(周赟鸿:湖北省宜昌高新区管委会副主任)

中国推进再生资源产业发展的政策思考

北京工业大学循环经济研究院

前　言

　　人类意识到粗放式线性经济所带来的巨大灾难后,循环型经济模式成为了实现可持续发展的重要途径,并被各个国家和地区逐步认同和不断实践着,尤其受到了欧盟、日本、北美等发达国家的高度重视。世界环境保护思想从"末端治理"、"生产过程控制",演进到现在的"源头防治"。但是,无论在哪个阶段,人口、资源和环境都是全人类面临的共同问题,它们相互联系、相互影响、错综复杂,而核心问题是资源问题,因为它是人类赖以生存的物质基础,而环境是社会得以持续发展的前提条件,人口、资源与环境的协调发展则是经济增长与社会进步的主要推动力量和重要标志。

　　随着我国经济持续快速增长,能源、资源紧缺压力不断加大,环境问题日显突出,对经济社会发展的瓶颈制约日益突出。《中共中央关于制定国民经济和社会发展第十一个五年规划的建议》提出大力发展循环经济,要加快建设资源节约型、环境友好型社会,促进经济发展与人口、资源、环境相协调。以科学的发展观指导有中国特色的循环经济发展,以"减量化、再利用、资源化"为原则发展经济,按照自然生态系统物质循环和能量流动规律重构经济系统,使经济系统和谐地纳入到自然生态系统的物质循环过程之中,用"资源—产品—再生资源"的环状反馈式循环理念重构经济运行过程,最终实现最优生产、最适消费、最少废弃。

一、对再生资源产业的基本认识

近年来,发达国家十分注重资源的回收和再利用,并将其发展成一个集"回收"与"再利用、资源化"为一体的独立产业——再生资源产业。

1.再生资源产业的内涵

再生资源产业是指从事再生资源流通、加工利用、科技开发、信息服务和设备制造等经济活动的集合。再生资源产业通过建立废物和废旧资源的回收、综合利用、资源的再生处理体系,从根本上解决废物和废旧资源在全社会的循环利用问题。

资源再生综合利用包括三个方面:一是在矿产资源开采过程中对共生、伴生矿进行综合开发与合理利用;二是对生产过程中产生的废渣、废水(液)、废气、余热、余压等进行回收和合理利用;三是对社会生活中的各种废旧物资进行回收和再生利用。前两项为产业废物的循环利用,后一项为生活废弃物的再生利用。

2.再生资源产业的形成

(1)废弃物变资源的基础。

再生资源产业能够持续发展必须建立在以下基础之上:存在大量的废弃物;废弃物具有有用的属性;有把废弃物在资源化的技术;存在对再生产品的需求。

(2)高新技术为依托。

发展再生资源产业必须借助于高新技术,开发使废弃物转化和再利用、再生利用结合的静脉物流效率化技术,使开发废弃物不仅能在自己的生产流程中得到再利用,还能在其他事业者之间得到再利用。

(3)物质流分析与管理。

发展再生资源产业必须运用物质流分析与物质流管理的思想,通盘考虑经济、社会和生态环境各个方面的不足和潜力,建立关键合作伙伴间的信息交流和有效的合作关系网,通过增加物质循环量,提高资源回收利用率、资源循环利用率,将垃圾流变成资源流。

（4）生命周期评价方法。

发展再生资源产业不仅要对经济系统进行物质流分析与管理，还要运用生命周期理论对产品从最初的原材料采掘到原材料生产、产品制造、使用及用后处置的全过程进行跟踪和定性评价。从而，更好地把握各种废弃物的资源价值和转化方向，降低资源再生、综合利用的成本，提高经济效益、社会效益和生态效益。

3. 与循环经济的关系

循环经济的概念无论是从资源综合利用的角度界定、从环境保护的角度界定、从技术范式的角度界定、从人与自然关系界定、还是从经济形态和增长方式的角度界定，都无法脱离资源的高效利用和循环利用的核心。广义的循环经济，是指围绕资源高效利用和环境友好所进行的社会生产和再生产活动。狭义的循环经济就是指通过废物的再利用、再循环等社会生产和再生产活动来发展经济。

循环经济遵循"减量化、再利用、资源化"的 3R 原则。资源化原则就是输出端方法，通过把废弃物再次变成资源以减少最终处理量，也就是我们通常所说的废品的回收利用和废物的综合利用。

由此可见，再生资源产业遵循循环经济理念，以资源循环为主要特征，是实现"资源—产品—再生资源"的闭环反馈式循环过程的必须环节。

二、目前我国经济增长遇到的四大资源难题

1. 我国资源相对缺乏

我国常规资源占有量为世界总量的 10.7%，人均能源资源占有量不到世界平均水平的一半，仅为发达国家的 1/5—1/10。

已探明煤炭储量占世界储量的 19%，为世界人均平均值的 89%；原油储量占世界储量的 1.4%，仅为世界人均平均值的 1/10；天然气储量占世界储量的 1.2%，仅为世界人均平均值的 1/20。

耕地面积约占全世界耕地总面积的 9%，人均耕地面积 1.41 亩，为世界人均面积的 44%；人均森林面积 1.98 亩，为世界人均的 1/5；人均木材蓄积量 9.05 m^3，为世界人均的 1/8。

我国已有 16 个省市人均水资源低于联合国规定用水紧张标准,人均低于 1700 m^3 为用水紧张地区;全国人均水资源占有量不足世界平均水平的 1/3。

现有 45 种矿产资源人均量低于世界人均量的 50%,其中铁矿石为世界人均量的 42%;铜矿为世界人均量的 18%;铝矿为世界人均量的 7.3%。

(1)矿产资源总量大、人均少,大宗矿少、伴生矿多。

我国已发现 168 种矿产,探明储量的矿产有 153 种,其中能源矿产 7 种,金属矿产 54 种,非金属矿产 87 种,以及地下水和矿泉水。我国已成为世界上矿产资源总量丰富、矿种比较齐全的少数几个资源大国之一。但是人均占有量不足,仅为世界人均占有量的 58%,排在世界第 53 位。我国人口占世界的 21%,但石油、天然气、铁、铜、铝、镍、钾盐等重要矿产已探明储量占世界总储量的比例均小于 5%。我国主要金属矿产已探明人均储量不足世界人均值的 1/4。铜和铝只有世界人均水平的 1/6 和 1/9,即使较为丰富的煤炭资源,其可采精查储量的人均占有量只有世界人均值的一半左右。为此,决定了我国资源综合利用与再生产业发展空间大,发展潜力大,但技术要求高。

(2)消费需求剧增,国内供应能力快速下降。

随着工业化过程的深化、产业结构的不断升级以及环境保护的要求,尤其是交通运输业的快速增长,石油、天然气等能源矿产以及黑色金属、有色金属、非金属和建筑材料等矿产资源的消费量迅速增加,产消矛盾加剧。表 1 给出 2003 年我国 11 种主要矿产资源的产量与消费量。可以看到,石油、天然气、铜、铁矿石、钢材、氧化铝、铅、锌等多种矿产资源的国内产量已经无法满足市场需求。

表 1   2003 年我国 11 种主要矿产资源的产量与消费量

资源种类	年采矿量(吨)		年消费量(吨)	
铁矿石	铁矿石亿吨	2.61	铁矿石亿吨	5.57
钢材	钢材亿吨	2.36	钢材亿吨	2.46
铝土矿	铝万吨	596.2	铝万吨	559.88

资源种类	年采矿量(吨)		年消费量(吨)	
氧化铝	氧化铝万吨	611.21	氧化铝万吨	1165
铜矿	铜万吨	60.44	铜万吨	372
铅矿	铅万吨	95.46	铅万吨	116.9
锌矿	锌万吨	202.91	锌万吨	214.45
金矿	金吨	200.6	金吨	213.2
原煤	煤亿吨	17.28	煤亿吨	16.45
石油	石油亿吨	1.69	石油亿吨	2.69
天然气	天然气亿立方米	341.30	天然气亿立方米	391.33

从 1990 年至 2003 年,我国石油产量缓慢增长,产量从 1.37 亿吨增长到 1.69 亿吨,平均增率仅 1.8%。而同期消费量则从 1.18 亿吨增长到 2.69 亿吨,年均增率达 9.84%。自 1993 年我国成为石油净进口国以来,进口量连年增长,2003 年进口量达到 8829 万吨,7 年间进口年均增加 60% 以上。2003 年,国内石油生产对消费的供应程度降为 62.8%。

1985 年以来,粗钢的产销量、铁矿石的产量和进口量持续上升。1985 年到 2003 年的 18 年间,钢产量从 4675 万吨增加到 2.20 亿吨,年均增长 20.6%。铁矿石产量也同步增长,但仍无法满足市场需求。近 10 年来,铁矿石进口量稳步攀升,2003 年进口富铁矿石 14812 万吨,10 年间年均增率超过 20%。目前铁矿石进口量达国内原矿生产量的 56.8%。

近年来,我国有色金属产销量快速增长,2003 年 10 种常用有色金属产量达到 1228 万吨,但主要有色金属铜、铝、锌矿产生产的相对供应能力下降,产销矛盾日益突出。自 1990 年以来,国内矿产铜生产对铜消费的供应能力维持在从 40% 以上降至不到 30%,2003 年我国国产铜原料只能满足冶炼需求的 24%。自 20 世纪 90 年代后期以来,矿产铝(氧化铝)生产不能满足精炼铝生产需要,精炼铝生产不能满足消费需求,氧化铝原料和铝精炼产品进口持续增长。目前,国产氧化铝只能满足冶炼需求的 52.5%。与铜矿和铝土矿相比,我国锌矿资源品质相对较好,资源竞争力较强,因而也成为过量开采的牺牲品,造成锌矿资源的过快消耗。如今,国内矿山锌只能满足冶炼需求的87.52%。

2. 重要资源对外依存度增加

我国资源短缺、消耗量过大,不得不从国外进口大量的石油、铁矿石、铝等。2004 年我国石油净进口量 1.44 亿吨,占全国消耗量的 45%,已成为仅次于美国和日本第三大石油进口国。2004 年我国进口铁矿石 2.08 亿吨,占世界贸易量的 30%。资源大量进口,除消耗大量外汇外,还导致涨价,如 2004 年石油进口 431 亿美元,2005 年铁矿石涨价 71.5%,由此危及我国的经济和战略安全。

表2 2003 年我国主要矿产品的生产、消费及对外依存度

品种	矿山产量	冶炼加工产量	消费量	对外依存度(%)
原油 /亿吨	1.67	/	2.57	36
煤炭 /亿吨	16.67	/	15.9	0
铁矿石/亿吨 (成品矿)＊	1.65	2.22(钢)	2.81	47.3
铜 /万吨＊＊	60.4	184	321	69
铝 /万吨＊＊＊	305	596	548	37
钾盐 /万吨	78.6	/	482	84

＊平均品位64%;＊＊铜精矿、精铜及废铜合计;＊＊＊氧化铝折合金属铝。
注:表中铜、铝对外依存度考虑了资源二次回收。

根据中国工程院《中国可持续发展矿产资源战略研究》综合报告等研究,2010 年石油、煤、钢、铜、铝等需求的增长将分别保持在 4.5%、4.9%、6.3%、5.4% 和8%左右。2020 年 10 种有色金属的需求总量将达到3000 万吨。

我国主要矿产资源分品种需求保持增长。煤炭:2010 年需求 22.2 亿吨,2020 年需求 25.8 亿吨,在 2000 年基础上接近翻一番;石油:2010 年需求将超过 3.5 亿吨,2020 年突破 4.5 亿吨,在 2000 年基础上增加 1 倍;天然气:2010 年需求 1500 亿立方米,2020 年 2000 亿立方

米,约为2000年的6倍多,在能源结构中比例迅速提升到10%—15%,以弥补石油的不足;钢材:2010年需求3.2亿吨(需用铁精矿4.0亿吨—4.7亿吨),大约在2015年经过3.3亿吨的高峰之后,2020年回落到3亿吨,扣除二次资源回收量,2020年需用铁精矿3.3亿吨—4.1亿吨,大约是2000年的2.1倍(1番);铜:2010年需求量为450万吨—480万吨;2020年的需求量为640万吨—690万吨,减去二次资源回收量,一次资源需求为412万吨—562万吨,约为2000年的2.8倍(1.5番);铝:2010年需求约880万吨—1000万吨,2020年需求约1340万吨—1500万吨,扣除二次资源回收量,2020年铝一次资源需求量为1120万吨,是2000年的(370万吨)3倍(1.6番);镍:2010年需求(按统计)约20万吨—21万吨,2020年30万吨—32万吨,为2000年5.9倍;铅:2010年需求约200万吨—220万吨,2020年260万吨—300万吨,减去再生铅的回收,一次资源用量约为2000年3倍;锌:2010年需求约320万吨—340万吨,2020年400万吨—500万吨。减去二次资源回收,一次资源消费约为2000年3.4倍。

按上述分析结果测算,我国将用矿产资源翻一番或略多,支撑GDP翻两番。2020年我国基本实现工业化时,人均消费相当于美国和日本高峰期人均年消费量的1/3到1/2。这是符合我们国情,能够克服资源和环境的制约,通过努力可以实现的战略目标。

近年我国能源和大宗矿产资源的对外依存迅速上升。2003年我国原油进口量突破9100万吨,进口依存度36%;铁矿石需求的对外依存度达到52%,铝对外依存度接近40%,铜接近70%,镍的矿产自给约50%。

未来20年国内重要矿产资源供需缺口还将继续加大。对国内铁矿石、铜矿的储量状况和现有矿山产能消失以及新增产能的分析表明,铁矿石、铜矿的增产潜力十分有限。目前铝土矿产量的大部分由民采提供,这部分统计资料不全,产能趋势难以判断,但从我国铝土矿资源特点和近年来采富弃贫、资源破坏的不合理开发现状来看,未来的产能增长潜力不容乐观。需求预测和产能分析的结果显示,今后十几年二次回收金属量的逐步增加,将使矿产资源的需求增速减缓,但国内重要紧缺矿产资源储量的保障能力与矿山生产能力之间的矛盾,以及矿山生产能力与消费需求之间的缺口仍有加剧之势(表3)。

表3　2010年和2020年矿产需求及供需缺口预测

品种	单位	2003年 矿山产量	2010年			2020年		
			矿山产量	需求	缺口	矿山产量	需求	缺口
石油	原油 亿吨	1.67	1.8	3.3— 3.5	1.8— 1.9	1.8	4—5	2.5— 2.7
天然气	亿m³	407.6	1000	1068	68	1500	2107	500— 800
煤炭	原煤 亿吨	16.7	17.5	22.2	4.7	14.7	25.8	11.1
铁矿石	铁精矿 亿吨	1.65	1.65	4.0— 4.7	2.5— 3.0	1.6	3.3— 4.1	1.7— 2.5
铜	含铜量 万吨	60.4	70	450— 480	300— 350	80	640— 690	410— 460
铝	氧化铝 万吨	611	1100	880— 1000 金属铝	360— 600	1200— 1400	1340— 1500 金属铝	900— 1100
钾盐	K₂O 万吨	78.6	240	910	670	340	1150	810

2010年和2020年我国重要大宗矿产资源国内供需缺口分析:

煤炭:2010年煤炭产能与需求缺口为4.7亿吨,2020年产需缺口为11.1亿吨,到2020年,必须在2003年的基础上新增规模11亿吨左右生产能力。

铁矿:2010年铁矿石需求缺口2.7亿吨左右(铁精矿),对外依存度62%左右。由于二次回收废钢补充的不断增大以及钢需求量的降低,2020年铁矿石需求缺口降低到2亿吨左右(铁精矿),铁矿石对外依存度降低到57%左右。

铜:2010年国内原料供需缺口310万吨—350万吨,2020年缺口

410 万吨—460 万吨,对外依存度分别约 70% 和 65%。

铝:由于国内氧化铝产能的快速增长,2010 年铝原料(氧化铝+废铝+铝材)对外依存度从目前的 40% 降低到 30%,缺口约 300 万吨(折合铝金属)。由于国内高品质资源储量不足,如无有效措施,2020年铝原料总的对外依存度将再度接近 50%,缺口约 600 万吨。

钾盐(K_2O):2010 年国内供应缺口 670 万吨,2020 年缺口 810 万吨,相应对外依存度约为 70% 和 74%。

从以上分析可见,到 2020 年我国国内煤炭基本可以自给,但煤炭可采后备储量不足,石油、铁、铜、铝和钾盐等重要矿产单靠国内资源无法保障 2020 年和更长期的消费需求。因此,必须坚定不移地把开发利用国外资源作为今后长期的重要战略任务。

2020 年之后,我国较高的资源消费量还要持续下去,矿产资源勘察将是一项长期的重要工作。发达国家的实践表明,尽管进入后工业化发展时期,矿产资源的消费增速趋于平缓或回落,但今后相当长时期内仍将保持在一个较高的水平上。目前,发达国家不足全球 15% 人口仍然消费着全球 50% 以上的矿产资源和 60% 以上的能源。事实表明,能源与矿产资源在工业化和后工业时代都是支撑国民经济发展的基础。

3. 再生资源利用率低

我国循环经济尚未形成。流程制造业(包括冶金、化工、建材、石化等)消耗着大量的自然资源和能源,在生产过程中又伴随着大量的各种不同形式的排放物,造成巨大的浪费和环境负荷。

我国资源利用率低。2000 年我国万美元 GDP 用水量为 4749 立方米,是世界平均水平的 4 倍;工业用水重复利用率为 60% 左右,而发达国家多数已达到 80%—85%;农业灌溉水利用率在 45% 左右,低于发达国家 20—30 个百分点。土地粗放经营,1997 年—2004 年 8 年间非农建设净占用耕地 2147 万亩,但目前利用率仅 60% 左右;当前弃耕严重,全国农作物复种指数已不到 140%;化肥利用率只有 30%—35%,而发达国家超过 60%。我国矿产资源总回收率约 30%,比国外先进水平低 20 个百分点;全国煤矿平均资源综合回收率(煤炭的采收率)只有 30% 左右；全国油田平均采收率只有 27%；木材综合利用率约 60%，低于国外先进水平的 80%；工业固体废弃物综合利用率为 55.8%，堆积量达几十亿吨，占地很大。

废旧机电产品再制造率低。我国已进入机械装备和家用电器报废的高峰期。废旧汽车和报废家电正以惊人的速度逐年快速增长。废旧机电产品中含有大量宝贵资源和有害物质，"用之为宝、弃之为害"，目前该类产品的回收利用率低、拆解分类技术含量低、再制造技术使用率低。国内缺乏相关的回收企业、再制造企业和资源再生企业，从而导致材料、资源的大量浪费和环境的严重污染。

4. 污染问题严重

与发达国家相比，我国环境污染问题较为严重。据统计，我国每单位 GDP 产生的 NO_x 是日本的 27.7 倍、德国的 16.6 倍、美国的 6.1 倍、印度的 2.8 倍；所产生的 SO_2 是日本的 68.7%、德国的 26.4 倍、美国的 60 倍；化石燃料直接燃烧产生的 CO_2、SO_2 等有害物质的人均排放量也高于世界平均水平。2003 年我国 SO_2 排放量 2159 万吨，烟尘排放量 1048 万吨，工业粉尘排放量 1021 万吨，工业固体废料 1941 万吨，其中 85%—90% 是由于能源开发利用，特别是煤炭的粗放型开发利用引起的；烟尘和 CO_2 排放量的 70%、SO_2 排放量的 90%、NO_x 的 67% 来自于燃煤。尽管 2004 年我国 SO_2、CO_2 排放减少，2004 年火电厂的 SO_2 排放仍占全社会 SO_2 排放的 45%—50%，燃煤造成的 SO_2 和烟尘排放量约占排放总量的 70%—80%。由于 SO_2 排放大大超过环境自净能力，我国已有约 1/3 的国土受到酸雨污染；1980 年至 2002 年，我国 75 家钢铁工业 CO_2 排放总量的变化情况。

2004 年全国工业废水和城镇生活污水年排放总量达 693 亿吨，而城市污水处理率仅为 14%，工业污水处理实际达标率也很低，水污染环境严重。据统计，2004 年我国七大水系的 412 个水质监测断面中，Ⅰ类—Ⅲ类、Ⅳ类—Ⅴ类和劣Ⅴ类水质的断面比例分别为 41.8%、30.3% 和 27.9%，辽河、淮河、黄河、松花江水质较差，海河水质最差。流经城市的河流 64% 为Ⅳ类或劣Ⅴ类水，50% 城市地下水均不同程度地遭受污染。

耕地土壤污染状况令人担忧。我国受污染农田土壤近 3 亿亩,工业"三废"污染近 1.05 亿亩。污染重点区域为东南沿海地区,农产品品质安全问题已不容忽视。

三、推进再生资源产业发展的重要意义

从以上几大难题看,发展再生资源产业对于我国资源消耗大、需求大的现状尤其具有迫切意义。目前地下矿产资源经过大量开采,已接近枯竭。但根据物质不灭定律,这些物质并没有消失,而是转变成地上各种不同形态的物质而存在。这就是由热力学第一定律指出的增熵过程,熵的增加造成物质品位的降低,因而需要一个相应的负熵过程通过自组织还原物质的品位组成。这些物质成为将来再生资源的来源,"垃圾只不过是放错地方的资源","垃圾还是世界上唯一增长的资源"。21 世纪中后期,再生资源将成为我们资源需求的主要来源。

1. 推进再生资源产业发展是保障我国经济安全的重要举措

我国是一个人均资源比较匮乏的国家,主要 45 种资源的人均占有量不足世界平均值的一半,石油、天然气、铜和铝等重要矿产资源的人均储量仅分别相当于世界人均水平的 8.3%、4.1%、25.5% 和 9.7%。从目前看,我国已经开采的 400 处主要矿区大都进入中晚期,普遍存在着"少"(数量少)、"散"(分散在边远地区)、"贫"(品位低)、"杂"(伴生矿多)的问题,利用率不到 30%,开采成本却是国外的 2 至 4 倍,且多数已经成为污染、伤亡"重灾区"。近年来,我国经济发展对国际市场和外部环境的依赖性越来越大,一些重要的矿产资源对外依存度已经达到 50% 以上。从未来看,到 2010 年,我国 45 种主要矿产资源只有 11 种能依靠国内保障供应,而铁矿砂、氧化铝等关系国家经济安全的重要矿产资源将长期短缺。经济增长与资源供应的不协调、对资源进口的过度依赖成为国家经济安全的主要隐患。因此,大力发展再生资源产业可以有效缓解我国日益严重的资源短缺矛盾,保障我国的经济安全。

2. 推进再生资源产业发展是实现"存量"节约的最好途径

资源的存量节约是指已经被加工成产品的资源,如何回收与再利用,最大限度地充分利用回收各种废弃物。在我国矿产资源越来越少

的同时,社会积存的各种金属废品、边角料和含有色金属的各种溶液、渣等各种物料却越来越多。这些物料含金属通常比原矿高。综合来看,处理这些物料不管是直接经济效益还是社会效益都比从矿山开采矿石经选、冶、加工要好得多。以钢铁为例,21世纪初中国钢铁的社会积存量为12亿吨,预计到2020年,社会钢铁积存量有可能达到20亿吨。在相当长的时间里,社会钢铁积存量总是在增加的,如果能够很好地利用这部分资源,就可能取代大部分铁矿石,钢铁冶炼、加工也随之发生根本性变化。有色金属铜、铝、铅、锌的趋势与钢铁相似。这是解决矿物资源短缺的最好途径。研究表明,再生铝比重如果能够从目前的21%左右提高到60%,就可以替代3640万吨的铝矿石需求。但是另一方面,我国目前每年有500万吨废钢铁、20万吨废有色金属、1400万吨的废纸以及大量的废塑料、废玻璃等没有回收利用,即使回收利用的,也是多采用以材料有限再循环为主的简易形式,缺乏以产品再利用、再制造为内容的高层次的资源化方式,回收利用率较低。据测算,如果全国1400万吨纸都可以回收利用,就能生产1120万吨好纸,少砍2.4亿棵大树,还可以节省一半的造纸能源。

3. 推进我国再生资源产业发展是减轻环境污染的有效途径

当前,我国生态环境总体恶化的趋势尚未得到根本扭转,环境污染状况日益严重。水环境每况愈下,大气环境不容乐观,固体废物污染日益突出,城市生活垃圾无害化处理率低、农村环境问题严重。大量事实表明,水、大气、固体废弃物污染的大量产生,与资源利用水平密切相关,同粗放型经济增长方式存在内在联系。据测算,我国能源利用率若能达到世界先进水平,每年可减少二氧化硫排放400万吨左右;固体废弃物综合利用率若提高1个百分点,每年就可减少约1000万吨废弃物的排放;粉煤灰综合利用率若能提高20个百分点,就可以减少排放近4000万吨,这将使环境质量得到极大改善。如有色金属工业产生的三废大部分是矿石本身带来的。如果中国有色金属的总产量中有一半来自再生资源而不是来自矿石,废水、废气和废渣将大大减少,二氧化硫、砷、氟、汞、镉、铅等有毒元素在三废中的排放量也将明显下降,有色金属工业对环境造成的污染将从根本上得以改善。

4.推进再生资源产业发展是构建循环经济体系的必由之路

日本的学者形象地把开采自然资源(一次资源)、利用自然资源生产制造产业称做"动脉产业",而把回收、利用生产和消费活动中产生的废弃物(二次资源)生产再生资源的产业称为"静脉产业"。再生资源产业就是把废弃物分解、转换为再生资源的产业是"静脉产业"。下图表示了循环经济系统中各产业间的形态,矿业和农林水产业、建筑业、制造业、商业、再生产业形成网络,将所有产业统合到动脉产业和静脉产业中来。经济系统中的静脉产业,不仅能够最大限度地高效率利用资源、不生成废弃物,并且在减少废弃物、增加资源的同时还扩大了就业机会。这样的产业结构体系可以最大限度地消解保护环境与发展经济的对立和冲突。

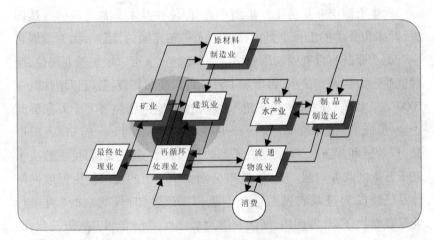

图1 循环型经济系统中各产业间的形态

5.推进再生资源产业发展是提高企业经济效益的重要措施

目前我国资源利用效率与国际先进水平相比仍然较低,突出表现在:资源产出率低、资源利用效率低、资源综合利用水平低、再生资源回收和循环利用率低。比如,按现行汇率计算,2003年我国GDP约占世界的4%,但重要资源消耗占世界的比重却很高,石油为7.4%、原煤31%、钢铁27%、氧化铝25%、水泥40%。即使剔除一些不可比因素,我国资源利用率与世界先进水平仍有较大差距。目前,我国矿产资源总回收率为30%,比国外先进水平低20个百分点,共伴生矿产资源综合利用率为35%左右。

利用再生资源的可以大幅度节能,这是一般的工艺和装备改进所无法比拟的。如对于高能耗的有色金属工业来说,要走出产量增加、能耗上升的状况,单靠小改小革的节能措施难以奏效。而铜的循环利用节能可达84%,而铝则高达96%,资源循环的节能潜力非常明显。同时,有人统计,再生有色金属的生产费用大约只有从矿石生产有色金属费用的一半。生产1吨再生铝比从矿石生产1吨铝节约投资87.5%,生产费用降低40%—50%。再生资源循环利用使投资和生产成本大幅度的降低,为此,可以降低企业生产成本、提高经济效益和竞争力。

6.推进再生资源产业发展有利于扩大就业

再生资源产业是劳动密集型产业,即使在技术非常先进的发达国家,拆卸和分类的工作也是由熟练工人手工完成的,因此,大力发展再生资源产业既可以有效利用我国的人口优势,又可以增加就业岗位,缓解就业压力。调查显示,每增加1万吨进口废旧物资,就可以增加就业1000人。目前,在我国"长三角"、"珠三角"地区已经有上千万家拆解企业,形成了"进口废旧产品——再生成新产品出口——进口废旧产品"产业链和加工区,不仅促进了当地经济的快速发展,而且也解决了几千万人的就业问题。另外,遍布全国大中城市的废旧物资回收网络体系已经成为进城农民工就业的重要渠道。如:仅北京的"再生行业",就解决了20万四川、河南收集大军,200万河北加工队伍就业;回收了500万吨物资。

总之,发展我国再生资源产业有利于形成节约资源、保护环境的生产方式和消费模式,有利于提高经济增长的质量和效益,有利于建设资源节约型社会,但我国发展再生资源产业是一个长期而复杂的任务,需要从区域经济布局和产业经济结构调整等不同角度对其进行发展战略和政策研究。

四、我国发展再生资源产业存在的不足

1.对发展再生资源产业认识不足

专家指出,废旧物资是"放错位置、混合在一起的资源",是全球唯一在增长、迟早要取代地下矿藏、俯拾皆是的"富矿"。但在我国,目前还有一些人对再生资源产业发展存在认识误区,往往把回收利用再生资源与假冒伪劣、污染环境画等号;一些人不加区分地把进口废旧物资视为"洋垃圾"、"丢面子"、"有损国家形象"等。在国外,再生资源产业的从业人员被尊为"创造未来的工程师",而在我国则称其为"破烂王"、"拾荒人"、"扒拉大军"等,社会地位不高。一些地方还以回收废旧物资影响城市形象而取消"再生行业",这些都严重阻碍着我国再生资源产业的发展。

2. 再生资源产业市场化程度低

长期以来,我国再生资源行业没有形成以市场为核心的社会服务宗旨,行业发展缺乏明确的目标。主要表现为:一是缺乏对再生资源市场的专业化研究,产业目标市场局限在以报废汽车回收拆解、废钢铁和废有色金属等个别品种的市场,加之政府机构的条块分割,各自从自身利益出发,致使再生资源市场上形成了"个别品种大家抢,大多品种无人抓"的现象。二是整个行业没有按照规范回收、拆解利用和无害化处理这三大系统来建立产业体系,而是停留在过去民间"拾垃圾"等小农经济生产方式为主要形式的个人行为基础上,资源回收率和再加工能力较低,浪费和污染严重。三是由于行业发展目标不明确,相关企业也是按照各自对再生资源产业的理解来制定企业发展计划,不可避免地偏离了再生资源产业应有的发展方向,也在某种程度上限制了再生资源产业的发展壮大。

3. 法规和政策不健全

为了充分利用再生资源,西方一些发达国家陆续出台了促进循环经济发展的法规和政策,极大地推动了再生资源产业的发展。但在我国,鼓励再生资源产业发展的法规和政策不健全,现有的一些激励政策缺乏系统性、配套性和可操作性,对再生资源产业发展的激励作用有限,不仅导致再生资源产业无序化发展,而且使得企业和个人对该产业的发展心存疑虑,信心不足,不敢投入太多资金以扩大经营规模,提高技术水平。

4.资源再生标准化水平低

当前我国还没有废旧物资分类标准及技术规范,没有各类再生资源企业生产技术标准,更缺乏一整套技术标准和技术规范,使得再生资源产业的技术操作性低,无法适应国际化的要求。如废纸的加工,由于没有统一的分类和再生质量标准,再生纸的质量无法保证。现有的废钢铁分类标准和有色金属分类标准也因管理问题和技术工艺问题无法实施,并且不能与国际接轨,亟待修订和制定。

5.再生资源产业专业化、规模化程度低

再生资源产业涉及冶金、化工、机械、纺织、造纸、环保等众多领域,具有专业性强、涉及面广以及二次原料的质量和数量难以界定和计算等特点,这就要求从事再生资源生产经营的企业应该具有较强的技术水平和较大的经营规模。但多年来,我国再生资源企业经营规模小、工艺技术落后,企业现代化、产业化程度在600个行业中都排在末位,整个行业也没有形成一支专业化经营、生产队伍,导致资源再生技术停留在手工劳动水平上,生产效率低下,产品的技术含量和附加值较低。同时,由于我国再生资源企业没有形成规模经营,对品类繁杂的废旧物资只能"各取所需",价值不高、难以提取的只好丢弃或焚烧,既极大地浪费了资源,又严重污染了环境。

6.资源再生技术比较落后,存在对环境的二次污染问题

由于重视不够,投入较少,我国资源再生技术开发能力弱,导致废旧物资加工处理工艺落后,技术及装备水平较低,与资源综合利用和环境保护的要求差距甚远。特别是对环境污染影响大的蓄电池、干电池以及电脑、电视机、电冰箱等废旧物资的回收利用技术还比较落后,导致大量的"电子垃圾"不能有效利用。近年来,虽然国家加强了对相关技术的研发,也取得了一些成果,但部分先进适用的技术也由于缺少资金而难以推广应用。之所以将废旧电器称为"电子垃圾",一方面是人们对资源的认识还停留在单一开采来源阶段,同时,因为政策滞后,废旧电器拆解等再生资源产业缺少必要的立法规范,特别是对因此产生的污染缺少相应的规范和强制性措施,最终导致了再生资源产业的低污染本性被曲解。目前我国缺乏对废物回收利用产业发展战略性的考

虑,缺乏废物回收系统和废物无害化处置系统。

五、再生资源产业发展的国际经验

目前资源再生产业已成为全球发展最快的朝阳产业。20 世纪末发达国家资源再生产业规模为 2500 亿美元,21 世纪初已增至 6000 亿美元,预计到 2010 年可达 1.8 万亿美元。据估计,在未来 30 年内,再生资源产业为全球提供的原料将由目前占原料总量的 30% 提高到80%,产值超过 3 万亿美元,提供就业岗位 3.5 亿个。

总体上,中国再生资源产业与发达国家相比,产生背景、发展模式和发展阶段等方面都存在不同。但是,发达国家再生资源产业的发展历程也具有许多共同点,借鉴国外再生资源产业发展的经验是促进我国再生资源产业健康快速发展,建立有中国特色循环经济的发展模式的重要途径。

1. 废弃物处理的法制化

发达国家几乎都有专门的再生资源法规。如美国的《资源保护和回收法》和《预防污染法》、欧盟的《报废车辆指令》、德国的《废弃物限制处理法》、日本的《废弃物处理物》和《资源有效利用法》等,基本宗旨都是促进对有关资源的回收利用和循环使用。

（1）德国。

德国政府在 1972 年制定了废弃物处理法,1996 年又重新制定了《循环经济与废弃物管理法》,该法成为德国发展循环经济总的"纲领"。在此法律框架下,德国政府根据各部门各行业的不同情况,制定了促进各部门各行业垃圾再利用的法规,使饮料包装、废铁、矿渣、废汽车、废旧电子商品等"变废为宝"。2000 年,德国政府制定颁布了《可再生能源促进法》,根据该法,开发再生能源的公司企业,可以获得政府的经济补助。在这一法律的鼓励下,许多可再生能源的开发和利用取得了明显成效。同时,德国政府还制定相关的法律法规,例如,《可再生能源市场化促进方案》、促进新能源技术开发的《未来投资计划》、《家庭使用可再生资源补助计划》等。为了促进生物资源技术的开发以及市场化,德国政府制定了《生物资源发展法规》等法律法规,促进了循环经济的发展,规范了政府、社会、企业和国民的行为。为此德国的家庭废弃物循环利用率在 1996 年约 35%,到 2000 年上升至 49%。玻璃、塑料、纸箱等包装物回收利用率为 72%,1997 年已达到 86%。废旧汽车经回收、解体,循环利用率达 75%。废旧电池的回收循环率 1998 年为零,到 2002 年已上升至 66%。在冶金行业,95% 的矿渣、70% 以上的粉尘和矿泥已得到重新利用;2002 年有 2000 万吨废旧钢铁被重新利用。

(2)日本。

与德国先在具体领域实施,然后建立系统整体的法规不同,日本是先有总体性的再生利用法,然后再向具体领域推进。20 世纪 90 年代,日本政府提出了"环境立国"的口号,并集中制定了废弃物处理、再生资源利用、包装容器利用和家用电器循环利用、化学物质管理等一系列法律法规。2000 年,日本召开了"环保国会",通过和修改了多项环保法规。大致可以分为三个部分:一是基础部分,通过了《推进形成循环型社会基本法》;二是综合部分,通过两部法律——《固体废弃物管理和公共清洁法》和《促进资源有效利用法》;三是各种产品具体的标准,其中主要包括:《促进容器与包装分类回收法》、《家用电器回收法》、《建筑材料回收法》、《食品回收法》以及《绿色采购法》等。这些法律法规的颁发,为日本建立循环经济型社会搭建起了稳固的社会法律框架,规范了在这一问题上的社会行为,推动了再生资源产业的发展。在日本,废弃的电器产品中主要包括电视机、洗衣机、空调和冰箱,每年大约有 1800 万台、60 万吨成为垃圾,其中可回收金属 10 万吨。大量废弃的家电产品如果不进行回收、再生利用,不但浪费资源、污染环境,而且由于填埋场容量日渐减少,废旧电器垃圾处理问题越来越困难。针对这一问题,日本自 2001 年 4 月 1 日开始实施《家电再生利用法》。按照这项法律,生产者、销售者和消费者分别承担处理责任和有效利用资源的义务。具体而言,生产者负责废旧家电产品的再生利用;销售者有义务对废旧家电进行回收,并送往生产厂家;消费者承担废旧家电的回收、运输及再生费用,废弃 1 台空调、电视机、洗衣机和冰箱分别要负担 3500 日元、2700 日元、2400 日元和 4600 日元,同时还要另加运输费。

消费者将上述费用交给销售商,销售商负责将废旧家电送再生利用企业,同时将处理费用转至处理企业。《家电再生利用法》规定的再生利用废旧家电包括电视机、洗衣机、空调和冰箱,法定的再生利用比率分别为55%、50%、60%和50%。

（3）美国。

世界上最大的垃圾生产国美国,每年仅生活垃圾就高达2亿吨,垃圾的回收和再利用成为美国施行循环经济的焦点和动力。为促进和发展循环经济,在20世纪70年代,美国联邦政府制订了专门的《固体垃圾处理法案》,20世纪80年代后,美国的加利福尼亚、新泽西、俄勒冈等州政府也根据各自的情况,制定了相关的法律法规,以法律法规的形式对资源再生利用规范化。1990年加州通过了《综合废弃物管理令》,该令要求通过资源削减和再循环减少50%废弃物,未达到要求的城市将被处以每天1万美元的行政罚款。加州规定玻璃容器必须使用15%—65%的再生材料,塑料垃圾袋必须使用30%的再生材料;威斯康星州规定塑料容器必须使用10%—25%的再生原料;由7个州组成的州际联盟规定40%—50%的新闻纸张必须采用再生纸。

（4）法国。

1975年7月,法国政府制定第一部《垃圾处理法》,指令各地区15年内实现生活与工业垃圾的统一收集和运输,并将其分成日常及危险两类,送到指定地点分别处理。该法以卫生和健康为主要目的,要求妥善处理垃圾废品,尽量减少对环境的污染。1992年7月,法国政府又制定了第二部《垃圾处理法》,指令各地区10年内实现垃圾分类及回收再利用。该法律体现了新的环保观念,要求充分做到垃圾的循环再利用。同时,还明确规定全体公民有主动参与环保的义务和责任。在此基础上,法国政府有关部门制定了不同垃圾处理的法规,使多种类的垃圾从收集、运输到最终处理都有章可循。2002年12月,法国政府将废旧轮胎列入国家强制回收项目,责令法国境内的轮胎生产与销售商自2003年起,每年投放市场多少吨新轮胎,次年必须回收吨数相等的旧轮胎,回收费用全部由生产和销售商承担。

2. 废弃物处理的责任制

（1）德国。

1994 年,德国颁布了《循环经济与废物管理法》,首先引入了废料生产者的概念,确立了污染者付费原则和生产者责任制,扩大了接收者圈,从而产生了新的义务以及新的义务分配。根据污染者付费原则,污染者首先应承担废物回收、分类、利用和清除的义务,在依法免除该项义务的情况下,有义务支付他人代其履行这些义务的费用。同时生产者责任制要求各市场参与者(包括设计者、生产者、加工者、经销者、使用者),特别是产品生产者承担相应的产品责任,以实现循环经济的目的。市场参与者在循环经济各环节所承担的义务构成了德国循环经济立法的核心内容,德国对此也进行了详细地划分。生产者责任制度的引入成为德国垃圾源头避免的关键,不仅解决了废弃物的后续处置费用,而且有利于鼓励生产者减少原材料的使用量以及采用可回收利用的材料制造产品,有利于生产者降低生产成本,从而达到从源头削减垃圾的目的。

（2）日本。

日本 1997 年通过了产业构造审议会废弃物再生利用部的报告,1998 年 7 月由矿工业中的 21 种主要业种,53 个业界团体参加设定废弃物的发生量、减量化量、再生利用量、最终处分量等的数值,将比 1996 年减少 3/4。并且强调了废弃物排出者的正确处理责任,1998 年还制定了正确处理指南,以指导废弃物排出者正确处理自己排出的产业废弃物。日本的《推进形成循环型社会基本法》重点在于相关团体角色与职责的分配,特别是厂商的"延伸生产者责任"与消费者的"污染者付费"。依据这两项原则,生产者应对其生产的产品,在设计上充分考虑提高其耐久性,并具有标示其材质和成分等的责任与义务,对一定的产品则具有实施回收、交付或者循环利用的责任与义务;废弃物等的排放者必须承担其相应的正确的再生利用及处置责任。

（3）美国。

美国企业在处理废弃物方面责任明确,从源头上为实行循环经济起到了积极作用。在废弃物处理方面经常被引为典范的美国杜邦公司,在企业内部建立了循环经济模式,该公司组织厂内各工艺之间的物料循环,从废塑料中回收化学物质,开发出耐用的乙烯产品。通过放弃使用某些对环境有害的化学物质、减少一些化学物质的使用量以及发明回收本公司产品的新工艺,杜邦公司在 10 年前就已经成功地使本公司生产造成的废弃塑料物减少了 25%,空气污染物排放量减少了 70%。

3. 废弃物处理的经济机制

(1)德国。

1992 年德国的卡赛尔市开征了一次性餐具特别税,这也是属于废弃物税的性质,主要是对大量使用一次性餐具的快餐店征收,税率规定为:每个饮料罐 40 芬尼(0.4 马克);餐盘 50 芬尼;塑料刀叉各 10 芬尼,并规定商品能自己回收并送加工厂利用就不用征税,其目的显然是限制一次性饮料包装物和餐具的使用,以减少废弃物的产生。

在对污染环境进行征税的同时,德国也制定了相应的激励与优惠措施,鼓励企业和居民减少污染,提高资源的回收及利用效率。为了激励企业安装环保设施,采取减免税收,德国环保设施的安装免征 3 年固定资产税,允许环保设施折旧超过正常的折旧。同时实施环保产业项目研发的优惠政策,对环保产业项目研发投资远远高于其他产业研发投资,致使德国环保产业国际市场占有率高达 21%,居世界第一位。

(2)日本。

日本家庭生活垃圾的处理由地方政府负责,所需费用主要来自地方税收。工业垃圾的处理和再利用则由企业自行负责,政府通过提供补助金、低息贷款、免税等经济手段帮助企业建立循环经济生产系统。比如,日本废塑料制品类再处理设备在使用年度内,除了普遍退税外,还按取得价格的 14% 进行特别退税;对废纸脱墨处理装置、处理玻璃碎片用的夹杂物除去装置、铝再生制造设备、空瓶洗净处理装置等,除实行特别退税外,还可获得 3 年的固定资产退回。为推进循环经济的发展,日本的各大城市也制定优惠政策。例如,大阪市地方政府对社区、学校等集体回收的废纸、旧布等再生资源,发给一定的奖金;设立了 80 多处牛奶盒回收点,并发给牛奶纸盒卡,盖满回收图章后可凭卡免费购买图书;市民还可用铝罐或牛奶盒换取日元。

循环经济立法研究

（3）美国。

美国联邦政府利用税收政策来调节资源的循环利用。例如征收新鲜材料税,促使相关部门和企业少用原生材料;征收填埋和焚毁税,该税种主要针对将垃圾直接运往倾倒场的企业,收取填埋税使垃圾处理途径的价格趋于上涨,因而可以使减量化和再生利用显出吸引力。

美国亚利桑那州规定,对分期付款购买回用再生资源及污染控制型设备的企业,可减销售税 10%;康奈狄克州对前来落户的再生资源加工利用企业,除了可获得低息风险资本小额商业贷款外,州级企业所得税、设备销售税及财产税也可相应地减少。

（4）韩国。

20 世纪 90 年代,韩国政府开始实行《废弃物预付金制度》,即生产单位依据其产品出库数量,按比例向政府预付一定数量的资金,并根据最终废弃物资源的情况,再返回部分预付资金。从 2002 年起,韩国政府为进一步完善这种做法,又将《废弃物预付金制度》改为《废弃物再利用责任制》,规定废旧的家用电器、轮胎、润滑油、日光灯、电池、纸袋、塑料制品、金属罐头盒、玻璃瓶等 18 种材料须由生产单位负责回收循环利用。如果生产者回收和循环利用的废旧品达不到一定比例,政府将对相关企业课以罚款,比例是相应回收处理费用的 1.15 倍至 1.3 倍。《废弃物再利用责任制》对减少废弃物的排放、促进废弃物的循环利用起到了积极的作用,不仅使废弃物在韩国实现了最大程度的循环利用,由此还产生了一批新型废弃物品回收利用企业。

（5）法国。

在法国乃至欧盟许多国家,大部分商品包装上都印制了由两个首尾相追的弧形箭头构成的绿色圆点标志,意为循环利用。任何商品,只要包装上印有这种"绿点"标志,就表明其生产企业为将来自己产品废弃包装的回收处理交了费,参与了"商品包装再循环计划"。根据规定,法国企业所缴纳的"绿点"标志使用费允许部分计入商品价格,转嫁给消费者。由于使用费与包装材料的用量挂钩,而产品价格又直接关系到企业的市场竞争力,生产企业均想方设法简化包装和方便回收,从而降低成本,使产品更有竞争力。目前法国已有 90% 以上消费产品包装都印有"绿点",欧盟目前已有 10 个国家使用这一标志,其余成员国也正在考虑将其引入。为实现对企业的收费真正做到"专款专用",像欧盟其他国家一样,法国成立了一个类似协会的企业——"生态包装"集团。企业所交的"绿点"标志使用费通过政府授权,直接划拨该集团,专门用于包装垃圾的循环处理和再利用并受到政府监督。垃圾循环处理一般分为收集分拣、再循环处理和再利用三个步骤。该集团主要负责后两个步骤。至于第一个步骤,由于企业不可能渗透到法国每一个角落去收集自己产品的包装垃圾,"生态包装"集团通过法国市长协会的渠道,与法国近 3 万个社区机构合作进行垃圾回收。居民生活垃圾的回收主要由社区服务人员负责,而"生态包装"集团用企业的"绿点"标志使用费提供相应补贴和技术设备支持。一般而言,社区收集并分类的垃圾越多,所得到的补贴就越多。上述机制使法国企业参与治理包装垃圾污染的积极性不断提高,再加上法国垃圾分类投放和收集的环保观念早已深入人心,因此这个国家的包装材料回收利用率不断提高,2003 年居民的包装类垃圾回收率达到了 80%。另外,垃圾回收处理还形成一个巨大的产业。"生态包装"集团与法国市长协会的联合统计表明,2003 年法国 63% 的废弃包装类垃圾经再处理后被制成了纸板、金属、玻璃和塑料等初级材料,17% 的垃圾被转化成了石油、热力等能源。这一产业还直接吸纳约 1 万多人就业,并间接为建筑、机械、安装、设计、服务业创造了数万工作岗位。

4. 废弃物管理的规范化

(1)德国。

德国的循环经济源于垃圾经济,其废弃物管理(Waste Management)十分规范,并且对于废弃物的规范管理建立在废弃物分类的基础之上。根据详细的废弃物划分,德国制定有具体的废物处置法律和规定,为废物管理和处置的实践工作提供了指导。根据德国《循环经济与废物管理法》,将废弃物划分为利用型废物和清除型废物。利用型废物(Waster for Recovery)是指可以再利用和再使用的废物。清除型废物(Waster for Disposal),是指已经无法再利用、要被清除的废物,并且德国《循环经济与废物管理法》对以上划分的废物规定了不同的处置方法,配合废弃物分类的是各种不同颜色的垃圾分类箱,由此形成了一个前后衔接的有序整体。

废弃物清除(Waste Disposal)是对无法再利用的废弃物进行处理。废物清除的概念包含了从收集到运输直至采用堆放或者热处理的方法清除的全部步骤。目前,在德国管理部门的实际工作中,参照以下标准来确定废物清除的界限:如果废物总量的至少50%能够成为再生材料或再生产品的话,该处理方法的主要目的是再利用;对是否为再利用的判定上,除了必须超过50%的界限,还要看产品市场化后的收益是否能抵至少10%的处理成本;对再利用份额低于废物总量50%的情况,如果产品市场化后的收益能抵消对废物处理、清除及运输总成本的至少50%,那么也是对废物的利用。参照以上标准,废弃物是将被清除还是被再利用就十分清楚,比如从定影液中提取银,青草堆肥,都不是废物再利用,而是废物清除。

(2)日本。

日本《建立循环型社会基本法》对那些没有考虑其价值而被称为"垃圾"的物质,明确定义为"可循环资源"并促进其回收。对废弃物的处置要求按照"优先处理"顺序:垃圾减量→回用→回收→能量利用→安全处理。

日本国家和地方政府负责废弃物的标准化、规格化管理,构建家用电器节能标识制度,引导技术开发等。以2001年3月内阁会议上通过的第2期科学技术基本计划为基础,2001年9月综合科学技术会议上通过了"分领域促进战略",选择了零垃圾型、资源循环型技术研究作为环境领域今后5年内应该重点努力研究的领域之一。另外中央环境审议会还针对"综合性、战略性进行环境研究、促进环境技术开发的策略"进行了审议。

例如日本建立费用管理和管理券制度,为实施法律对家电生产商的责任要求。日本家电制品协会内成立了一个家电再生利用券管理中心(RKC),负责家电再生利用费用的运营管理。并按法律的要求,发行家电再生利用管理券,管理券记载废弃家电排出者,家电的生产厂家、规格、零售店、接收运输业者、费用等相关信息的五联单。管理券在消费者废弃家电,交给回收者(零售店、回收点等)时,贴在废弃家电本体上。管理券相关页联随废弃家电回收、运输、处理等环节,分别交由相关单位和个人,资金最后汇集到 RKC,RKC 根据管理券的信息将资金补助发放相关回收点、处理厂。管理券分为两种:一种为直接由零售店接收再生利用费,另一种是通过邮局邮寄再生利用费。

5. 废弃物回收体系网络化

(1)德国。

德国政府成立了 DSD 专门组织。该非政府专门组织的主要任务是对各种废弃物进行回收利用,由产品生产厂家、包装物生产厂家、商业企业以及垃圾回收部门联合组成。DSD 组织受企业委托,组织收运者对废弃物进行回收和分类,然后送至相应的资源再利用厂家进行循环利用,能直接回用的废弃物则送返制造商。DSD 组织系统的建立大大促进了德国废弃物的回收利用。例如,德国政府曾规定,玻璃、塑料、纸箱等包装材料回收利用率为 72%,1997 年已达到 86%;废弃物作为再生材料利用 1994 年为 52 万吨,1997 年达到 359 万吨;包装垃圾已从过去每年 1300 万吨下降到 500 万吨。

(2)美国。

美国联邦政府除了加强美国环境保护局的职能外,还专门成立了美国全国物资循环利用联合会。该联合会涉及 5.6 万家废弃物回收利用企业。美国全国物资循环利用联合会还与美国环境保护局联合专门开设网点,并将每年的 11 月 15 日定为"回收利用日"。如今循环消费、旧货网上拍卖等司空见惯,月交易额达 3 亿美元,这些都与美国全国物资循环利用联合会的工作分不开。

(3)日本。

如日本的家电协会,承担了家电回收的规划组织工作,经过他们的努力,目前日本基本形成了完整、有序、分工明确的家电回收和再利用体系。德国采取了双元系统模式和双轨制回收系统,成立了专门组织对包装废弃物等进行分类收集和回收利用,将整个消费和生产改造成为统一的循环经济系统。

6. 废弃物再利用的市场机能

（1）德国。

经济学认为"市场"是资源配置的最佳工具,欧盟法律就在废弃物循环利用经济方面明确了"引入内部市场"。在德国,垃圾管理不仅仅是环卫部门的事,废弃物清理和循环经济市场是一个新兴而充满活力的市场,生产者和消费者是循环经济市场活动的主体,这个市场由三个分市场组成:废弃物处理和服务市场、利用服务市场和回避服务市场。从垃圾的收集、运输到处理(生物处理、焚烧、无害化填埋),均是由自负盈亏的企业承担,而不是政府下面的附属机构。为了鼓励循环利用废弃物,虽然德国政府采取了一系列直接的或间接的环境政策手段,但是从其废弃物回收、利用、清除的全过程发现,德国废弃物利用实质上还是市场机制在起作用。德国通过废弃物循环利用经济得出:利用市场机制与市场手段可以事半功倍。

（2）日本。

市场调节手段主要通过建立有效的经济激励政策,如资金投入、税收政策等,日本再生资源产业的发展也得益于该政策的实施。多年来,日本政府一直积极支持循环利用项目,推行环境的产业化,其中税收返还制度起到了十分重要的激励作用。日本政府注意到市场机能作用可以使环境和经济统合起来,也就是说循环型经济行动能切实在市场上得到评价,并且社会全体内部可以消化环境保护的成本。其结果是,维持经济活力和保护良好生活环境得到并存。通过市场,将经济活动的"车子的两轮"消费者和事业者以及事业者之间的伙伴关系充分地建立起来。为此日本的行政部门承担整顿市场环境的工作,例如具有革新性质的技术开发在只由市场作用因成本高昂而无法推广时要给予的支援等;地方政府的任务是设置再生利用市场、积极开展再利用,构建回收、再生利用系统,而该系统的运营则充分发挥市场机能的作用。

（3）美国。

美国的废弃物回收再利用市场处于积极培育阶段,政府利用物质奖励刺激废物回收再利用。2005年3月,北美团体固废协会成立了全国废物再利用协调委员会,其工作目标是配合国家环保局工作,积极宣传废弃物回收再利用的重大意义,向政府和社会各界人士积极筹集环保资金,扶持和奖励企业及个人进行废物回收再利用,对使用废物再利用的企业和个人实行物质奖励,促进全国废物回收再利用的协调发展。工作重点是推行纸制品、玻璃、金属、塑料和建筑材料等废物的回收再利用以及对庭院垃圾、厨余垃圾和其他有机物适时堆肥处理。具体办法是:协调各级地方政府,利用所筹资金,积极开发废物再利用项目,对从事废物回收再利用的企业和个人按其生产规模、产品的数量和质量给予资金奖励,使他们能够充分发挥生产积极性,劳有所得。另一方面,利用所筹资金,降低废物回收再生产品的价格,刺激消费者,使他们积极踊跃购买,力争逐步达到健康的产销一体化循环。

7. 环境意识的社会化

(1)德国。

德国政府意识到依靠公众的力量是极为有效的。德国发展再生资源产业,不仅有完整有效的立法体系和直接的及间接的经济手段(实行投入限制,产出限制或者是程序限制,或征收生态税,环境监控,补贴等),同时通过产品和环境信息进行环境意识培养。在德国的许多领域,环保方面的教育或培训已经成为职业教育的必要组成部分之一。此外还开设了大量的职业基础培训,以便学员以后可以通过再培训或是直接从事环保事业加深对此的了解。德国文化部认为教育青年人具有环境意识应该是学校的任务之一,1980 年 10 月 17 日,联邦德国文化部长联席会议决定,环境教育是德国中、小学的义务。根据文化部长联席会议的决定,各校向学生讲授环境知识,使他们懂得人与环境之间的关系并了解环境变化中尚存在的问题,从而培养自己的环境意识,珍惜和爱护大自然。20 世纪 90 年代初期,环境教育的内容被直接或间接写入联邦各州有关中、小学教学大纲,涉及各个学科,具有多学科性和跨学科性。德国现有 16 个州,各州自己负责中小学的环境教育,制定环境教育教学大纲。目前,大多数德国公众已经自发形成环境意识,对于任何减少或回收废弃物的措施都反应热烈并且极为合作,公民和非政府组织成为推动循环经济的中坚力量。

(2)日本。

日本非常重视民众参与的力量,利用各种手段和媒体宣传加强公众对实现零排放或低排放社会的意识。例如大阪市,每年9月发动市民开展公共垃圾收集活动,并向100万户家庭发放介绍垃圾处理知识和再生利用的宣传小册子,鼓励市民积极参与废旧资源回收和垃圾减量工作。以日本大阪为例,目前公众参与循环经济和垃圾减量重点从三个方面进行。一是尽量减少废弃物的发生,其内容包括防止过量包装,尽可能减少包装垃圾,引导市民正确购物和环境友好或环境保全地消费;二是教育市民和单位尽可能减少排出垃圾,例如市民应该购买净菜,饭菜不要做得太多,把所有能吃的食物都吃完,不要浪费;三是增进反复利用意识,即要求市民和单位对购买的一次性易耗品,应加强反复使用和多次使用,对生活耐用品如衣服、旧家电、家具等自己不用了可以送给别人使用,不要随意丢弃。总之,循环经济的社会宣传教育程度和公众的循环经济意识以及公众多方和广泛参与是推进循环型工业发展的良好社会基础。

(3)美国。

美国十分重视运用各种手段宣传循环经济,美国环保局与全国物质循环利用联合会专门开设网点,宣传有关再生物质的知识,并把每年的11月15日定为"美国回收利用日"。公众对于垃圾处理和回收等有任何问题,都可拨打"311"热线得到答复。美国民众对于旧物回收再利用的意识也非常强烈,即使孩子也不例外。美国幼儿园里的小朋友,吃完饭后都知道一次性盘子、勺子和剩饭要倒进"废弃物"垃圾桶,喝剩的牛奶倒掉后,牛奶纸盒要放进"回收物"垃圾桶。小学到中学的各类教科书,学生免费使用后全部交还学校,留给下一届学生使用;图书馆里,经常看到私人捐赠的旧图书……"物尽其用"的原则已经渗透到美国生活的各个方面,成为民众自觉的生活习惯,循环经济的思想也因此在民众心中扎下了根。

六、我国发展再生资源产业的政策建议

从发展再生资源产业的国际经验,可以看出该产业的发展实际上是随着市场经济的不断完善和人们环境意识的不断增强而历经了强制性——自觉性——自发性的发展过程。我国处在发展再生资源产业的

初级阶段,在废物的再回收、再利用、再循环方面存在较大的潜力,大力发展再生资源产业(第四产业/静脉产业),法律调整和政策的推动作用十分必要,尽快出台相关政策,形成产业规模,会较大地缓解我国资源紧缺、浪费巨大、污染严重的矛盾。

1. 四个基本原则

(1)环境立法与科技政策相结合的原则。

中国在落实国家现行的有利于循环经济发展的相关法律法规基础上,应调整和制定促进再生资源发展的法律法规,特别是制定绿色消费、资源循环再生利用方面的法律法规,激励生产废弃物、废旧家电、汽车回收利用的快速发展,加快静脉产业系统建设,使各项工作有法可依。确立再生资源产业在社会经济发展中的地位和必要性,规定政府、企业、公众在发展再生资源产业中的权利和义务,以立法的形式明确再生资源产业发展规划和管理体制,同时尽快出台一系列鼓励再生资源的科学技术研究的有关条例,借助于政策的扶持与推动作用,建立再生资源产业体系。

(2)科技创新与标准化相结合的原则。

发展再生资源产业的关键在于研发及应用各种再生技术,这就必须实施科技创新政策和标准化政策协调统一的措施。建立有利于再生资源产业发展的标准技术体系,充分发挥科学技术的核心作用,用标准化推动科技创新。目前,要加强再生资源回收行业的标准化建设,制定再生资源分类、回收、加工和利用各环节的技术标准。要建立再生资源回收行业指标体系和统计制度,并将其纳入到国家国民经济和社会发展统计体系中去。企业应根据自身的技术水平与产品特点,从产品设计、生产、包装和流通的环节,依据发展循环经济的原则建立企业技术标准体系,用标准来规范企业经营的每一个环节。

(3)政府监管与政策促进体系相结合的原则。

《再生资源回收管理办法》(草案)提出了对再生资源回收企业实行登记备案制度,对再生资源回收监督管理实行地方政府负责的原则,对回收网点和市场的设立做了原则性规定。将再生资源回收工作纳入法制化轨道。但是,我们应该认识到,再生资源产业不仅是商业行为,还带有很强的社会公益性。要保障这个行业的进一步发展,还需要研究采取进一步的政策促进措施,建立有利于再生资源产业发展的促进体系:在财政体制和投资体制改革的过程中,研究加大公共财政对再生资源产业的支持力度,在信贷等方面给予必要的支持;对经济效益差、但社会效益显著的不易回收的再生资源,国家在政策上应鼓励企业回收;对再生资源回收体系建设示范项目,政府应给予资金补助、贷款贴息的支持,发挥政府投资对社会投资的引导作用。

(4)专业组织运作与公民意识培养相结合的原则。

政府除充分运用行政、法律、经济、财政等手段,建立包括绿色产权、生产、消费、回收、财政、税收、投资制度等绿色保障制度外,还应以经济利益为纽带,发挥市场机制在推进再生资源产业发展中的作用,使再生资源产业的具体模式中的各个主体形成互补互动、共生共利的关系,实现环境资源的有效配置。因此,除了建立专业的资源再生组织进行废弃物的回收利用,还必须加强对公民(企业公民和个体公民)的环境意识的培养教育,便于资源的回收利用,使再生资源产业有充足的原料(废弃物)输入,真正发挥再生资源产业的静脉回流作用。

2. 六点措施建议

(1)要从战略高度重视再生资源产业。

必须从战略高度充分认识再生资源产业在国民经济和社会发展中的重要地位,各地方各部门要把大力发展再生资源产业作为发展循环经济、建立节约型社会、增强可持续发展能力的重要举措,纳入国民经济和社会发展的总体规划,并为再生资源产业发展提供政策、制度、资金和组织保障。要进一步加大宣传力度,提高全社会的资源意识和环境意识,尤其是要建立自觉利用再生品的意识,为我国再生资源产业发展奠定坚实的社会基础。

(2)制定并完善再生资源产业发展规划。

要加强对再生资源产业的调查研究,制定并完善再生资源产业发展战略,明确再生资源产业的指导思想、发展目标与工作重点,逐步形成资源来源多元化、回收利用规范化、流通加工专业化的再生资源产业发展模式。一是明确再生资源产业发展的行业和地区布局,优化资源部署,加快再生资源产业的市场化、规模化和产业化进程。二是建设具有一定规模和水平的加工基地和示范区,并以此为中心,形成较为完善的再生资源产业链,提高资源的回收率。三是研究开发一批急需的废弃物无害化处理技术和资源再生技术,引进、消化、吸收国际资源再生技术,尽快提高我国再生资源产业的技术水平。

(3)确立我国发展再生资源产业的重点领域。

发展再生资源产业,加强资源综合利用,其目的是为了对有限的资源进行可持续的利用和有效的保护。目前,我国应该确立再生资源产业发展的重点领域:扩大再生水利用;抓好煤炭、黑色和有色金属共伴生矿产资源的综合利用;推进粉煤灰、煤矸石、冶金和化工废渣及尾矿等工业废物利用;推进秸秆、农膜、禽畜粪便等循环利用;建立生产者责任延伸制度,推进废纸、废旧金属、废旧轮胎和废弃电子产品等回收利用;加强生活垃圾和污泥资源化利用。

(4)尽快完善相关法规和政策。

借鉴国际经验,抓紧研究制定《资源再生法》及配套办法和标准,明确资源再生全过程的各个环节、各个环节涉及的相关方面以及相关方面各自应做的工作、承担的责任和义务,从而将我国再生资源产业发展逐步纳入法制化轨道。加大对再生资源产业的政策支持力度,在相关技术、产业、税收、信贷、外贸政策以及市场准入等方面给予倾斜,如支持一些经营好、符合上市条件的再生资源企业上市,为企业直接融资创造条件;对再生资源回收加工处理中心、再生资源信息网络等方面的示范项目,优先安排技改投资并给予财政贴息;对在新产品所用材料中采用再生材料达到一定比例的,可以给予一定的税收减免;设立再生资源产业研发基金,强化相关技术的研发和推广。

(5)积极推动再生资源回收利用体系建设。

尽快将再生资源回收企业、回收网点、交易市场建设纳入城镇建设发展规划,引导各地建立以社区回收网点为基础的点多面广和服务功能齐全的回收网络,形成回收和集中加工预处理为主体、为工业生产提供合格再生原料的再生资源回收体系。同时推动建立设施先进、管理手段现代化的再生资源交易市场及再生资源综合利用处理中心,以最大限度地变废为宝,化害为利,节约资源,物尽其用。

(6)抓紧培育具有竞争力的企业和企业集团。

积极引导再生资源企业打破地区、部门界限,搞跨地区、跨部门的企业兼并重组改造,在扩大企业生产规模的同时,下大力气在资金、技术、管理等方面扶持有实力的再生资源企业,争取在全国范围内形成几家规模较大、技术水平较高、竞争力较强的再生资源企业和企业集团,以提高再生资源企业的产业集中度和市场竞争力。

七、总 结

总体来看,中国再生资源立法还处于萌芽状态,虽然能够对废物再生利用起到一定的强制作用,但法律规定过于笼统,须进一步完善。同时,可以通过举办讲座、研讨会、经验交流会等方式加强对发展再生资源产业的相关知识的普及,提高全社会对发展循环再生资源产业经济重大意义的认识,增强资源忧患意识,最终有利于促使经济社会实现可持续发展。

一方面,政府必须建立起宏观监督机制,对再生资源产业进行总体指引和监督,规范行业制度。另一方面,在市场经济条件下发展再生资源产业必须实现责任与利益的公平结合,建立资源价值计量、排污收费、产品负责制三大经济政策,以及三大经济政策的互动效应,形成促进再生资源产业发展的主体经济政策框架,通过利用价格杠杆促进再生资源产业发展。

(程会强:北京工业大学循环经济研究院常务副院长)

循环经济法理研究的另一视角

——环境权的内涵与法律定位

上海大学循环经济研究院

　　循环经济的理论与实践是在对环境问题的总结与反省基础上发展起来的,循环经济立法的研究就势必把视角投射在环境权的研究上。

一、环境权的提出与发展

　　环境权的研究和提出始于 20 世纪 60 年代。当时美国密执安大学的萨克斯教授提出"环境公共财产论"、"环境公共委托论",他认为,空气、水、阳光等人类生活所必需的环境要素,在当时受到严重污染和破坏以致威胁到人类正常生活的情况下,不应再视为"自由财产"而成为所有权的客体,环境资源就其自然属性和对人类社会的极端重要性来说,它应该是全体国民的"公共财产",任何人不能任意对其进行占有、支配和损害。为了合理支配和保护这种"共有财产",共有人委托国家来管理。国家对环境的管理是受共有人的委托行使管理权的,因而不能滥用委托权。于是,有人便在"公共财产论"和"公共委托论"的基础上提出了环境权的观点,认为每一个公民都有在良好环境下生活的权利,公民的环境权是公民最基本的权利之一,应该在法律上得到确认和保护。

　　1970 年 3 月,在东京召开的一次关于公害问题的国际座谈会上发表的《东京宣言》第 5 项提出:"我们请求,把每个人享有的健康和福利等不受侵害的环境权和当代人传给后代的遗产应是一种富有自然美的自然资源的权利,作为一种基本人权,在法律体系中确定下来"。在同年 9 月召开的"日本律师联合会第 13 届人权拥护大会"上,仁藤一、池尾隆良两位律师作了题为《"环境权"的法理》的报告,明确提出了环境权的主张。他们认为,任何人都可以依照(日本国)宪法第二十五条(生存权)规定的基本权利享受良好的环境和排除环境污染,主张清洁的空气和水以及没有噪声、安静的环境是每一个在该地区居住的国民的共有财产。

环境权理论为世界所普遍接受,体现在 1972 年联合国人类环境会议上通过的《人类环境宣言》中,该宣言庄严宣布:"人类有权在一种能够过尊严和福利的生活的环境中,享有自由、平等和充足的生活条件的基本权利,并且负有保护和改善这一代和将来的世世代代的环境的庄严责任。"之后,在 1992 年世界环境与发展大会上通过的《里约环境与发展宣言》再次重申了环境权:"人类处于普受关注的可持续发展问题的中心。他们应享有以与自然相和谐的方式过健康而富有生产成果的生活的权利。"

随着环境权理论的提出和发展,许多国家和国际组织也开始了环境权的立法实践。"四十多个国家即全球五分之一的国家通过的宪法或法律中都规定了环境权。其中,70 年代以后通过的宪法和宪法修正案都没有忽视这一权利。但在国际环境法领域,只是没有法律拘束力的文件承认环境权,如《斯德哥尔摩宣言》、《世界自然宪章》、《里约热内卢宣言》。而 80 年代以来通过的大多数国际人权文件都承认环境权。"

我国没有在立法上明确环境权,只是通过立法保护主体某一方面的环境权利,或某一具体环境权利的间接方式,来体现对抽象的环境权的法律保护。如《宪法》的第九、十、二十二、二十六条。其中第九条第二款是直接针对环境资源的:"国家保障自然资源的合理利用,保护珍贵的动物和植物。禁止任何组织或者个人利用任何手段侵占或者破坏自然资源。"第二十六条规定:"国家保护和改善生活环境和生态环境,防治污染和其他公害"。《环境保护法》是 1989 年颁布并实施的。其中第一条规定:"为保护和改善生活环境与生态环境,防治污染和其他公害,保障人体健康,促进社会主义现代化建设的发展,制定本法。"

在认定环境权侵权的案件处理上,中国《民法通则》(1986年)第一百二十四条规定了排污者承担民事责任要以违法性为要件,而《环境保护法》(1989年)第四十一条的规定又被认为是环境侵权的无过错责任原则的依据,但是,前者的法律效力高于后者,所以,在司法实践中一些法院在坚持过错责任原则前提下,对违法性的认定采取了宽松的方法。这也有力地影响了相关立法的发展,中国正在制定的民法典的草案建议稿就以基本法的形式确认了环境侵权的无过错责任原则。

迄今为止,各国宪法、国内环境法和国际环境法所表达的环境权均是人类的环境权。从宪法意义上说,环境权是一种新型人权;从国际环境法意义上说,环境权是人类环境权;从国内环境法意义上说,环境权是公民环境权。国家"环境权"是国家自主处理本国环境事务的国家主权,而企业组织的"环境权"本质上是民商法上的财产权利,不属于环境权范畴。从法律存在的条件看,环境法中的环境权,只能是人类的环境权。在环境法中,动物、植物、自然体等不可能成为环境权的主体,而只能成为环境权的客体和生态环境保护的对象。法律上的权利,不能等同于人类的道义,也不能与生态伦理意义上的权利画等号。

二、环境权的基本内容

有学者认为环境权是环境法律关系主体就其赖以生存和发展的环境所享有的基本权利和基本义务。根据上述环境权的概念描述,可以看出,该权利的权利主体为全体人民,不仅包括公民、个人、单位,甚至还包括国家乃至全人类(包括尚未出生的后代人)。环境权是一种概括性的权利,它不是指某一种具体的权利,而是与环境资源有关的公民权利的集合体。

首先,环境权既是一种实体性的权利,又是一种程序性的权利。传统环境权理论基本上把环境权认定为实体性权利,而忽视它作为程序性权利的方面,从而使得传统环境权理论一度陷入困境。要摆脱困境,就要重视环境权在程序方面的展现。正如基斯先生所言:"公民对环境保护的具体参与是环境权的真正体现:它不仅使个人行使他所享有的权利,还使他在这方面应承担的义务。而且,公民因此不再是消极的权利享受者,而要分担管理整个集体利益的责任。"

其次,作为实体性权利的环境权,其具体内容包括两个方面:一是与公民个人生存和健康直接相关并与个人生活密切联系的阳光权、通风权、眺望权、安静权、达滨权、嫌烟权等;二是既与公民个人生存和健康直接相关又与公益性或公共性密切联系的清洁空气权、清洁水权、风景权、环境美学权、历史文化遗产瞻仰权等。

再次,作为程序性权利的环境权,其要义便是公民参与国家的环境决策。公众参与环境决策权具体包括:

第一,环境知情权。环境知情权是公众参与的前提和基础,没有环境信息的公开和了解,公众便无法真正有效地参与环境决策和环境保护。我国《环境保护法》第十一条规定:"国务院和省、自治区、直辖市人民政府的环境保护行政主管部门,应当定期发布环境状况公报。"国家环保总局每年都要向全国发布上一年全国的环境状况公报。从1997年6月5日起,北京、上海、南京等10个城市开始进行发布环境空气质量周报的试点工作,并逐渐向全国各大城市及部分中等城市展开,有些城市已发展到发布环境空气质量日报,从而大大提高了环境管理的透明度。然而,我们要看到,《环境保护法》只是确立了环境保护行政主管部门定期发布环境状况公报的义务,并未直接赋予公众环境知情权。今后,应当通过立法直接确立公众的知情权,并应具体规定知情权的行使方式、程序以及权利受到侵害后的救济程序。

第二,环境立法参与权。我国《立法法》第三十四条第一款规定:"列入常务委员会会议议程的法律案,法律委员会、有关的专门委员会和常务委员会工作机构应当听取各方面的意见。听取意见可以采取座谈会、论证会、听证会等多种形式。"该法第五十八条规定:"行政法规在起草过程中,应当广泛听取有关机关、组织和公民的意见。听取意见可以采取座谈会、论证会、听证会等多种形式。"我国环境法应当将立法的这些规定进一步具体化,防止听取意见"走过场",要保障公众参与对立法决策和立法结果的相当影响力。

第三,环境行政执法参与权。公众参与的核心是在公众环境权与国家环境权(尤其是国家环境行政权)之间进行平衡,一方面公众直接参与环境行政执法活动,可以帮助行政机关更好地进行环境管理和环境决策,促进官民关系的融洽与和谐;另一方面公众参与可以对行政权进行有效地监督和控制,保障行政权的合法行使。我国在 1996 年修改后的《水污染防治法》中新增加了"环境影响报告书中,应当有该建设项目所在地单位和居民的意见"的规定。后来颁布的《环境噪声污染防治法》也作了同样规定。在 1998 年国务院颁布的《建设项目环境保护管理条例》中,更明确规定"建设单位编制环境影响报告书,应当依照有关法律规定,征求建设项目所在地有关单位和居民的意见"。这样基本上使公众参与建设项目环境影响评价形成了一项制度。另外,根据《行政处罚法》第四十二条的规定,环境行政机关在作出责令停产停业、吊销许可证或执照、较大数额罚款等行政处罚之前,应当对行政相对人的申请进行听证。从而使得相对人可以参与到这些重大的环境行政处罚程序中去。然而,就这些法律规定来看,公众参与环境行政执法的范围还相当狭窄,今后有必要进行进一步的拓宽。

第四,环境诉讼参与权。"有权利就必有救济","无救济即无权利",要保障公众参与权的有效行使,必须要充分保障公众的救济权。我们应当改造传统的诉讼制度,放松原告资格的限制,承认居民和环境保护社会团体环境诉讼的原告资格,逐步承认和推广环境公益诉讼,这是近几十年来世界各国环境法制发展的潮流和趋势。公众的环境诉讼参与权,除了直接以原告名义起诉外,还包括环境社会团体支持受害者起诉、公众去法院旁听以监督法院的审判活动等。

第五,环境法上的公众参与还包括公众直接或间接进行环保投资,或者以自己的消费决策和消费偏好来影响和改变生产者的决策。环境保护需要巨大的资金投入,"十五"期间我国的环保投入将达到 7000 亿人民币,占同期 GDP 的 1.3% 左右。如此巨额的资金,光靠政府的财政支出显然是不行的。我们必须要改变原来的环保投资融资制度,改变"环境保护靠政府"的思维定势,要让广大民众和社会组织也成为环保投资融资的主体,吸引民间资本投入环境保护领域。国家要通过法律和政策鼓励特别是通过经济激励引导公众参与环保投资。另外,各国推行的环境标志制度,实际上是通过公众的消费决策(即购买绿色产品)改变和影响生产者的生产决策(即尽量去生产环境友善产品),这是一种通过市场机制发挥环保作用的公众参与。而这一点却长期为我们所忽视。

要言之,公众参与是民主的具体体现和反映,是公民环境权的核心内容之一,应当从制度上予以具体落实。在推进环境保护的过程中,我们要高度重视公众参与的作用。如果我们把环境保护这一世界潮流比做是一台不断前进的火车头,那么,公众参与和政府管制则是推动它前进的缺一不可的两个轮子。

三、环境权对循环经济立法的影响

首先,环境权的新理念是推动循环经济立法的催化剂。1992 年 6 月在里约热内卢召开的世界环境与发展大会确立可持续发展作为人类社会发展的新战略。在新战略指导下,环境保护立法产生新理念,从单纯的防治环境污染和其他公害以保护和改善生活环境和生态环境,转变为以人为中心的自然—经济—社会复合系统的协调发展基础上的循环经济活动模式。2003 年胡锦涛总书记在中央人口环境资源工作座谈会上明确指出:"要加快转变经济增长方式,将循环经济的发展理念贯穿到区域发展、城乡建设和产品生产中,使资源得到最有效的利用。"环境的污染和破坏,已发展成为威胁人类生活和发展的世界性的重大问题,引起国际社会的普遍关注。我国正处在经济发展的高速时期,应以持续的方式使用资源,提高效益,节约能源,减少废物,改善传统的生产和消费模式,控制环境污染和改善环境质量,使经济的发展保持在环境资源的承载能力之内。可持续发展是环境法的目的价值,能够表现出立法者所要追求的法律精神。因此,同样重要的就是用法律的方式来对现实的社会关系进行法律的调整和保障。

其次,环境安全和社会稳定是对循环经济立法的客观要求。我国资源前景不容乐观。原油进口量逐年激增,水资源紧张,不少矿藏超负荷开采,全国已经出现了数十个资源枯竭型城市。环境严重超载。虽然做了很大的努力,但环境污染和生态退化只有局部改善,整体却一直在恶化。近年来水体污染、黄河断流、沙尘暴、江河洪水、非典疫情凸显了生态问题的严峻。为了在保持经济发展的高速度的同时,确保环境的安全和社会的稳定,根本的措施是改变经济发展的传统模式,向循环经济模式转变。在此过程中,立法现行并保障实践已经成为各国的共识。

再次,实现公民环境权应当成为循环经济立法的基本宗旨。尽管我们较早地把环境保护确立为基本国策,并且也制定了一系列配套的环境经济政策,但环境政策在社会运行主流形态中呈现边缘化状态,环境保护在经济活动执行过程中呈现软弱化状态。由于环境政策设计的边缘化和环境保护实施的软弱化,使得我们谋求平衡经济增长与资源环境压力的目标,始终不能成为社会经济实践的主流活动。这就需要设计一种新的制度构架和政策安排,把解决环境污染与促进经济增长融合起来,并将这种融合形式植入到社会主流运行形态之中,并逐步使其成为主流经济运行形态。由于循环经济内涵的多层次性和解决现实经济问题的针对性,我们完全可以把循环经济设计为这种制度构架来解决物质循环链中各利益实体的权利、义务与责任问题,利益分配问题,效率与公平问题。同时,上述相关内容也表明,环境权归根结底是公民环境权。公民环境权是随着社会文明的进步和对人的尊严及自由的日益重视,权利的种类和内容不断得以扩充和完善而进入文明体系的。有些国家公民环境权已为宪法或专门的环境法确立并得到了较好的保护,顺利地实现了从应有权利到实有权利的过渡,如波兰、南斯拉夫、智利、巴西、匈牙利等国。另一些国家,虽然并未以立法形式明确承认公民环境权,但有了关于环境权保护的司法实践,如美国和日本。在我国还没有以立法方式明确承认环境权,环境权对于我国公民来说还是一种应有权利。但随着整个世界范围对环境权的承认和保护,我国法学界认为公民环境权应作为一项基本人权的呼声越来越高。而循环经济的立法对于公民环境权的保护则是至关重要的。循环经济法律可以调动国家、政府、企业和全社会的力量实现社会资源的循环利用,防止废弃物的产生,从而成为公民良好的生活环境的制度性保障,也体现了以人为本又兼顾社会整体利益的立法要求。因此对循环经济进行立法也是公民环境权实现的有力保障。

循环经济立法研究

主要参考文献

[1]叶俊荣:"宪法位阶的环境权:从拥有环境到参与环境决策",载叶俊荣著:《环境政策与法律》,台湾月旦出版公司1993年版,第11—12页。

[2][法]亚历山大·基斯著:《国际环境法》,张若思译,法律出版社2000年版,第21页。

[3]叶俊荣:"大量环境立法",载叶俊荣著:《环境政策与法律》,台湾月旦出版公司1993年版,第97页。

[4]参见吕忠梅著:《环境法》,法律出版社1997年版,第137页。

[5]参见张梓太:《公众参与与环境保护》,载《郑州大学学报(哲社版)》2002年第2期。

[6]关于公民的环境诉讼参与权,特别是环境行政诉讼的公民参与或原告资格问题,笔者将另行撰文。

[7]张玉霞等:《循环经济的法理分析》,《河北科技师范学院学报》,2005年12月第4卷第4期。

循环经济国际博览会（苏州）
参展单位名录*

国际参展企业

法国滤园环境科技工程有限公司

洋马发动机（上海）有限公司

法国 ATI 集团公司/法国采购服务有限公司

德国中小企业联合会

丹麦托普索公司

德国莱比锡博览会有限公司

德国 ERK 有限公司/北京中生能电力技术有限公司

西班牙环保服务工程有限公司

上海彼耐珂工贸有限公司

古桥工业株式会社公司（富来西国际贸易（上海）有限公司/
 古桥物流产品制造（苏州）有限公司）

德国乐嘉文洋行

上海捷思安环保科技有限公司

藤岛股份有限公司/玻璃之家事业部

---

* 参展单位名录由苏州市人民政府提供。

清水工程——ANS

海港(国际)集团有限公司

加拿大红枫集团(中国总部)上海瑞聚装饰工程有限公司

中国三爱环境水资源(集团)有限公司(上海三爱环境水务工程有限公司/澳大利亚三爱国际企业公司)

西南环保技术咨询有限公司

上海地球村环保技术有限公司/株式会社/石洹环境机械(上海)贸易有限公司

伟翔(中国)/TES—AMM Corporation (China) Ltd

同和资源综合利用有限公司

法国 PCM 泵业公司上海代表处

松下电器(中国)有限公司

法国阿海珐集团公司

威立雅环境服务亚洲有限公司

日本积水化学工业株式会社

株式会社日本计划机构

上海昌天国际贸易有限公司

富士电机产业(上海)有限公司

株式会社古川电机制作

上海可亚真沁贸易有限公司

富勤环保(中国)有限公司

国内参展企业

北京首钢集团

济南钢铁集团总公司

攀枝花钢铁(集团)公司

江苏苏钢集团有限公司

苏州苏拓钢铁工业有限公司

苏州石川制铁有限公司

江苏沙钢集团有限公司

株洲冶炼集团有限责任公司

中国环境科学学会绿色包装分会

中国有色金属工业协会再生金属分会

中国再生资源回收利用协会

中关村科技园区管理委员会

北京金隅红树林环保技术有限责任公司

内蒙古通辽经济技术开发区（中国绿色包装分会）

宜昌高新技术产业开发区/宜昌经济技术开发区

佛山市南海国家生态工业示范园区

武汉市东西湖区循环经济工作领导小组办公室

武汉关山梁子湖生态科技园

武汉烁森生物科技有限公司

河南省鹤壁市人民政府,中国绿色包装分会

国家环保总局环境认证中心

华夏认证中心有限公司(CCCI)

德安生态集团

苏州国际环保产品技术交易中心

无锡尚德太阳能电力有限公司

北京奥瑞金新美制罐有限公司

苏州伊奈陶瓷有限公司

北京博奇电力科技有限公司

苏州威尔科技有限公司

加拿大 Ecolo 异味控制国际公司——华东、华南、华北、西北区
  公司

清华大学环境科学与工程系

苏州科技大学环境科学与工程系

南京大学环境学院

浙江大学蓝天环保设备工程有限公司

上海大学循环经济研究院

城市建设研究院

机械工业环保产业发展中心

中国化工信息中心

中国环境科学出版社

化学工业出版社

上海新格有色金属有限公司

深圳市日塑塑胶制品有限公司

海澳鑫索(北京)国际贸易有限公司

奥加诺(苏州)水处理有限公司

爱环吴世(苏州)环保有限公司

北京美华博大环境工程有限公司

金华盛纸业(苏州工业园区)有限公司

栗田工业(苏州)水处理有限公司

西安热工研究院有限公司

岛津仪器(苏州)有限公司

苏州世纪星新材料科技技术有限公司

江苏科林集团有限公司

苏州苏净环保工程有限公司

无锡东雄重型电炉有限公司

苏州健龙环保科技有限公司

上海市康瑞洁环保科技有限公司

加拿大康是福工程技术公司

北京亚盟海若莱克生态工程技术有限公司

吉林亚泰(集团)股份有限公司

苏阀科技实业股份有限公司

北京瑞华馨园技术咨询有限公司

福州纳仕达电子有限公司

广州中科华源科技有限公司

苏州恒有源科技有限公司

吴江富力石化有限公司

光普电子(苏州)有限公司

深圳市北林苑景观及建筑规划设计院有限公司

雷贝斯托摩擦产片(苏州)有限公司

加拿大太阳能公司(阿特斯光伏电子(常熟)有限公司/阿特
    斯太阳能光电(苏州)有限公司)

苏州金屋置业有限公司

广东肇庆市华芳降解塑料有限公司

哈尔滨工大新源热能科技有限责任公司

南京龙源环保(工程)有限公司

福建省南平铝业有限公司

青岛新天地固体废物综合处置有限公司

上海华业环保有限公司

苏州市环境保护有限公司

苏州市工业园区绿环环境检测技术有限公司

阿达生态建筑设计咨询(苏州)有限公司

华努迪克(苏州)有限公司

苏州许多宝贸易有限公司

新疆天业(集团)有限公司

深圳市丰河环境工程技术有限公司

上海太阳能科技有限公司

新航发泡塑料(苏州)有限公司

客我禧音响(苏州)有限公司

苏州泽元科技有限公司

上海耐尔特节能环保房屋建筑技术有限公司

苏州华辰电气有限公司

衢州元立金属制品有限公司

南京一夫建材实业有限公司

威林(上海)能源科技有限公司

山东利丰集团

富阳市富伦造纸厂

苏州紫兴纸业有限公司

苏州吉人漆业有限公司

万若(北京)环境工程技术有限公司

上海复科健康科技有限公司

辽宁藤井环保设备制造有限公司

北京蓝资集团

北京伸乐环保科技有限公司

苏州普圣爱制氧科技有限公司

中宜环能技术有限公司

南京冠亚电源设备有限公司

杭州杭氧环保成套设备有限公司

苏州千亿生物科技有限公司

宜兴市鼎浩环保设备有限公司

上海岚江环保设备有限公司

杭州新世纪能源环保工程股份有限公司

深圳市迅宝投资发展有限公司

湖北大自然环保设备工业有限公司

无锡市盈丰科技有限公司

昆山中环实业有限公司

浙江美大太阳能工业有限公司

上海华亭环保设备厂

石家庄诚隆除尘设备配件有限公司

济南兴民意取暖设备有限公司

盛诠纸业(苏州)有限公司

宁波兴达环保设备厂

琳得科（苏州）科技有限公司

上海静音减振器有限公司

深圳市超美科技有限公司

广州紫科生物环保技术有限公司

北京英福特科技有限公司上海分公司/苏州市英科节电产品
　　有限公司

汉姆沃斯船用设备（苏州）有限公司

太仓创造电子有限公司

苏州市瑞华水处理工程公司

北京天地人环保科技有限公司

苏州市科林除尘设备有限公司

江苏福昌化工残渣处理有限公司

阿克苏诺贝尔长诚涂料（苏州）有限公司

南京景鸿环保系统工程设备有限公司

珠海市王清熙水处理设备工程有限公司

张家港市金秋环保设备有限公司

北京东方风光新能源技术有限公司

亿码科技（苏州）有限公司

苏州斯坦福仪器有限公司

南通恒维化工厂

苏州科杨电子有限公司

苏州瑞环化工有限公司

宜兴市南循环保填料有限公司

苏州市东方环境工程有限公司

苏州市新波能电热水炉有限公司

郑州沃特测试技术有限公司

江苏中科金龙化工股份有限公司

齐齐哈尔天韵电器工贸有限公司

佳能（苏州）有限公司

苏州东洋电波电子有限公司

常熟市共和生物技术开发有限公司

长沙清之源环保科技有限公司

广东康柏实业有限公司

河南莲花环保科技肥业有限公司

北京巨银环发科技发展有限公司

抚顺矿业集团有限责任公司

福建环科化工橡胶集团有限公司

科正新型建筑材料技术开发中心

广东雪莱特光电科技股份有限公司

仪征市复地土工材料有限公司

上海广安工程应用技术有限公司

加拿大凯帝集团沈阳沃而得复合材料有限公司

北京康力协美环保技术开发中心

安徽临泉化工股份有限公司

上海虹磊精细胶粉成套设备有限公司

苏州德诚环保工程有限公司

金湖县国祥工贸有限公司

江苏鼎泽环境工程有限公司

苏州韩京姬科技有限公司

新疆康德环保热力科技有限公司

昆山保绿塑料资源再生处理有限公司

吴江市绿怡固废回收处置有限公司

清华同方环境有限责任公司

茂达环境生化产业集团有限公司

杭州中粮美特容器有限公司

北京益环伟业农业生态科技有限公司

深圳麦克维尔空调有限公司

无锡益多环保热电有限公司

沈阳合益水处理技术有限公司

南京三五二特种设备厂

昆山德源环保发展有限公司

博林高科（北京）石油化工有限公司

苏州市蓝博再生资料有限公司

大金机电设备（苏州）有限公司

清华紫光环保公司

北京赛姆环保科技有限公司

青岛赛尔环境保护有限公司

恩达电路（深圳）有限公司

苏州盛世达电源有限公司

光大环保能源（苏州）有限公司

深圳市绿盾环保科技有限公司

北京丰阳塑化工程技术有限责任公司

江苏康源环保科技有限公司

北京奥天奇科技发展有限公司

辽宁省盘锦市鼎翔农工建（集团）有限公司

苏州市飞龙有色金属制品有限公司

昆山市双林包装容器再生有限公司

山东利诺瑞特新能源有限公司

和舰科技（苏州）有限公司

湖北力帝机床股份有限公司

友达光电（苏州）有限公司

安智电子材料（苏州）有限公司

苏州立邦雅士利涂料有限公司

诺基亚通信有限公司苏州分公司

苏州胶囊公司

美加金属（苏州）有限公司

上海洁圣空气净化有限公司

新工环境工程与管理咨询有限公司

横河电机苏州有限公司

常熟国际化学工业园

常熟市汽车饰件有限公司

常熟市江河天绒丝纤维有限责任公司

江苏梦兰集团有限公司

常熟吉成生物工程技术有限公司

扬子江国际冶金工业园

张家港市新中环保设备有限公司

泉州市丰泽华兴建筑机械设备有限公司

江苏华尔润集团有限公司

江苏菊花味精集团有限公司

双狮(张家港)精细化工有限公司

张家港全鸿席业有限公司

东海粮油工业(张家港)有限公司

江苏华加新材料技术有限公司

江苏省远大信息系统有限公司

张家港爱丽塑料有限公司

罗地亚—恒昌(张家港)精细化工有限公司

江苏华昌化工股份有限公司

张家港市华天药业有限公司

上海西重所重型机械成套有限公司

格兰富水泵(上海)有限公司

北京中环发环境科技集团

奥阳科技发展(上海)有限公司

上海闵欣环保设备工程公司

上海宝钢劳防用品厂

上海联阳金属橡胶有限公司

上海青浦环新减振器厂

上海卓佳环境工程有限公司

上海港韵新型吸声材料有限公司

上海江秀净化设备厂

上海市凌桥环保设备厂有限公司

上海蓝幸环保科技有限公司

上海中豪环保生物技术有限公司

上海锦礼水处理科技有限公司

河北绿环新型墙材科技有限公司

北京市双峰纯水设备厂

济南楼方实业有限公司（臭氧在线）

上海润孚玻璃钢有限公司

江苏省激光研究所有限公司

北京绿标科技发展有限公司

南通虹宇太阳能制品有限公司

苏州三之星机带科技有限公司

杭州银江环保科技有限公司

维岛美工业有限公司

宜兴市嘉和环保填料有限公司

嘉兴市竹林纯水设备厂

兴化市兴云过滤厂

北京鼎盛新元环保装饰技术开发有限公司

大庆市海丰能源技术研究有限公司

长春黄金研究院

大连保清节能环保有限公司

上海康马建材有限公司

昆士通环保设备（昆山）有限公司

夏弗纳电磁兼容（上海）有限公司

佐竹机械（苏州）有限公司

北京大华融源环保仪器设备工程技术有限公司

金车健康器材（苏州）有限公司

上海国达特殊光源有限公司

苏州高科净化有限责任公司

山东点石节能科技开发有限公司

上海亿泽环保科技有限公司

威盾新型建材（天津）有限公司

新亿星电子科技（苏州）有限公司

昆山宏扬净化机电有限公司

杭州恒洁环境技术有限公司

北京丽天伟业环保科技开发有限公司

苏州肖特尔推进器有限公司

苏州星恒电源有限公司

仕龙阀门水应用技术（苏州）有限公司

常州金太阳鹏宇机械有限公司

苏州由由丰田汽车销售服务有限公司

苏州日本电波工业有限公司

苏州市和瑞环保科技有限公司

高砂建筑工程（北京）有限公司

苏州福田金属有限公司

富优技研（苏州）有限公司

苏州固锝电子股份有限公司

无锡市洛社精滤设备厂

德基清源环境科技有限公司

山东山大华特科技股份有限公司环保分公司

上海轻工业研究所有限公司

绍兴越城双益废水回收利用中心

中欧环保网

苏州诚品包装制品有限公司

中国 AAB 国际

合肥沃森绿色能源开发有限公司北京办事处

苏州大展电路工业有限公司

佳展电子（昆山）有限公司

苏州勤美达精密机械有限公司

俊硕静电包装（上海）有限公司

苏州中环友缘化学有限公司

苏州市七星装饰工程有限公司

合肥三猫日用品有限责任公司

宜兴市思源水处理填料有限公司

亚洲环保杂志社

苏州华锋化学有限公司

青岛优企亚环保产品有限公司

上海杉德油漆涂料销售有限公司

无锡欧贝克环保科技有限公司

德亚空气工程（深圳）有限公司

苏州晶协高新电子材料有限公司

深圳市胜得意高新技术有限公司

苏州市荣嘉贸易公司

上海傲尔健康科技有限公司／苏州康盛涂料经营部

宗阳工程（昆山）有限公司

北京新亚城文化发展有限公司

上虞市华佳亿塑化有限公司

无锡福锋化工有限公司

苏州韦达斯科技有限公司

牛尾电机（苏州）有限公司

高达（上海）工程咨询有限公司

苏州大红鹰经贸有限公司

昆山贝豪环保热力空调工程有限公司

上海澳恩环保工程有限公司／天津易清环保工程有限公司

齐齐哈尔卓群锅炉节煤技术开发有限公司

苏州市科韵环境科技有限公司

苏州水木清华新材料科技有限公司

北京金运通大型轮胎翻修有限公司

甘肃科进环保技术有限公司

上海淼淼水处理科技发展有限公司

上海滨浦水处理设备有限公司

天津碱渣地产开发有限公司

河北 STC 田计刚涛浪环保设备厂

乔大环保科技(苏州)有限公司

烟台艾潍龙环控技术有限公司

北京西克邦洁科贸有限公司

佳龙环保科技(苏州)有限公司

可成科技(苏州)有限公司

艾飞克印刷技术(苏州)有限公司

苏州市亨文环保水业有限公司

第七〇四研究所上海四诚热水炉设备有限公司

日本东洋电化工业株式会社

上海挪亚环境资源开发有限公司

上海城市燃气技术研究所

江苏烽生源垃圾制炭有限公司

南京绿色资源再生工程有限公司

富勤环保(中国)有限公司(南京金泽)

南京供电公司

国电南京自动化股份有限公司

中电电气光伏(南京)有限公司

南京凯燕电子有限公司

南京圣诺热管有限公司

南京红宝丽股份有限公司

镇江润鑫绿色工程有限公司

镇江铁伦太阳能有限公司

镇江伊斯特新型建筑材料有限责任公司

镇江盛华粉煤灰综合利用开发有限公司

江苏奥雷光电有限公司

镇江金浪潮化纤设备有限公司

江苏大亚人造板有限公司

江苏辉煌太阳能有限公司

江苏井神盐业有限公司

江苏淮钢集团

洪泽银珠化工集团有限公司

江苏鼎元科技发展有限公司

淮安柴米河基质肥料有限公司

连云港化工园区

江苏新海发电有限公司

江苏太阳雨太阳能有限公司

赣榆县金山化工有限公司

泰州市前进机电制造有限公司

江苏双乐化工颜料有限公司

姜堰市虹磊橡胶有限公司

江苏光芒集团有限公司

泰州市东方印刷版材有限公司

江苏洋河酒厂股份有限公司

江苏汤沟两相和酒业有限公司

江苏泗绢集团有限公司

江苏太湖巨豪人造板有限公司

江苏扬农化工集团有限公司

江苏绿陵润发化工有限公司

江苏联环药业集团

仪征化纤股份有限公司

扬州市中兴硫酸设备厂

江苏顺大半导体有限公司

宝应湖有机农业开发园区

扬州天雨集团

江苏北方氯碱集团公司

江苏海鸥冷却塔股份处理有限公司

江苏花厅酒业有限公司

江苏春兴合金(集团)有限公司

中联巨龙淮海水泥有限公司

江苏创导电气有限公司

徐州矿务集团有限公司

大屯煤电(集团)有限责任公司

无锡海联橡塑五金制品有限公司

无锡展拓新型材料厂

无锡市明锐科技有限公司

无锡蓝海污泥处理有限公司

无锡华宏生物燃料有限公司

无锡爱迪节能技术有限公司

江阴兴澄特种钢铁有限公司

宜兴协联生物化学有限公司

宜兴协联热电有限公司

宜兴昌兴农业生态园

江苏灵谷化工有限公司

常州东南经济技术开发区

常州市通力机电设备制造有限公司

常州轨道车辆牵引传动工程技术研究中心

常州科杰建材公司

常州长江热能有限公司

常州兴昌盛合金制品有限公司

江苏力强化工有限公司

江苏磊达股份有限公司

常州盘固水泥有限公司

江苏永林油脂化工有限公司

大丰市劲力化肥有限责任公司

盐城双昌化工有限责任公司

上海林一环保设备有限公司

吴江祥盛纺织染整有限公司

江苏新民纺织科技股份有限公司

江苏华佳投资(集团)

吴江市盛泽水处理发展有限公司

江苏恒力化纤有限公司

江苏永鼎股份有限公司

江苏康力电梯集团有限公司

苏州科达液压电梯有限公司

吴江市太湖绝缘材料厂

吴江市巨龙金属带箔有限公司

江苏亨通光电股份有限公司

江苏爱富希新型建材有限公司

吴江市荣泰橡塑有限公司

苏州市太湖绢麻纺织有限责任公司

吴江恒宇纺织染整有限公司

责任编辑:夏　青
版式设计:顾杰珍

图书在版编目(CIP)数据

循环经济立法研究——中国循环经济高端论坛/主编　冯之浚
　副主编　孙佑海 周长益 谭颖
-北京:人民出版社,2006.11
ISBN 7-01-005915-2

Ⅰ. 循…　Ⅱ. 冯…　Ⅲ. 自然资源-资源利用-中国-学术会议
　-文集　Ⅳ. D922.604-53

中国版本图书馆 CIP 数据核字(2006)第 130055 号

循环经济立法研究
XUNHUAN JINGJI LIFA YANJIU
——中国循环经济高端论坛

主编　冯之浚　副主编　孙佑海　周长益　谭　颖

人 民 出 版 社 出版发行
(100706　北京朝阳门内大街 166 号)
北京新魏印刷厂印刷　新华书店经销

2006 年 11 月第 1 版　2006 年 11 月北京第 1 次印刷
开本:710 毫米×1000 毫米 1/16　印张:26.25
字数:365 千字　印数:0,001-4,000 册

ISBN 7-01-005915-2　定价: 45.00 元

邮购地址 100706　北京朝阳门内大街 166 号
人民东方图书销售中心　电话 (010)65250042　65289539